ISBN: 978-1-922475-07-7

Página web del autor:
www.raulgarbantes.com

amazon.com/author/raulgarbantes
goodreads.com/raulgarbantes
instagram.com/raulgarbantes
facebook.com/autorraulgarbantes

Obtén una copia digital GRATIS de *Miedo en los ojos* y mantente informado sobre futuras publicaciones de Raúl Garbantes. Suscríbete en este enlace:
https://raulgarbantes.com/miedogratis

ÍNDICE

JURO VENGARTE

JURO CAZARTE

JURO COMBATIRTE

AINARA PONS

TRES THRILLERS POLICÍACOS EN ESPAÑOL

RAÚL GARBANTES

JURO VENGARTE

AGENTE ESPECIAL AINARA PONS Nº 1

PRÓLOGO

2:00 a. m.
Somerset, Nueva Jersey

Me encuentro inmóvil, paralizada por la indecisión y el terror que me producen comprender en dónde estoy y lo que significa. Lo seguí con cuidado para atraparlo desprevenido, sin embargo, fue él quien me trajo intencionalmente hasta aquí, al inicio de todo, para terminar conmigo. Siempre estuve segura de que era un psicópata, y acerté. Pero subestimé su inteligencia y ese fue el error, jamás imaginé la posibilidad de que era él quien llevaba la delantera. Yo no lo perseguía, él me atraía hacia su emboscada.

Ahora no tengo dudas, sabe que lo seguí y que estoy aquí. Lo planeó todo, por eso los cambios repentinos. Sabía que los averiguaría.

Está nevando mucho y el cielo cubierto de nubes casi no deja filtrar luz natural, limitando mi visión; la brisa es fuerte y me resopla en los oídos, mi audición es pobre.

3

El frío penetra por mi piel y me invade los pulmones en cada respiración, bajándome la temperatura corporal y agudizando todos mis temores. Mi corazón late desbocado, lo siento en la garganta. Mi cerebro trabaja al máximo: trato de obviar recuerdos difíciles, busco peligros, calculo probabilidades de éxito ante diferentes situaciones y visualizo mi cadáver siendo devorado por aves carroñeras, en caso de que algo no salga bien. La experiencia y toda lógica me dicen que debo marcharme, pedir refuerzos y esperar. Pero como él y yo sabemos, no lo haré. Esto termina hoy, ahora.

Mi vida y mi carrera se resumen a este momento. Ya las cartas están echadas y, a pesar de tener la peor mano y que él conoce las mías, debo jugármelas. Conozco la cabaña, sé que hay una sola puerta, las ventanas parecen seguir selladas. Respiro profundo varias veces para serenarme y camino hacia la entrada. Mis botas se hunden en la nieve a cada paso que doy. Avanzo, apretando el arma con firmeza —esta vez reviso que el seguro no esté puesto— y enfocándome en la puerta, sin descuidar la periferia.

Se puede apreciar que hay luz dentro, escapa por la parte inferior de la puerta y los orificios de esa vieja construcción.

Un fuerte grito de sufrimiento, proveniente del interior de la cabaña, tensa todos mis músculos y me hace detener en seco. Tiene a una víctima ahí dentro. Él está distraído con alguien y ahora existe la posibilidad de que aún no me esperaba, puedo agarrarlo desprevenido. Me apresuro a la puerta. Siento que el corazón me va a explotar por la exaltación.

Me repito tres veces que es una trampa y vuelvo a detenerme. Miro hacia los lados: la ventisca, la oscuridad, lo desolado del lugar y la incertidumbre no parecen mejor. Pateo la puerta con todas mis fuerzas y entro.

Hay una persona tirada sobre un charco de sangre. La imagen que contemplan mis ojos es tan absurda en mi cabeza

4

que quedo desorientada, sin un próximo movimiento claro. Nada tiene sentido, pero el comprenderlo deja de importar cuando siento un hierro helado contra mi sien y un filo en mi abdomen.

—¿Qué se siente saber que vas a morir en el mismo lugar? —pregunta cerca de mi oído—. Suelta el arma, Ainara. No puedes llevarla al lugar a donde vas.

No me sorprendió escuchar su voz, no me equivoqué, no del todo. Pero qué ilusa fui al creer por unos segundos que no me esperaba y qué idiota al no hacer caso de mis propias advertencias. Supongo que ya no importa, me tiene donde quería, atrapada en el medio de la nada, nadie sabe en dónde me encuentro, no hay refuerzos en camino; perdí, no hay escape y voy a morir. Dejo caer mi Glock 9 mm.

Para satisfacer su ego psicópata y superioridad intelectual, me explica el porqué y el cómo de todo, responde mis preguntas.

Al menos, primero mata mi intriga.

—Ahora que hemos terminado, te daré diez segundos más de vida, gástalos en algún recuerdo bonito —advierte con tranquilidad.

Cierro los ojos para huir mentalmente y la veo; «Rachel sonriendo a carcajadas en un viaje a la playa. Rachel graduándose en la secundaria. Rachel haciéndome trenzas en el cabello. Mi madre preparándonos…».

Me hace volver a la realidad hundiéndome la pistola en la piel.

—Nos vemos en la siguiente vida. Adiós, agente.

Se me escapa una lágrima y escucho cómo jala el percutor. Tengo miedo y no quiero morir, no así.

—Espera. Pode…

1

¡ERES LA AGENTE ESPECIAL AINARA PONS!

SEMANAS atrás
7:00 p. m.
Zona de muelles. Manhattan, Nueva York

Estoy dentro de mi auto, siento repentinos impulsos de salir; he abierto y cerrado la puerta tres veces ya. Sé que ni siquiera debería estar cerca de este lugar, Phillip me lo prohibió de forma categórica, pero no puedo evitarlo. Si es Hawk, no permitiré que escape.

Mi cuerpo se mantiene tenso mientras escucho absorta el canal de radio del equipo.

«Líder Alfa en posición, informe de equipos».

Es Bennett quien está al frente del operativo.

«Líder Beta en posición».

«Líder Delta en posición. Todos los puntos de escape cubiertos».

«Águila uno y dos en posición».

«Copiado. Equipo Alfa entrando».

Todo el operativo se armó de improviso al enterarnos de que una adolescente de la secundaria Stuyvesant High había desaparecido al mediodía de hoy —la segunda en un mes—. La Policía local hubiera dejado pasar más de veinticuatro horas apostando a que aparecería sola, nosotros no. Conecté estos casos con los ocurridos en diferentes partes del país y, afortunadamente para Andrea, ya es competencia del FBI. La joven de alguna manera logró esconder su teléfono y la hemos rastreado hasta aquí. Hawk tiene que ser el responsable, todo encaja.

«Aquí Águila uno. Hay movimiento en el primer piso, debe ser el objetivo. Un hombre muy alto se mueve rápido y en círculos. Sabe que algo no anda bien. Apagó las luces».

«Muy alto». Cada vez coincide más. Aprieto tan fuerte mis puños que sin querer me rompo una uña, que queda enterrada un milímetro dentro de mi palma.

«Aquí líder Alfa. Enterado. Procederemos con extrema precaución».

Los segundos parecen durar una eternidad y lucho por mantenerme quieta.

«Aquí Águila dos. El objetivo está rompiendo una ventana del tercer piso...».

«¿¡En qué lado!?».

«Noroeste del edificio. Parece... parece que pretende escapar».

Estoy del lado noroeste. Con rapidez lo busco y lo diviso en el marco de la ventana del edificio. Sin pensarlo, salgo del auto y camino en esa dirección.

«¿Encontraron a la niña? ¡Me dirijo con el equipo Alfa al tercer piso! ¡Los demás encárguense de asegurar todas las salidas!».

«Aquí líder Delta. Tenemos a la niña, está con vida».

«Aquí Águila dos. Tenemos dos problemas. El objetivo se

dispone a hacer rapel hacia el edificio del frente y la agente Pons está abajo, cerca del lugar. Tengo un disparo limpio en este momento, deme la orden y acabo con el objetivo».

«¿¡Qué carajos haces allí, Pons!?».

Apago la radio.

—¡No puedes escapar, Hawk! ¡Estás rodeado, hijo de puta! —le grito.

Él se detiene un momento antes de deslizarse por un cable y nos quedamos mirando, por la distancia y el reflejo de luz en sus lentes no puedo verle los ojos, pero siento escalofríos. Me ignora y desciende apresurado. El destello y el fuerte sonido de un disparo también me hacen reaccionar. Él entra rompiendo la ventana del viejo edificio de al lado, debe estar herido. Ya tenía preparada una fuga en caso de emergencia, si tiene un vehículo, podrá escapar.

—¡Agente Pons, tiene orden directa de abandonar el lugar! —grita Águila dos.

Desenfundo mi arma y corro al interior del viejo edificio.

No hay luz. Enciendo mi linterna y avanzo a toda velocidad, esquivando obstáculos, hacia el segundo piso. Hace calor, comienzo a transpirar. Cualquier movimiento crea sonido, escucho la gravilla crujir contra las suelas de mis botas y hasta mi respiración parece hacer eco, o solo son los nervios por ser mi primera vez en una situación así. Hay ratas por todos lados, me aterran. Aunque a cada paso que doy me reclamo por haber entrado sola, no puedo retroceder. Hawk no puede escapar.

Mi campo de visión se reduce al pequeño haz de luz que proporciona mi linterna. Y el segundo piso es amplio, es una especie de taller abandonado con mucha maquinaria antigua y chatarra dispersa por todo el lugar. Hawk puede estar donde menos lo espero.

Hacia todas direcciones, las ratas no dejan de provocar

sonidos que me mantienen en alerta. Siento que pasé de ser la cazadora a convertirme en la presa.

Un quejido de dolor por detrás de mi espalda me alertó cuando me iba a golpear con un tubo. Logré rodar por el suelo hacia un lado y muy rápido incorporarme para apuntarlo, directo al rostro que por muchos años he ansiado tener de frente.

Es jodidamente alto como Hawk, pero su cara es muy diferente. Necesito ver sus ojos.

—¡Quítate los lentes!

Él parece confundido.

—¡Que te los quites! ¡Ya! —grito colérica.

Haciendo un gesto para que me calme, suelta el tubo y se quita los lentes.

—No soy quien esperabas.

No, Hawk tiene los ojos con iris de diferente color. Y este hombre que tengo al frente tiene ambos ojos claros e idénticos. Volví a fallar.

—Me llamo Tom. Estoy herido y no soy a quien buscas, preciosa. Mátame o deja que me vaya, necesito atenderme.

Ensimismada, entre mis pensamientos y la decepción, tardo en responder y él da un paso hacia adelante. Por reflejo, jalo el gatillo, pero mi arma no dispara. Él sonríe y se abalanza sobre mí. Con sus largos brazos no tarda ni medio segundo en alcanzarme, con su peso y tamaño me tumba sin esforzarse. Comienza a estrangularme con tal fuerza que mi visión se nubla rápido.

—Tus deseos de encontrar a ese tal Hawk te han traído aquí para morir. Eres hermosa, lástima que no tengamos tiempo —dice con furia y muestra su mirada psicópata mientras siento que toma mi vida.

Logro agarrar algo sólido del piso y darle con él en la

cabeza, sin embargo, él continúa ahorcándome. No es humano. Lo golpeo tres veces más hasta que cae a mi lado. Casi no puedo respirar ni parar de toser, entretanto, lucho por levantarme. Me mantengo en pie gracias a una vieja mesa que me sirve de apoyo. Aunque mis ojos se han adaptado a la oscuridad, no encontraré mi arma sin la linterna que está tirada a metros, y Tom está de por medio. Comienza a levantarse. Encuentro una pesada tabla de madera. Lo golpeo una y otra vez en la espalda y cabeza con todo lo que tengo; él se levanta como si nada. La impresión me deja sin movimientos. Tom me toma por el cuello con una sola mano y me levanta a su altura, estrangulándome otra vez. Poco a poco voy perdiendo el conocimiento.

Cuando empieza a decirme algo que mi cerebro casi sin oxígeno no logra procesar, escucho un cristal romperse.

—¡FBI! ¡Suéltala inmediatamente!

Caigo al piso. Todo se pone negro.

Despierto asustada y nerviosa.

Intento levantarme, pero un paramédico me pide que me calme; lo que me cuesta. Sin embargo, al notar que me encuentro en una ambulancia, me tranquilizo. A medida que voy recordando, el dolor en mi cuello se vuelve más molesto.

—¿Fue Bennett? —pregunto.

—Sí. Todos hablan de eso, es un héroe. Saltó de un edificio a otro para llegar a tiempo y poder detenerlo.

Así es Bennett. Aunque supongo que debo estar agradecida.

—¿No lo mató?

—No, lo hirió en las piernas. Pagará por sus crímenes. Se

encuentra bien, agente, puede irse cuando quiera. Solo debe ponerse algo para evitar que se le marquen mucho los ~~moretones~~ en el cuello. Cuando me bajo para ir hacia mi auto, noto que todos se me quedan viendo. Deben estar burlándose de mí; cometí la mayor imprudencia y estupidez de toda mi vida.

Abro la puerta del vehículo.

—Pons, tu lugar es en la oficina, ahí sí nos eres de verdadera ayuda. Aunque espero que nunca vuelvas a entrar en acción, si lo haces, siempre revisa tu arma primero. Tenía el seguro puesto —dice Bennett con su cara de sobrado al entregarme la pistola.

Se va sin dejarme darle las gracias. Algún día se las daré. Ahora mi preocupación es con Phillip, debe estar molesto porque lo desobedecí.

Cuando llegué a las oficinas me encerré en la mía y me he mantenido aquí, los demás festejan en el salón de conferencias. Atrapamos a un asesino en serie y salvamos una vida, sin embargo, no puedo quitarme la sensación de fracaso. No quiero hablar con nadie y seguramente nadie tendrá algo positivo que quiera decirme. Deben estar burlándose de mi error y falta de profesionalismo. Por otro lado, Hawk sigue suelto o quizá ya esté muerto. Nunca tendré mi propio cierre.

Mi jefe se acerca. Me palpo el cuello para cerciorarme de que la bufanda que improvisé se mantenga fija. Toca la puerta y entra.

—Bennett me contó lo que ocurrió —dice y yo trago saliva—. Dijo que salvaste el día, que sin tu intervención el asesino probablemente hubiera escapado, que fuiste muy valiente.

¿Por qué el imbécil de Bennett cree que puede salvarme dos veces en un mismo día?

—Sé que te ordené que no fueras, Ainara. Pero lo hice por seguridad. No eres una agente de campo, rara vez controlas tus impulsos y los sujetos que perseguimos son unas bestias que no dudarán en matarte. Anda a casa y vuelve mañana temprano, arreglada. Daremos una rueda de prensa y hablarás en ella. Después de los numerosos criminales que nos has ayudado a atrapar, mereces más reconocimiento del país al que sirves.

Eso explica por qué Bennett me dio crédito, se cansó de los discursos en público.

～

Un día después de la molesta rueda de prensa en donde también intentaron averiguar sobre mi pasado, sigo en la oficina. Tom nos detalló con exactitud sus crímenes, utilizaba el *modus operandi* que descifré mientras creía que él era Hawk; Tom viajaba de un estado a otro y residía un tiempo trabajando como profesor de alguna materia de ciencias —matemática, física, química—. Con total acceso a la información del alumnado, estudió y eligió con cuidado a sus víctimas, las violó y mató. Sus cuerpos aparecían en bolsas de basura. Luego de un tiempo prudencial, se marchaba y cambiaba de identidad. La primera desaparición en la secundaria Stuyvesant High me alertó, y la segunda me dio la seguridad de que era el asesino; estaba en Nueva York.

Tom no admitió todos los casos que relacioné con él, lo que abre la posibilidad de que estos hayan sido obra de Hawk.

Desde ayer no he salido de la oficina y solo he dormido un par de horas sobre el escritorio. Ahora me encuentro parada frente al enorme mapa de los Estados Unidos que cubre una pared de mi oficina. Viendo una y otra vez todos los puntos que tengo marcados en diferentes estados, reintentando encontrar algo que se me haya pasado. Aunque hay cientos de homicidios y desapariciones destacables, no logro ver nada más. Me siento frustrada. Cuando voy a liberar un arrebato de ira contra mi escritorio, Phillip toca y entra. Ve mi apariencia, me advierte que sabe que he dormido aquí y me recuerda que tengo diez días para organizar todo e irme de vacaciones obligatorias. No quiero vacaciones, necesito trabajar. Él alega que son órdenes del Departamento de Recursos Humanos y no dejará que eso le ocasione problemas; también que llevo cinco años en el FBI y nunca he tomado un descanso; que solo tengo veintisiete años y debo vivir un poco. Por último, me ordena que vaya a casa y vuelva mañana.

Saliendo del edificio, una mujer algo mayor me llama por mi nombre y me detiene.

—¡Eres la agente especial Ainara Pons! —dice algo excitada.

Ruega por mi ayuda y, a pesar de mi cansancio, la escucho. Me cuenta sobre su hija, quien a su parecer fue asesinada hace tres meses. Resume el dictamen oficial de la Policía y afirma que es falso; su hija no murió accidentalmente por sobredosis ni intentó suicidarse.

—La policía ya no me presta atención y todos piensan que estoy loca. No tengo para pagar un detective privado. Te vi en las noticias. Tú ves donde otros no pueden y encuentras lo que nadie sabe que debe buscar. Eres mi única esperanza para darle paz al alma de mi hija.

Me da un papel con su número telefónico y el nombre de su hija, a la vez que agradece mi tiempo y se marcha.

Vacilo porque detesto cambiar de planes, pero vuelvo a la oficina. Si ella cree en mí, al menos debo intentarlo por unos minutos.

2

NO TE CONVIENE SEGUIR
HACIENDO PREGUNTAS

Ya en mi oficina, hago algunas anotaciones mentales antes de empezar. Como es un caso local y antiguo, de hace tres meses, le llamo a mi contacto en la Policía de Nueva York. Es un sujeto pesado, nunca pierde la oportunidad para pedirme una cita cada vez que necesito un favor profesional.

Luego de una charla que él extiende demasiado, lo convencí de que me pase toda la información del caso, pero no sin antes volver a prometerle que asistiré a otra cita a la que tampoco pienso ir.

Mientras espero impaciente que llegue el *e-mail*, Glen Roberts, un compañero de oficina, pasa y arroja un periódico sobre el escritorio.

—Mírate. Eres toda una celebridad. Han escrito todo un artículo acerca de tu carrera. —Se me queda observando y agrega—: Deberías ir a casa, no te ves muy bien.

Le agradezco con una sonrisa falsa y se marcha.

El artículo lo escribió una reconocida periodista del New York Post. La foto en la que salgo fue tomada ayer durante la rueda de prensa, me cuesta reconocerme. Amy Evans habla

16

16

bien de mí, enumera muchos de los casos en los que mi participación fue clave para atrapar a peligrosos y escurridizos criminales. Asegura que desde mi llegada al FBI, hace cinco años, mi unidad ha aumentado notablemente su desempeño. Me llama «la mente anticrimen de la década». Me siento muy halagada.

En otro llamativo pero lamentable artículo hablan de un nuevo ataque bomba en el país, es el cuarto en dos meses, esta vez en Wyoming. Sospechan que una sola persona es el autor. A pesar de que no es competencia de nuestra unidad, he intentado encontrar un patrón en los ataques, sin éxito. Parecen hechos al azar.

Suena mi computadora, llegó el correo. Lo abro de inmediato. Vanessa Hope era una mujer realmente hermosa, sin embargo, y como me temía, el caso no tiene nada de especial:

«Una estríper de veinticinco años fue encontrada sin vida en el interior de su auto, los vidrios arriba y el aire acondicionado encendido. Los gases tóxicos emitidos por el vehículo la asfixiaron. Encontraron residuos de heroína y una jeringa a su lado. Los llantos del bebé alertaron a sus vecinos la mañana siguiente».

La piel se me eriza al darme cuenta de que Rachel tendría la misma edad.

Llamo a la madre. A pesar de que me jura que su hija había dejado las drogas el mismo día que se enteró que estaba embarazada, no hay ningún indicio de que el caso sea algo diferente a una muerte accidental. Sin embargo, me da el teléfono de una amiga del trabajo y me ruega que la llame. Debo admitir que de no ser por las semejanzas a Rachel y mi necesidad de mantenerme ocupada, no lo hubiera hecho. Le marqué.

Entre gritos, escandalosos ruidos de fondo y con total desinterés, Kitty Diamond, la «amiga», me juró que Vanessa llevaba más de un año limpia de drogas y también agregó algo que atrapó mi curiosidad. La noche anterior a su muerte salió con un hombre adinerado que viajaba mucho y con quien pasó una velada espectacular en un hotel cinco estrellas. Kitty compartió conmigo la descripción que Vanessa le dio sobre aquel hombre: cuarentón, divorciado y con un tatuaje de águila en la espalda.

Phillip se mantenía al acecho, por lo que tuve que marcharme, pero no sin antes imprimir el archivo del caso y tomar mi *laptop*. Me fui del edificio y compré café por el camino.

Me mudé hace poco a una zona de clase media baja en Queens. Al típico suburbio en donde vive la clase obrera de la ciudad. Numerosas casas muy parecidas con un pequeño porche, jardín y estacionamiento sin techo. La mayoría se encuentran muy descuidadas, incluida la mía; pintura descon-chada, buzones sin identificación y algo de maleza. Decidí instalarme aquí en un intento de lograr un cambio positivo y para tomar distancia con la controladora de mi madre, como recomendó mi psicólogo. En mi nuevo hogar casi todo sigue sin desempacar y en desorden. Mi vida personal es un desastre desde hace mucho. Me volví asocial y aislada, no tengo amigos. El trabajo es lo único que da sentido a mi vida.

Apenas abro la puerta, Bob sale a recibirme. Juego con mi adorado pitbull hasta calmarlo y voy a la cocina, necesito carbohidratos para recuperar energías. Tomo una bolsa de panes, también mantequilla de maní y me apresuro al estudio.

Vuelvo a releer el caso. Si es un asesinato, quien lo hizo es una persona calculadora, organizada e inteligente; no dejó pistas. Claro, suponiendo que los peritos fueron los más capaces e hicieron un buen trabajo y no algo mediocre por tratarse de otra estríper adicta a las drogas que muere por sobredosis. Pero ¿por qué la matarían? Las razones podrían

18

ser muchas. Sin embargo, el medio en el que se desenvolvía suele ser de gente poco capaz de tramar y efectuar un crimen así.

En ese tipo de trabajo se conoce a diario a muchos hombres, ese con el que salió la noche anterior a su muerte no tiene que tener relevancia. Por este camino, entre papeles y suposiciones, no encontraré respuestas. Debo hacer algunas preguntas en ese club, iré esta noche, y si no encuentro nada, dejaré el caso.

Mi celular suena al otro lado del cuarto. Aprovecho para levantarme e ir al baño. Es mi vecino, el señor Wong, quien me volverá a comentar sobre su hija, pero ahorita no tengo cabeza para aquello. Cuando me observo fijamente al espejo, entiendo por qué todos me sugerían que volviera a casa; mi rostro está pálido, mis ojeras crecidas y mi semblante no es el mejor.

Decido intentar dormir. Me tomo una pastilla, pongo la alarma en mi teléfono y me acuesto.

~

9:00 p. m.
Club Angel's

Mi trabajo es de oficina: encuentro patrones, perfilo a los criminales y analizo las pruebas para identificar a los culpables. No soy agente de campo, y ser mujer tampoco me ayudó cuando intenté ingresar al refinado local para hombres pudientes que garantiza mucha discreción. Por lo que mi primer error de novata fue enseñar mi placa, generando un sinfín de señas y gestos entre los empleados. El encargado me aclaró que no podría entrar a ningún salón privado ni hablar con las chicas o clientes sin una orden. Pregunté por Kitty Diamond, pero esta también se negó a hablar conmigo. Antes de irme, solté algunas preguntas sobre Vanessa Hope en voz alta y hacia todos, pero nadie emitió una palabra.

Me marcho decepcionada, sin embargo, las cosas parecen cambiar cuando al acercarme a mi auto diviso un pequeño papel con un número telefónico escrito a mano. Volteo a los lados, no veo a nadie. Me monto y llamo. Reconozco su voz, es uno de los porteros. Dice llamarse Milo y me confiesa que le tenía mucha estima a Vanessa Hope. Asegura que vio al sujeto con quien se marchó aquella noche y que podría reconocerlo si lo volviese a ver. Promete llamarme si lo hace.

No es mucho y tampoco tengo muchas esperanzas, el caso murió sin empezar.

A pesar de haber dormido en la tarde, llegando a casa siento cómo el agotamiento poco a poco se propaga por mi cuerpo. No tener un caso sólido en el que trabajar me vuelve más ansiosa de lo normal, y unas vacaciones obligadas en puertas es demasiado. Voy a enloquecer.

Al pasar por el frente de la casa del señor Wong, que está al lado de la mía, no puedo evitar preocuparme. Él está en su porche, sentado, con un cigarrillo en la boca y lo que parece un trago en la mano; no luce nada bien. Guardo el auto en el estacionamiento y voy a verlo, me siento culpable por no haberlo atendido temprano. Espero que no haya pasado algo lamentable.

El hombre tiene sesenta años.

—Señor Wong…

—Señorita Ainara. Menos mal viene —dice y se aproxima hacia mí.

—¿Se encuentra bien? ¿Por qué está fumando? Me dijo que lo dejó cuando salió del Ejército.

Avergonzado, baja la mirada.

—No pude evitarlo. Ha ocurrido algo y necesito su ayuda, la policía solo volvería a ignorarme.

Me invita a pasar.

La sala de su casa está hecha un desastre, con un montón de papeles, periódicos y fotos regadas por doquier. Su hijo, que ve televisión con volumen alto, me observa por unos segundos y luego continúa en lo suyo. Wong me ofrece un trago de la vieja botella de vodka que él ha estado consumiendo. Como quizá me ayude a dormir, se lo acepto. Me pide que tome asiento, y después de beberse un sorbo, comienza.

—Llevo varios días publicando anuncios en diferentes periódicos, contando la historia de mi Kim. Sobre su desaparición en esa maldita agencia hace once meses.

—Señor Wong, tengo entendido que luego de que se fuera con la agencia, usted y ella hablaron varias veces por teléfono. Ella le manda cartas mensualmente y fotos.

—También dinero. Pero no es mi hija. No sé qué le hicieron o por qué se comporta de esa manera. Desde hace meses no hemos vuelto a hablar por teléfono ni jamás me ha dado un lugar en donde la pueda localizar.

Es extraño, pero oficialmente no se puede hacer mucho. El único punto de partida es la agencia de modelaje UpTop Model's, y vaya que es prestigiosa. Phillip no me dejará abrirle una investigación sin nada concreto.

—¿La agencia qué dice? ¿Ha vuelto a preguntar? Cuando ella dijo que se iría a vivir a otro estado por trabajo, ¿algo le pareció extraño?

—Sí, y no por algo malo, sino por todo lo contrario; era un contrato de ensueño. Cuando pregunto en la agencia, dicen que ella no ha dado autorización para que den su información personal y aseguran que se encuentra bien, trabajando. Pero yo no les creo, y ahora menos.

—¿Por qué?

Me señala mi vaso, que sigue lleno, y él bebe el suyo hasta el fondo. Yo lo imito.

—Señorita Ainara. Hoy me contactó una madre que leyó mi publicación en el periódico, se reunió aquí conmigo y se sentó justo donde usted está ahora. Me contó la misma historia. Nunca más volvió a tener contacto real con su hija, después que esta se fuera con su maleta llena de esperanzas a trabajar con la agencia. No pudo mostrármelas porque no las llevaba consigo, pero me dijo que también tenía fotos muy parecidas a las de Kim. Son demasiadas coincidencias.

Ha picado mi curiosidad en grande.

—¿La mujer se encuentra todavía en la ciudad? Deme su número.

Él corre a buscarlo, me entrega una tarjetita y un montón de hojas con letras escritas a mano. Sé que son las cartas, sin embargo, no esperaba leerlas todavía, no sin encontrar algo más sólido. Wong nota mi indecisión.

—Lléveselas, señorita Ainara. Son las cartas que supuestamente ha enviado mi Kim. Reconozco su letra, pero sé que algo no está bien. Quizá usted encuentre algo que yo no puedo. Llame a la señora María Sánchez y verá que no miento.

Conversamos más, tal vez por un par de horas, y nos agarró la medianoche. Primero hablamos de su hija y sus sospechas, hasta que el efecto de los tragos nos desvió un poco del tema y el señor Wong me contó historias de otras épocas, unas mejores. Ambos nos distrajimos.

～

Camino muy despacio a casa mientras me hago un breve resumen: Kim se fue voluntariamente a trabajar con la popular y prestigiosa agencia de modelos. Ella mantuvo contacto con el señor Wong por un tiempo a través de llamadas, luego solo por cartas mensuales que llegaban con dinero y fotos de ella. Todo parece indicar que no hay nada raro, o por lo menos no tanto. Aunque ahora hay una mujer que dice tener a su hija en la misma situación, ¿coincidencia?, demasiada. Podría ser que la vida del modelaje y la libertad de estar fuera de casa haya cambiado tanto a una de ellas que ya no le importe mucho el contacto familiar, pero ¿a las dos?

Mis cavilaciones se detienen *ipso facto* al llegar a mi porche y ver una ventana rota. La adrenalina me despabila, desenfundo mi arma y camino hacia la puerta. Bob me siente y comienza a ladrar de la emoción. Eso me tranquiliza, no es posible que haya alguien dentro junto con mi bestia negra.

Bob me recibe con mucha baba y cariño mientras yo leo el mensaje que me dejaron atado a la piedra que rompió mi ventana: «No te conviene seguir haciendo preguntas».

should not

slime   *wake up*

3

ÚLTIMA ADVERTENCIA

LLEGUÉ temprano a la oficina para llevar la piedra con el mensaje al laboratorio, si bien no creo que se encuentre algo de utilidad, no pierdo nada al intentarlo. La advertencia tiene que estar relacionada con el club Angel's, con Vanessa Hope. Quizá deba volver a visitarlos, indagar más, provocarlos y ver qué ocurre.

Termino mi vaso de café y me pongo manos a la obra. Comenzaré con María Sánchez, las cartas de Kim serán lo último. Después del cuarto ~~repique~~ me atiende una mujer con acento mexicano. Con dificultades, logramos presentarnos.

—El señor Wong me…

—¡Sí, «mijita»! Su hija también se ha evaporado. ¿Es la agente del FBI? El chino no mentía.

—Así es. Cálmese y cuénteme todo con lujo de detalles.

La señora María me cuenta que es de El Paso, Texas. Hace dos años su hija Luisa se fue de casa para trabajar con la agencia de modelaje en la sede de otro estado. La comunicación entre ellas fue parecida a la del señor Wong con Kim. La novedad es que después del año no hubo más contacto y en la agencia se desentendieron, ~~alegando~~ que ya no trabajaba con ellos. Luisa está desaparecida, pero no hay una denuncia formal porque nadie quiso prestarle atención a una inmigrante mexicana pobre. A punto de perder las esperanzas, la señora María leyó el anuncio del señor Wong en el periódico.

Terminé la conversación prometiéndole que daría lo mejor de mí y utilizaría todo el alcance del FBI para esclarecer el paradero de su hija. Ella lloró y no dejó de darme las gracias, le costó creer que alguien realmente la estaba tomando en serio.

Debo ir a la sede principal de la agencia antes de las cinco, tengo al menos ocho horas para averiguar todo sobre UpTop Model's.

Son las cuatro de la tarde y ~~me ruge~~ el estómago por el hambre. Me anoto mentalmente que debo comer algo apenas salga de aquí.

Una segunda pared de mi oficina está cubierta por otro mapa del país, lo contemplo. No tenía idea de lo grande que era el negocio del modelaje para esa empresa. Tengo marcadas más de ciento veinte sedes en poco más de treinta estados, ubicadas en las mejores ciudades y zonas. Aunque la información la encontré en sitios webs y fórums de poca credibilidad, también marqué trece reportes sobre modelos desaparecidas o con muertes extrañas. Aparte de eso, no encontré un solo reporte oficial en contra de la agencia, ni siquiera en periódicos locales, y ninguna compañía grande puede estar tan limpia. Eso no me da muy buena espina. Los propietarios son dos hermanos neoyorquinos que poseen una inmensa fortuna e influencia.

Phillip toca y entra. Ve los dos mapas en ambas paredes,

mi desorden en el escritorio y luego a mí. Intenta hablar, pero se arrepiente.

—Ainara… Te conozco y sé que no estás mal de la cabeza, pero vas a empezar a poner nerviosos a los demás. Vives encerrada aquí, tienes mapas inmensos con marcas en todos lados, no hablas con nadie si no es acerca de trabajo y tu psicólogo me dijo que no has vuelto a verlo desde hace casi un mes.

—Señor…

Me hace un gesto para que calle y él continúa.

—Sé que no soy tu padre. —Respira profundo—. Debes tomar tus vacaciones cuanto antes y recuperarte, necesitas un cambio.

Por un segundo pensé en pedirle permiso para abrir una investigación seria contra la agencia. No funcionará.

—Aquí traigo tu cheque. —Lo coloca en mi escritorio—. Es el acumulado por los cinco años en los que nunca tomaste vacaciones, te va a gustar. No lo pierdas. Solo debes firmar unas planillas para que se haga efectivo. Avísame y agilizaré el papeleo.

Él sale y yo me preparo para también irme. Reviso mi cartera y tengo todo, incluyendo las cartas, pasearán un poco más conmigo.

Primero me detengo en un Burger King. Devoro la Whopper que compré mientras manejo a la sede principal de la agencia UpTopModel's que está en el centro de Manhattan. Por el tráfico y estar comiendo, tardé un tiempo considerable en llegar. Por fortuna sigue abierta.

Hablo con dos recepcionistas que me niegan cualquier información referente a sus modelos y me hacen perder la paciencia fácilmente con sus tonos arrogantes y sus miradas despectivas por mi apariencia.

Saco mi placa.

—Tienen un minuto para hacer aparecer a alguien que tenga el poder de darme la información que necesito o les haré la vida imposible. Créanme, no quieren entrometerse en el camino de una agente del FBI obstinada y muy rencorosa.

Se ven entre sí y, sin emitir palabra alguna, van por mi pedido. No pensé que me resultaría tan fácil, no después de mi fracaso en Angel's.

Cinco minutos después, una de las mujeres regresa acompañada de un hombre un poco alto, fornido y de cabello rapado. Parece un militar. Murmuran y luego el sujeto me pide que lo acompañe. Aunque nada en él me genera la más mínima confianza, lo sigo y caminamos.

—¿FBI? ¿Qué hacen en nuestras oficinas? —pregunta fingiendo simpatía y sin dejar de examinarme.

—¿Eres la persona que me dará la información que necesito?

—No. Pero te llevo a ella.

Intenta sacarme algo, pero lo evado. Llegamos a una imponente oficina donde está Liam Walker, lo reconozco por las numerosas fotos de la agencia en las que sale, es uno de los dueños. No pensé que me llevarían con él, no tan rápido.

Camina hacia mí con una gran sonrisa y el brazo estirado para darme la mano.

—No puedo creer que la misma agente que hace dos días atrapó a otro asesino en serie esté en mi propia oficina. Ainara Pons. ¡Qué honor!

—Gracias por recibirme, señor Walker. Necesito…

—Nada de señor Walker. Una heroína como usted puede llamarme simplemente Liam.

Me resultan incómodos los halagos y la confianza con

extraños, pero debo seguir la rutina. Cada vez me gusta menos el trabajo de campo.

—De acuerdo, Liam. Necesito información sobre…

Me mira fijamente y me detiene con un gesto.

—¿Te han dicho lo hermosa que eres? Con esos ojos claros que contrastan con tu hermosa piel morena. Nariz perfilada, cabello largo, y estoy seguro de que debajo de esa ropa debes tener un cuerpo muy *sexy*. Podrías ser una modelo, no de pasarela porque te falta estatura, pero sí para todo lo demás. —Nota mi mirada seria—. Discúlpeme, Ainara. Pensé en voz alta. Espero que lo tome como un halago.

Me mantengo en silencio, sin importarme lo incómodo que vuelvo el momento.

—¿De qué quería información?

—Sobre Luisa Sánchez y Kim Wong. Tengo entendido que trabajan para esta agencia. Sus padres me dijeron que no han podido volver a comunicarse con ellas, que temen por sus vidas y que tu agencia les niega la información.

No pretendía ser tan directa, pero el mal humor me vuelve más impulsiva de lo normal. Aunque él parece sorprendido, no pierde la compostura.

—Como sabrá, mi compañía tiene muchas modelos y cientos de empleados. No sé quiénes son esas chicas, pero ya mismo mi amigo Carl nos ayudará con eso.

El hombre que me trajo hasta la oficina, que seguía a mis espaldas, saca su teléfono y sale. Liam me invita a tomar asiento y comienza a hablarme acerca de todo, menos de aquello por lo que vine.

Veinte eternos minutos después, Carl vuelve con un trozo de papel y una carpeta. Susurra al oído de su jefe.

—Conseguimos a Wong, pero a Sánchez no porque se retiró de nuestra empresa aproximadamente hace un año.

Me pasa el papel.

—En este número puede encontrar a Kim Wong, pero llame en este momento porque nuestras chicas siempre andan ocupadas y cambiándose de sitio.

Llamo, y apenas termina el primer repique contesta una mujer joven, de acento asiático. Nadie atiende tan rápido.

—¿Kim Wong?

—Sí. ¿Quién pregunta?

—Soy agente del FBI. ¿Cuál es el nombre completo de tu padre? ¿Cómo se llama el gato de tu hermano? ¿A qué edad te fracturaste el brazo?

—Tao Wong, Don Diego, a los trece. —La primera respuesta la podría tener cualquiera, las otras dos no, solo Kim. Es ella.

—Tu padre está muy preocupado por ti. ¿Por qué no lo has llamado más? ¿Por qué nunca le has dicho dónde te encuentras?, ¿¡dónde estás, Kim!?

—En la agencia de Seattle —dice luego de unos segundos—. Trabajo mucho y siempre estamos viajando. Prometo que lo llamaré pronto. Debo marcharme.

Cuelga. Aunque todo me parece extraño, al mismo tiempo también tiene sentido.

—¿Satisfecha, Ainara? Como ve, todo está en orden. Las muchachas a esa edad y en ese medio, conocen a muchas personas, van a fiestas, viven tantas experiencias nuevas que olvidan la casa. No debería preocuparse más por ello.

Él me da una carpeta donde está la información general —hoja de vida, fotos— de Sánchez y Wong. Me advierte que no salen números ni direcciones porque la información personal solo se entrega con una orden judicial o por autorización de las modelos. Le agradezco su tiempo y me marcho.

Otro caso que parece haber muerto.

∼

Estoy en la cocina de mi casa tomando una copa de vino para mitigar mis emociones y dirigir mis ideas. Busco cómo decirle al señor Wong que, aunque todo me parece extraño, aparentemente su hija está bien. Medito sobre el caso de Vanessa. Al salir de la agencia fui al club Angel's porque, como supuse, a esa hora no había clientes, mucho personal de seguridad, chicas ni gerente, y logré hablar con el barman, quien también asegura que podría reconocer al sujeto con el que Vanessa se marchó y que le pareció familiar, sin embargo, no recuerda de dónde. «Podría ser actor», dijo. También observó que este no fue solo, en todo momento estuvo acompañado de un hombre bajo y de ojos claros, quien se encargaba de pedir, pagar y hablar por él.

Mi momento de concentración es interrumpido de golpe cuando escucho un vidrio romperse en mi sala. Bob comienza a ladrar como loco. Yo tomo mi arma y voy deprisa.

Otra maldita piedra rompe el vidrio nuevo que cambié hoy. Veo que tiene otro mensaje, pero corro hacia el frente de la casa para intentar ver al responsable. Solo logro divisar las luces rojas de un auto color negro que doblaba a toda velocidad en la esquina del final de mi calle. Lo maldigo y juro que lo atraparé.

Vuelvo al interior y leo el mensaje: «Última advertencia». Si pretenden asustarme con amenazas para que me detenga, están haciéndolo todo mal, solo me dan más motivos. Tocan la puerta detrás de mí y volteo nerviosa con la Glock en mano.

—Soy yo, señorita Ainara. ¡Cálmese!

Su delgado cuerpo, espalda curva, piel blanca y baja estatura me tranquilizan.

—Señor Wong.

—Vi lo que ocurrió, estaba en mi puerta. ¿Se encuentra bien?

—Sí, señor Wong. Son solo unos imbéciles que pretenden atemorizarme para que deje de investigar la muerte de una mujer.

—Ya veo. Creo que debería tener cuidado.

—Lo tendré. —Él se gira para irse—. Señor Wong.

—¿Señorita?

—Logré hablar con su hija por teléfono. No fue por mucho tiempo, pero me dijo que estaba bien. Ahora trabaja en la agencia de Seattle y me prometió que lo llamará pronto.

Él sonríe sin levantar la mirada, sin ánimos.

—A mí también me decía lo mismo. Cuando llame al número donde la encontró, verá que la línea ya no existe. Cuando pregunte por ella en la agencia de Seattle, le dirán que ya se fue a otro estado y que no pueden darle más información.

El señor Wong me confirmó lo que temía que podía ocurrir, él ya pasó por eso. Me da las gracias por mis intentos y me asegura que continuará buscando respuestas. Cuando se está por marchar, lo detengo y le devuelvo la cortesía que tuvo conmigo, lo invito a compartir un trago. Muy respetuosamente me lo acepta.

4

¿ALGUIEN VIO EL MALDITO AUTO?

12:00 P. M. Al día siguiente
Oficina, FBI

Hoy ha sido una mañana movida. Agentes de Seguridad
Nacional entraron desde muy temprano junto con Bennett y
otros destacados miembros del equipo a la sala de conferencias, no han salido desde entonces y se ha mantenido mucho
hermetismo.

Como con el caso de Vanessa Hope no lograría avanzar
desde la oficina, no descubriré si en realidad hubo un homicidio hasta conocer la identidad del individuo con el que salió
una noche antes de su muerte, me dediqué a continuar con el
caso Wong. Si la encuentro a ella, es probable que también
averigüe el paradero de Sánchez. Me tomó un par de horas
leer minuciosamente las cartas de Kim. En ellas siempre
cuenta lo mismo, cómo le va, aventuras y amistades. A pesar
de que no encontré nada, estoy segura de que debe haber algo
que no estoy viendo. Dejaré a mi subconsciente trabajar.

Busco mayor información, pero sin permiso de Phillip, no podré averiguar más, no con facilidad ni de forma oficial.

Como si lo invocara con el pensamiento, toca la puerta y entra. No se ve contento. he doesn't look happy

—Muy temprano en la mañana, me llamó Sean Walker. Te suena el nombre, ¿verdad? Me dijo que estuviste haciendo preguntas incómodas en su oficina principal, aquí en Nueva York. Que aterrorizaste a sus empleadas y no fuiste muy cortés con su hermano Liam.

—Señor, tengo un posible caso.

—¿Caso de qué? ¿Tienes pruebas de algo?

Buena pregunta, no estoy segura de si están desaparecidas o secuestradas.

—Dos padres están preocupados por el paradero de sus hijas, una trabaja y la otra trabajó con la agencia. No tengo pruebas todavía.

—Walker me dijo que lograste hablar con una, que todo estaba bien, y de la otra no saben nada porque ya no trabaja para ellos.

—Es cierto, pero…

—Pero nada, Ainara. Me hablaron con buen tono, pero esa llamada fue una advertencia, no quieren al FBI en su agencia. Aunque nuestro trabajo es capturar criminales, no podemos atacar de frente a personas poderosas. Tienes un buen olfato, sin embargo, no abriremos una investigación contra esa empresa. Tienes nueve días antes de que salgas de vacaciones, no puedo evitar que indagues por tu cuenta, pero no vuelvas a la confrontación con los Walker. Solo si encuentras alguna prueba sólida, volveremos a hablar del tema. ¿Está claro?

—Como el agua.

Cuando iba a salir, se detiene.

—Casi lo olvido. Vine a buscarte.

33

Me paro y lo sigo.

—¿A dónde vamos?

—A la sala de conferencias. La secretaria de Seguridad Nacional pidió al mejor analista de patrones. Están en pánico, creen que el Bombardero Errante atacará en Washington. Ya te pondrán al tanto.

Entro a la sala. Todos se me quedan mirando en silencio, excepto Bennett, no se molesta en subir la mirada del documento que lee. Hay una mujer bastante mayor que luce muy elegante, debe ser la secretaria. Ella se me acerca.

—Agente Pons. Dicen que eres la mejor. —Me acerca su mano—. Leonore O'Sullivan, secretaria del Departamento de Seguridad Nacional. Imagino que Phillip te puso al tanto, ¿cree poder ayudarnos?

Le tomo la mano.

—Señora secretaria, prometo que daré lo mejor de mí.

Ella hace una seña y uno de sus hombres comienza a hablar.

—El Bombardero lleva cuatro ataques, como se puede apreciar en el mapa. El primero fue en Montana, luego Colorado, Idaho, y finalmente Wyoming. Si se le busca lógica geográfica, no se encuentra.

—No a simple vista.

—¿Qué quieres decir?

—Termina y luego daré mi opinión.

—Hemos insertado los datos que tenemos en diferentes programas y algoritmos matemáticos de predicción de ataques, pero no logran darnos algo útil. Este maniático actúa al azar.

—¿Entonces por qué creen que el próximo será en Washington?

—Mandó una nota advirtiéndonos —responde la secretaria y se me acerca para entregarme dos gruesas carpetas—.

Allí están las imágenes de todo lo que hemos recopilado: notas, fotos de las bombas, perfiles, sospechosos, residuos…

—¿Fotos de las bombas? —Las busco y las comienzo a analizar.

—Envía las fotos a la Policía local el día en que van a explotar. Para generar más caos, por diversión —contesta uno del equipo de la secretaria.

Es mucha información.

—Necesitaré un buen tiempo para analizar todo esto.

—Tómate todo el que necesites. Nadie se irá de esta oficina hasta que nos des algo —asegura Leonore.

Durante las cinco horas que me tomó armarme una idea entre tantas imágenes e informes, nadie habló ni se movió de su lugar, cada uno se mantuvo inmerso en su investigación. Al intentar levantarme, ruedo la silla y un molesto ruido rompe el silencio, todos voltean hacia mí.

—¿Qué tienes? —pregunta la secretaria, ansiosa.

—Coincido con una de las conclusiones de la computadora, el Bombardero debe vivir en la región este del país, sureste quizá.

—¿Por qué? —pregunta Bennett adelantándose a mi interlocutora.

—Primero atacó Montana. Quiso hacerlo lo más lejos de casa, por si algo no salía bien. Le salió perfecto, ganó confianza y lo hizo más cerca, Colorado. Pero se dio cuenta de que podía estar acercándonos a su guarida y volvió a alejarse, Idaho.

Leonore arruga la frente antes de volver a meterse en su teléfono.

—Son solo suposiciones. La aguja sigue en el pajar. Son cientos de ciudades y poblados —dice con decepción.

—No es todo. Sabemos que es militar por la forma en que trabaja con los explosivos C4.

—Solo en militares activos tenemos más de un millón trescientos mil. Sin contar la reserva, los retirados y dados de baja por problemas físicos. La aguja sigue…

—¿Cuántos son zurdos?

Noto cómo el interés aparece en la mirada de todos los presentes.

—Quizá el ocho o diez por ciento —responde por reflejo. Me mira curiosa.

—El pajar se hace diez veces más pequeño. —Antes de que preguntara cómo, me adelanto—. En unas fotos no era visible o tan obvio, pero noté que en los nudos que hace para armar los explosivos el lazo izquierdo es significativamente más grande. Las manos dominantes siempre tienden a aplicar un poco más de fuerza que la otra. Pueden comprobarlo si miran en detalle las trenzas de sus zapatos.

Todos lo corroboran e intercambian miradas. La secretaria se levanta.

—Revisaremos todos los videos de seguridad en todas las cámaras de vigilancia en las zonas cercanas a los ataques. Buscamos a un hombre zurdo con apariencia militar, probablemente con un bolso. —Me mira y pregunta—: ¿Algo más?

—Deben buscar un militar que esté desempleado o que su trabajo le permita tener mucho tiempo libre. Como es obvio, debe tener algún problema psicológico, podría estar presente en sus registros médicos.

Ella asiente y hace la señal para que su personal se ponga de pie. Se me acerca.

—Gracias a ti, tenemos por dónde empezar, estábamos en blanco. Ainara Pons, recordaré tu nombre.

Da por finalizada la reunión y los presentes salen uno a uno.

—Buen trabajo, Pons —dice Bennett antes de salir.

Phillip también me felicita y se retira.

Me siento cansada pero satisfecha. Voy a mi oficina, recojo las cartas de Kim y mis pertenencias para marcharme a casa. Me anoto mentalmente comprar algo de comida india en el camino y salgo del edificio.

~

6:30 p. m.

Aunque las patrullas detenidas casi al frente de mi casa y el montón de personas intentando averiguar qué ocurrió me daban un mal presentimiento, pierdo el aliento cuando lo veo. Los ojos se me humedecen y mi respiración se vuelve arrítmica. El señor Wong yace tirado en el medio de la calle, su frágil cuerpo quedó en una extraña posición por los huesos rotos. Un auto lo atropelló y le pasó por encima.

Contemplarlo me afectó y tuve que recostarme en un auto para recuperar el aliento. Pienso en todo y en nada. Tengo la mente saturada con ideas inconexas, casos que todavía no agarran forma, vacaciones que debo tomar dentro de unos días, el sentimiento de soledad que comienza a afectarme, Hawk, el señor Wong, su hija.

Siento el cosquilleo en la nuca al recordar a Kim. Mi mente comienza a armar una teoría y mi cuerpo recobra fuerzas. Camino hacia uno de los oficiales que custodian la escena y le muestro mi placa.

—¿Alguien vio el auto? —pregunto.

—¿FBI?

—¿¡Alguien vio el maldito auto!?

—Un sedán negro.

No lo creo. Corro al buzón de la casa de Wong, no tiene número de identificación. Voy al mío, tiene el número de la

37

casa de Wong rayado con marcador. Me pregunto por qué, y ver a unos niños corriendo mientras se lanzan piedras responde mi pregunta. Niños de mierda. Las amenazas no eran para mí, no eran por el caso de Vanessa. Eran para Wong, por sus publicaciones en el periódico. Comenzaban a hacer ruido, la agencia de los Walker quería callarlo y los malnacidos lo hicieron. Confundieron la casa, pero no a Wong, no hay más asiáticos sexagenarios por aquí.

Abro mi auto para sacar mis cosas y hacer unas llamadas, pero ver la bolsa con comida india me da otro golpe. La había comprado para compartirla con el señor Wong. En nuestra charla de anoche y mientras bebiamos la copa, me comentó que era su comida favorita. Me siento en el auto y golpeo el volante hasta quedar sin energías. Siento rabia conmigo por no haber tomado más en serio todo lo que me decía; siento tristeza porque ese señor comenzaba a ganarse mi afecto.

Entretanto, intento recuperar la serenidad, veo cuando llega el hijo de Wong y se desploma en el medio de la calle, al lado de su padre. Me considero una mujer fuerte, no soy del tipo sentimental, pero ver esa escena me arruga el corazón y me quita el habla. Los gritos de dolor de aquel hombre nos paralizan a todos los presentes.

Nos presentaron una vez y quizá cruzamos poco más de dos palabras. Pero fui hacia él cuando se calmó y lo llevé al interior de su casa. Hablamos solo lo necesario y comimos la comida favorita de su padre. Ese tiempo sirvió para que él no tuviera que presenciar al equipo forense levantando el cadáver.

Antes de irme, me entrega una bolsa negra.

—Si mi papá fue asesinado por buscar a mi hermana, aquí está todo lo que él tenía y sabía, sus impresiones están anotadas en un diario amarillo. Por favor, atrapa a esos malnacidos.

Le prometo que lo haré, tomo la bolsa y me marcho a casa. No puedo evitar darme cuenta de que he hecho demasiadas promesas últimamente, desde que hago trabajo de campo por mi cuenta.

Apenas llego a mi estudio, desplazo todo hacia las paredes para desocupar el medio y liberar el contenido de la bolsa; fotos, recortes de periódico, facturas, números, papeles y la libreta. Ver tanta información que procesar me abruma un poco, llevo todo el día haciéndolo. Sin embargo, me juré que atraparía a los responsables de la muerte del señor Wong y recuperaría a su hija.

Bob siente mi pena y se echa en el piso, a mi lado, a pesar de tener su cojín en la sala. Su compañía me reconforta y anima un poco.

5

¿EL EXSENADOR DONOVAN WHITE?

12:05 a. m.

Me despierto sobresaltada sobre las cartas de Kim, en mi escritorio. Trato de respirar profundo para calmarme. Tuve otra pesadilla con Rachel, mi hermana. No volveré a dormir bien hasta que le haga justicia y atrape a Hawk o esté segura de que está muerto. Él la secuestró, violó y asesinó hace nueve años. Ella solo tenía dieciséis, iba a ser modelo, y yo, una reconocida cirujana.

Después de recuperar el aliento, noto el repiqueteo de mi celular, el que me despertó. Es un número desconocido.

—Pons.

—Es el portero de…

Me adelanto por la emoción.

—¡Milo! ¿¡Lo volviste a ver!?

—Lo estoy viendo en este momento, agente Pons.

Miro la hora, es tarde. Veo las cartas de Kim, recuerdo al señor Wong. Pero necesito cerrar o descartar el caso de

Vanessa para quitarme un peso de encima. Aunque fui yo quien me lo coloqué, sin que nadie me obligara.

—Voy para allá, Milo. No lo pierdas de vista.

—No hace falta. Encienda el televisor y coloque CNN.

La intriga sube de nivel y salgo disparada a mi habitación para encender el televisor. Al principio no lo entiendo.

—¿El exsenador Donovan White?

—Por usted me estoy enterando de que fue senador. Pero sí, es él, no tengo dudas.

—¿Cómo puedes estar tan seguro?

—Tengo un solo talento, nunca olvido un rostro. Y también recuerdo la cara y la propina de cien dólares que me dio el hombre que está sentado a su lado.

El que mencionó el barman.

—¿Por qué nadie lo reconoció? —pregunta.

—Fue senador hace mucho y de otro estado. Ahora, por lo que veo, es un conferencista de…

—Gurú de superación personal. Dicta seminarios y tiene varios libros. Acaba de decirlo la presentadora.

Me quedo en silencio unos segundos, tratando de ordenar las numerosas ideas y posibilidades que nacen en mi cabeza.

—Tengo que irme, agente Pons. Espero haberle sido de ayuda. Vanessa había dejado las drogas, fui testigo de ello porque la ayudé durante su embarazo. Si alguien la mató, encuéntrelo.

Antes de hacerlo, lo pienso, pero igual se lo prometo, le agradezco y cuelgo. Me pregunto si será posible. Un hombre como Donovan podría encajar en el perfil de un asesino capaz de cometer aquel crimen, si es que hubo alguno. Las razones, muchas: para evitar un escándalo por acostarse con una estríper, celos de una esposa, un embarazo no deseado. Necesito más información de White.

Vacilo al pensar que probablemente todo esto es una estú-

41

pida pérdida de tiempo, motivada por mi necesidad de mantenerme más ocupada. Recuerdo las palabras de mi psicólogo: «Eres como una bala, Ainara. Solo te detienes cuando impactas en algo. Hasta ahora has acertado en todos tus objetivos, ¿pero qué pasará cuando falles? Debes aprender a detenerte». A Phillip tampoco le agradará la idea de que investigue a un exsenador.

Antes de apagar el televisor, escucho que Donovan White estará dando conferencias en Nueva York dentro de ocho días. Normalmente me costaría esperar tanto, pero así estaré más preparada para encontrarme con él.

Por el momento, dejaré en segundo plano la investigación de la agencia de modelos porque no encontré nada en las «evidencias» ni en las anotaciones del señor Wong. Releí varias veces las cartas hasta que por cansancio me quedé dormida. Y como me ha ocurrido en otras ocasiones, trabajar en casos paralelos me ayuda a ver desde diferentes ángulos. Investigaré un par de horas e intentaré dormir, necesito descansar.

No pude volver a dormir, y ya son las diez de la mañana. Intento hacer un resumen de toda la información que recabé. Otro nuevo mapa de los Estados Unidos cuelga en la pared de mi estudio, lo llené de marcas y trazos, y en mis manos tengo muchas hojas repletas de notas con fechas, nombres y números. Es curioso que la mayor parte de la información la obtuve gracias a Internet y no por la base de datos del FBI. Solo pretendía investigar a Donovan, descubrir quién era; edad, *hobbies*, estado civil, su pasado. Sin embargo, no pude quedarme allí y tuve que imaginar lo peor. Si fue capaz de asesinar de tal modo, no era su primera vez y no será la última. Empecé desde su vida fuera de la política. Sin mi equipo, fue un trabajo de investigación monstruoso y muy rudimentario: lleva cinco años dando conferencias y viajando por casi todo el país. Ha estado en más de cuarenta estados, los ha visitado varias veces. Tengo más de ochenta casos de muertes similares a las de Vanessa Hope. Muertes accidentales en los días y ciudades donde él estuvo dictando conferencias. Descarté cincuenta porque las difuntas tenían edades mayores a los treinta —Hope tenía veinticinco— y porque están muy lejos de Nueva York para ir a indagar personalmente. Llamó mi atención que luego del descarte solo quedaron casos desde hace tres años hasta Vanessa.

Mi móvil comienza a sonar, es mi madre. No quiero atenderle, necesito pensar. Enciendo la cafetera y me dirijo al baño. El teléfono vuelve a sonar. Esta vez es Ned Mayer, el jefe del Departamento de Fraudes Electrónicos, me interesa tanto que lo ignoro y continúo con lo mío.

Necesitaba asearme, comenzaba a oler mal, y el agua fría me ayuda a canalizar las ideas.

Mientras terminaba mi ducha, desayunaba y bebía mi café, armé mi plan. La primera llamada que hago es a Phillip, para decirle que llegaré tarde. Me sugiere que me tome el día o los dos meses de vacaciones. Luego de colgar, agarro las cientos de hojas con anotaciones y empiezo a llamar a los familiares o posibles allegados de los treinta casos restantes.

Me llevó cuatro horas y recibir numerosos insultos obtener dieciocho personas con las que podría entrevistarme. Ahora debo elegir las diez más cercanas. Tengo ocho días para ir y volver, para estar aquí al mismo tiempo que White.

Mientras hago la selección en mi hoja final, siento por tercera vez el cosquilleo en la nuca cuando leo el nombre del estado de Kansas. Hay algo que estoy dejando pasar por culpa del cansancio. Me siento en el piso y cierro los ojos para

43

concentrarme. Bob lo entiende diferente y se me echa encima, buscando afecto. Lo que no puedo evitar darle. Comienzo a besuquearlo y entonces mi cerebro lo conecta. Le doy las gracias a mi bestia negra y corro hacia el estudio. Busco con prisa hasta que encuentro las cartas de Kim.

No sé muy bien lo que busco, aunque sí sé que está en estas hojas. Las pongo a contraluz, las volteo y las comparo. No hallo nada sino a partir de la cuarta hasta la última carta en orden de fecha. En cada una, siempre comenzó el séptimo párrafo y los cinco siguientes con una palabra cuya inicial deletrearía Kansas, una letra en cada inicio de párrafo. Está dando su ubicación. Qué inteligente.

Ahora Kansas es un destino prioritario en mi agenda de viaje, pero necesito ayuda. Esto tiene pinta de esclavitud sexual a gran escala, encubierta en la fachada de una millonaria y prestigiosa agencia de modelos con dueños de buena reputación, pero capaces de eliminar a quien amenace su negocio.

La persona que requiero debe ser fácil de manipular, que no sienta con el derecho de hacer demasiadas preguntas. Necesito a un novato, un recién ingresado con ansias de escalar. No pierdo tiempo, lo busco en la base de datos del FBI y lo encuentro sin dificultad; Danny Reed de veintiún años, Kansas.

Le llamo.

—Aquí Reed.

—Agente Reed. Te habla la agente Ainara Pons de Nueva York.

—¿Cómo? ¿Pasó algo con mi solicitud? —Su voz se tensa.

—No se trata de ninguna solicitud. Tengo un trabajo para ti.

Silencio por casi treinta segundos. Le doy tiempo para que me investigue.

—Estoy viendo tu perfil en la base de datos. Acepta la videollamada para confirmar tu identidad. —Lo hago—. ¡Mierda! Sí eres tú. Creí que estaba timándome algún compañero.

—Agente. ¿Quiere trabajo de verdad y ascender o seguirá llevándole café a sus superiores?

—Estoy a sus órdenes. ¿Qué necesita?

Antes de explicarle detalladamente el caso y lo que implicaba, le hice jurarme que todo quedaría entre los dos, ya que es riesgoso para nosotros que alguien más sepa lo que haremos. Quedó en poner un puesto de observación clandestino para vigilar la sede de UpTop Model's de Kansas y que haría todo lo posible para lograr un monitoreo completo de las líneas telefónicas del lugar. Ambos prometimos, él, mantenerme al tanto de todos sus avances, y yo, que nos veríamos muy pronto.

6

¿NO ES LA ESTUPIDEZ MÁS GRANDE QUE ME HE PROPUESTO?

OFICINAS, FBI

Sentada en el despacho de Phillip, repaso mi ruta de investigación mientras espero el pago de mis vacaciones. Comenzaré por Nebraska, el estado más lejano, para dar tiempo a que Reed logre algún avance significativo antes de mi llegada a Kansas. Seguiré a Denver, Colorado; Santa Fe, Nuevo México; Austin, Texas. Phillip me saca de mis pensamientos al volver con los documentos que formalizan y liberan mi cheque.

Luego de firmar los papeles, entregar mi arma y placa de reglamento, me informa:

—El director de Fraudes Electrónicos estaba solicitando tu ayuda desde muy temprano en la mañana. Al parecer, un grupo de *hackers* han estado robando a una empresa durante casi dos años y llevan más de cinco millones en bitcoines. Necesita encontrar algún patrón entre las cientos de miles de transacciones, y sabe que eres la mejor. Pero le notificaré que estás de merecidas vacaciones. Me saludas a Merlina. Espero no verte en estos dos meses —dice, lo último con una sonrisa, y dándome un cordial ~~apretón de manos~~. hand shake

Los fraudes electrónicos me aburren. No me agrada perder mi tiempo intentando recuperar el dinero de algún millonario que necesita un nuevo yate.

De camino a casa para hacer mi equipaje, vuelve a llamarme Merlina, mi madre. No le contesto. Me fui de su casa para distanciarme un poco y parece que no lo entiende.

A pesar de todas las cosas negativas, siento cierta emoción por emprender este viaje, por alejarme de Nueva York y por estos casos que me llevan a otro nivel muy distinto de investigación. Sin embargo, no dejo de preguntarme si no es la estupidez más grande que me he propuesto. No tengo nada en contra de Donovan excepto una coincidencia en un caso que fue cerrado como muerte accidental y muchas aun más simples coincidencias con otros; tampoco tengo algo sólido contra la agencia de los Walker, únicamente unas cartas que deletrean el nombre de un estado, las advertencias a Wong mandadas por error a mi casa y su asesinato clasificado como siniestro automovilístico con sospechoso ~~en fuga~~. fleeing

Necesito atrapar a alguien, por Rachel, por mí. No pararé.

Empaco ropa suficiente para una semana, mi arma personal, una Glock, una vieja grabadora de cinta y una identificación del FBI casera. Mi Fusion tiene el maletero atascado, quedó así luego de que un imbécil me chocara meses atrás y no he tenido intención alguna de llevarlo al seguro, por lo que coloco mi equipaje en los puestos traseros. Dejo a mi bestia negra con el hijo del señor Wong, a ambos les sentará bien hacerse compañía.

Creo la ruta en el GPS del teléfono. Será un viaje de veinticuatro horas para la primera entrevista en Nebraska. Hablaré con el padre de Sophie Miller, quien murió a los veintiséis años por un traumatismo craneoencefálico al caerse de unas escaleras estando drogada con ketamina. Era una joven pelirroja muy hermosa con rasgos latinos. El señor Miller conocía su trabajo como bailarina exótica, pero asegura con vehemencia que ella jamás probó las drogas. Está convencido de que no murió accidentalmente.

~

Columbus, Nebraska

Me tomó treinta horas llegar. Tuve que descansar en un motel de carretera luego de que casi me estrellara con un camión al quedarme dormida manejando. Es mi primer viaje conduciendo, dirigiendo y tomando decisiones. Al principio me costó algo de trabajo agarrar el ritmo, ahora ansío estar detrás del volante y encuentro atractivo los paisajes, los aromas, lo desconocido.

Sin embargo, mi mente nunca se da un descanso y mi nuevo «compañero», Reed, tampoco me lo permite, es muy eficiente. Me informó que ya tiene un puesto de vigilancia y todas las líneas telefónicas pinchadas, además de varios micrófonos que logró esconder en diferentes oficinas del interior de la sede con la ayuda de una empleada de limpieza.

No me resultó difícil encontrar la casa de los Miller y el padre de Sophie me esperaba, lucía ansioso. Nos saludamos, me hizo pasar y apenas nos sentamos fuimos al punto.

—Sí, sí eres la agente especial Ainara Pons. Sabía que la muerte de mi Sophie no fue accidental. Es decir, por eso estás aquí, ¿no? ¿Fue un asesino en serie? —pregunta exaltado—. Discúlpeme por tutearla, es que es usted tan joven.

—Puedes tutearme.

—Te investigué, Ainara. Necesitaba saber quién eras. ¿Qué quiere saber sobre mi Sophie?

—Todo.

Enciendo mi grabadora.

Me contó durante más de dos horas todo lo referente a su hija. Amistades, novios, el trabajo y que sufría problemas de autoestima; nada que destacara o levantara sospechas. Aunque le creo que su hija no fuese una drogadicta, siempre hay una primera vez, y quizá esa fue también la última de Sophie. Le doy las gracias y emprendo mi marcha. El desánimo de haber manejado un día entero por nada trae de vuelta el cansancio a mi cuerpo.

Él nota mi decepción.

—Ainara, mi hija era una buena mujer. Tenía muchos problemas, pero ella nunca se refugió en las drogas. Quería e intentaba mejorar, y a pesar de que odiaba a los charlatanes, leyó libros de superación personal y fue a muchos, a muchos seminarios.

Esa última palabra hizo clic en mí y se liberó una buena dosis de adrenalina, reanimándome. Me detengo. Le pregunto si conoce cuáles fueron esos programas o quién los dictaba. Corrió al interior de la casa y me trajo varios folletos y algunos libros. Como supuse, el nombre de Donovan White estaba allí. Siento el cosquilleo que me da en la nuca cuando sé que tengo algo revelador.

—¿Donovan White le suena? ¿Sophie alguna vez lo mencionó? ¿Sabe si tuvieron alguna relación personal?

—Varias veces me habló de él. Decía que era una persona muy especial, educada, amorosa y de gran presencia. No le presté demasiada atención. Y no, nunca mencionó nada personal acerca de ese hombre.

Antes de irme, le pedí el número de la mejor amiga de Sophie y la llamo mientras busco en dónde tener una comida decente. Liz me cuenta casi en secreto de confesión que, en efecto, Sophie había salido días antes con un hombre adinerado y mayor que ella; estaba muy ilusionada.

Me detengo en un restaurante al lado de una estación de servicio y ordeno una sopa cargada de proteínas. Tengo ansias de conocer a Donovan White. Estoy segura de que no se imagina que alguien lo investiga. También espero que Reed consiga algo pronto y que Kim siga en Kansas, viva.

Luego de comer y llenar el Fusion de gasolina, creo mi nuevo destino y arranco. Me siento motivada.

$\sim$

Denver, Colorado

Arribé al anochecer, justo como daban mis cálculos. He manejado mucho y dormido poco, estoy agotada, pero si quiero lograr mi meta, no puedo descansar.

Estoy cerca del club de estríperes en donde hablaré con Olivia, una compañera de trabajo y amiga de Lana Campbell. Lana murió hace dos años. Se inyectó una sobredosis de metanfetamina y se ahogó en su tina. Reporte oficial: muerte accidental.

Al llegar corroboro la información que recabé con algunos lugareños, el local nocturno es de menor categoría que Angel's y queda en una zona poco recomendable. Estaciono y camino con seguridad directo hacia la entrada.

—Si no buscas empleo, largo de aquí. No aceptamos a esposas celosas —dice el enorme portero al notar mi presencia.

Lo miro y le sonrío con picardía.

—No vengo por empleo ni por ningún hombre bueno para nada. Mis intereses son otros.

—¿Cómo así?

—Vengo por… —digo y señalo con los labios a una de las estríperes que fumaba recostada en una pared— diversión.

Asiente varias veces mientras me explora con denotado morbo en los ojos.

—Tienes dinero, ¿no?

Le enseño un rollo de billetes. Él solo revisa mi cartera al no imaginarse que una mujer podría cargar una Glock oculta en la parte inferior de su espalda.

—Adelante, pero si ocasionas problemas, lo vas a lamentar.

Cuando estoy entrando me da una nalgada y se ríe. Me detengo al instante, todos mis músculos se contraen y por muy poco logro controlar mis impulsos de sacar mi arma y hacerle pedir perdón entre lágrimas. Pero me repito varias veces que no puedo perder la oportunidad y el tiempo. Aunque muy contrariada por mis instintos, continúo y termino de ingresar; Lucas, mi psicólogo, no lo creerá cuando se lo cuente.

No me fue difícil conseguirla y le pagué un baile en un cuarto privado para que pudiéramos hablar con más tranquilidad. Lo que no conseguí porque ella tuvo que bailarme en todo momento para evitar levantar sospechas en el hombre que vigilaba que todo marchara bien a través de una cámara en el techo. Me dijo que aunque Lana sí consumía drogas, nunca abusó a tal punto y que tampoco pasaba por algún problema fuerte que pudiera nublar su buen juicio. A pesar de que no la sentí segura y sus respuestas siempre fueron vagas, afirmó reconocer a Donovan en las fotos que le mostré disimuladamente en mi celular. Le pregunté por qué no le dijo nada a la policía sobre el sujeto con el que Lana se fue noches antes de su muerte, y encogiéndose de hombros mientras sus senos apretaban los míos, respondió: «Somos estríperes, nadie nos toma en serio y salimos con cientos».

Me retiro del local con la cabeza llena de ideas inconclusas, más preguntas que respuestas. Si tengo razón, Donovan White es un asesino en serie, pero también un exsenador, figura pública y un tipo con muchos contactos poderosos; debo manejarlo con cuidado. Cuando cruzo la puerta, el portero tienta su suerte conmigo por última vez y me vuelve a agarrar una nalga. Las cosas ahora son diferentes, no tengo motivos para contenerme. Saco mi arma, le quito el seguro y le apunto.

—¿¡Y ahora, maldito infeliz!? ¡Arrodíllate!

Cree que alardeo, y yo no estoy muy segura de si lo hago. Suelto un tiro al aire sin dejar de verlo fijamente, él se agacha por el susto y levanta las manos. Por momentos siento deseos de darle uno en la pierna. Las personas que están cerca ven todo sin inmutarse, nadie se mete.

—Por favor, perdóname. No fue mi inten...

—¿Crees que puedes hacerme lo que se te da la gana porque soy mujer? Eres grande y fuerte. Estás acostumbrado a dominar y no imaginaste que esta pequeña mujer podría tener un arma y matarte, ¿¡verdad!? Ahora pídeme perdón y ruega porque no lo haga.

Él lo hizo y yo no paré de apuntarlo hasta que le vi salir un par de lágrimas. Lo que me regaló mucha satisfacción.

Me monto en mi Fusion y, mientras conduzco para alejarme del lugar, decido que debo continuar hacia el próximo estado. Le llamo a Reed. Me da información interesante, en algunas llamadas de la agencia hay muchas conversaciones con términos extraños, como en clave. Y también logró descifrar la hora y el día en que harán la entrega de un «paquete». Le pido que grabe todo en video. Las cosas en Kansas empiezan a tomar forma.

~

Austin, Texas

Me desperté cinco horas tarde de la que fue una pequeña pero necesaria siesta. Cuando entré en la ciudad, no vacilé en pararme en el primer hotel que encontré y no me importó que la noche en el Hilton me costase doscientos cincuenta dólares; tenía suficiente dinero y demasiado cansancio. La idea de una buena cama, servicio a la habitación y una ducha con agua caliente fue irresistible.

Son las seis de la tarde. Reviso mi teléfono y tengo varios mensajes. Mi entrevistada está llegando al hotel. Veo la bandeja de comida que había ordenado y, a pesar del hambre, salgo. Me dirijo al vestíbulo y la encuentro sin problemas por su parecido con Natalie Davis, otra posible víctima de Donovan. Luce nerviosa e insegura de estar aquí.

—Ainara Pons —digo al acercarme.

—Jenna...

Mi teléfono timbra, interrumpiéndola, es Reed. Le pido a la señora Jenna que me disculpe y atiendo.

—Estoy ocupada, Reed. Sé claro y al punto.

—Identifiqué y seguí una camioneta que llevaba uno de los «paquetes» hasta una enorme mansión y de ella se bajaron tres mujeres bien vestidas. Estoy seguro de que son nuevas aspirantes a modelo. Me he mantenido vigilando la propiedad desde entonces. Está custodiada por una considerable seguridad armada. Voy a entrar, solo quería que lo supieras por si algo me pasa.

Sus palabras me dejan fría. Generalmente yo suelo ser la impulsiva.

—¡No te muevas de allí! Si cometes un error, los pondrás

53

en alerta y muchas vidas estarán en peligro. —Miro la hora y recuerdo el mapa; estamos en la misma zona horaria—. Saldré en este momento para allá. Llego en la madrugada. ¡No te muevas, lo haremos juntos!

—Entendido.

Me da la dirección y cuelgo la llamada.

—Señora Jenna, tengo que irme de inmediato a Kansas, pero mientras la acerco a casa me cuenta todo, ¿de acuerdo?

Su relato fue decepcionante y hubiese deseado haber hecho más preguntas cuando la llamé desde Nueva York. Natalie Davis era prostituta y también murió accidentalmente en los días que Donovan estuvo en Austin, pero su deceso ocurrió en casa y cuando Jenna estaba de visita. Una fuerte sobredosis de metanfetaminas y opioides pararon su corazón. Su madre nunca contó nada debido a la vergüenza de no haber podido hacer nada por evitar la tragedia; lo hizo por primera vez conmigo y entre lágrimas.

7

AÚN NO CELEBREMOS, REED

3:00 a. m.
Wichita, Kansas

Como indicó, su camioneta está en la cima de una colina, me estaciono a su lado y me bajo a buscarlo. Él observa con unos binoculares en dirección a la que supongo debe ser la propiedad que investigamos.

—Reed.

—Justo a tiempo —dice. Voltea hacia mí y me extiende la mano—. La guardia está cambiando y es el mejor momento para infiltrarnos. Danny Reed.

Tiene veintiuno, pero luce mayor. Es alto y atlético, guapo. Vestido de civil parece cualquier cosa menos un agente del FBI.

—Pons. Cuéntame todo mientras observo. ¿Qué hay de las chicas?

Tomo sus binoculares.

—Han entrado varios autos de lujo, pero nadie ha salido.

La propiedad es grande y, al no tener casas muy cerca, es perfecta. Pertenece a una empresa de propietarios rusos.

—¿Rusos?

No lo esperaba.

—Creo que la agencia les vende las modelos o las negocian de alguna manera. Dentro de las oficinas nunca mencionan nada de forma específica, siempre usan palabras clave: «Tenemos una comida india y dos mexicanas».

—Rusos y prostitución, ¿por qué no me extraña? Engañan a las chicas de bajos recursos prometiéndoles un futuro brillante en el mundo de la moda. Luego las venden como mercancía.

—Las que tienen familiares o personas cercanas muy pobres, incapaces de hacer algo por ellas. Estamos en Kansas y, según tu informe, la agencia tiene sedes en casi todo el país —agrega él.

—Sí. Esto está ocurriendo en muchos estados, bajo nuestras narices. Al principio hay buena comunicación, luego solo mandan cartas con fotos y cien dólares mensuales a los familiares para mantener la farsa. Y cuando alguien comienza a hacer preguntas, le niegan cualquier información; si las preguntas persisten y alteran la tranquilidad del negocio, silencian por el medio que sea.

—Entraremos, ¿no? —pregunta con decisión y una mirada seria.

—Claro que sí, Reed.

—Perfecto. ¿Algún plan?

—Pensé que tú lo tenías.

Él sonríe.

—Por supuesto. Lo haremos por el muro del lado este, hay menos vigilancia. Lo que necesito saber es cuál es el plan después de entrar. ¿Cómo sacaremos a las chicas? ¿Cuáles son las reglas? Esos hombres están armados y entrenados, nos dispararán sin titubear.

Es temerario, inteligente, muy capaz, pero novato al fin.

—No rescataremos a nadie, Reed, no hoy. No entraremos en combate a menos que no haya otra opción y tendremos que disparar a matar…

—¿No rescataremos a nadie? ¿De qué me estás hablando?

—Acabamos de entender la magnitud de la operación que se está manejando en todo el país. Nosotros dos solos, quizá y con suerte, podríamos salvarle la vida a las chicas que estén hoy allí, pero eso alarmará a los jefes y ellos modificarán todo para evitar daños colaterales y más pérdidas de «mercancía». Por eso te pedí las cámaras, entraremos allí por pruebas, documentaremos todo. Luego irás con toda la evidencia a hablar con el director del FBI para armar el operativo más grande y secreto del siglo. Tendrán que hacer un trabajo sincronizado en casi cuarenta estados para poder desmantelar y atraparlos a todos. La clave está en no permitir la fuga de información, no deben esperarlo, es la única manera de salvar más vidas.

Pasan unos segundos y, al no recibir respuesta, volteo a verlo. Reed me observa fijamente con una mirada y una sonrisa extrañas.

—¿Qué ocurre, Reed?

Se me acerca un poco.

—¿Cuándo pensaste todo eso?

—Justo ahora.

—Realmente eres la mente anticrimen de la década y la foto no te hizo justicia, eres más hermosa en persona.

Él se sonroja, creo que yo también. Nadie me decía algo así desde hace mucho.

—Lo siento, Ainara. Pensé en voz alta. A veces hablo demasiado.

—No, no te preocupes, pero mejor llámame por mi apellido.

—De acuerdo, Ainara. Tú puedes decirme Danny —dice sonriendo y no puedo evitar que mis labios también se curven.

No sé si por la forma en que me mira o por su necia insistencia de llamarme por mi nombre.

—Reed...

—Hay movimiento —dice y toma los binoculares.

Ambos observamos y conversamos por un rato. Llegaron numerosas camionetas y camiones con carga que por nuestra posición no logramos identificar. Entendimos que no podríamos entrar en ese momento. Y aunque no era una opción en mis planes, decidimos tomar un descanso. Le insistí en que buscaría un hotel, sin embargo, él insistió aún más ofreciéndome estadía en su casa. Me juró que dormiría en la sala sin ningún problema.

Mientras entramos al edificio, no puedo evitar preguntarme qué estoy haciendo. No tengo ninguna otra intención más que dormir, pero este no es mi comportamiento normal; nadie me convence de nada con tal facilidad.

Enciende las luces con apremio. Vive solo, el lugar es un desorden. Con movimientos toscos trata de acomodar y habla tan rápido que no le entiendo bien; luce tan nervioso que me provoca gracia. Es un niño.

—El cuarto y baño están por allá. En la refrigeradora hay *pizza*. También puedo preparar algo mejor. Hay café para hacer. Si te quieres bañar, hay toallas limpias. No digo que necesites un baño.

—De acuerdo, Reed. —Él continúa moviendo cosas y hablando, me obliga a gritarle—: ¡Reed!

Se detiene. Le advierto que tomaré el sofá de la sala y que debemos acostarnos de inmediato o de lo contrario me marcharé.

5:00 p. m.
Towne East Square

Dormí más de doce horas en aquel sofá, en la casa de un completo extraño. Es curioso dónde mi mente y cuerpo deciden relajarse a tal punto. Reed me dejó comida preparada y una nota indicándome que estaría en la oficina porque debía cumplir su horario, nos encontraríamos en la noche para cenar y planear el golpe.

Tomo mi segundo café mientras espero por Amara Allen, quien viene desde Kansas City. El caso de su hermana Maya es de mucha importancia para la investigación. Era prostituta y su muerte fue muy parecida a la de Vanessa Hope.

Amara llegó por detrás de mi mesa, con apuro y sin muchas formalidades. Me contó que trabajó en el mismo club nocturno que Maya, pero como mesera. Me aseguró que conoció a Donovan White y al hombre que lo acompañaba, les sirvió tragos la misma noche que él se fue con su hermana a un hotel cinco estrellas. Jamás imaginó que aquel hombre tendría una intención diferente a saciar sus deseos carnales, como cualquier otro cliente, y todo transcurrió con normalidad hasta que una mañana dos días después Maya Allen amaneció muerta en el interior de su auto encendido, asfixiada por los gases tóxicos y con altos niveles de *crack* en la sangre. Su relato me puso los pelos de punta al entender que, aunque todavía no tengo pruebas suficientes para solicitar una investigación formal contra un hombre con tal «reputación», tengo razón, el exsenador es un asesino que lleva años matando por deporte.

Llamo a Reed luego de terminar mi reunión. Me pide que

nos encontremos en su casa para cenar y terminar de hacer los preparativos de la misión que nos une.

Cuando me abre la puerta y entro al apartamento, todo luce ordenado. La mesa está servida con una comida que huele deliciosa, una botella de vino, copas y velas.

—¿Qué es esto, Reed? ¿Por qué?

—¿Es demasiado?

—¡Sí!

—Lo siento. Yo… nunca traigo a nadie a casa. Vivo solo, no tengo amigos. Antes tenía a mi hermano, pero murió en servicio. No, no fue mi intención exagerar…

Sus palabras coinciden tanto conmigo que las puedo sentir como propias.

—Danny, está bien. No hay problema. Quizá una buena comida y una copa sean lo que necesitamos antes de una misión tan peligrosa.

—¿Lo crees? —pregunta, animándose.

—Veamos qué preparaste. —Tomo la botella y una copa —. ¿Te sirvo?

—Mejor no. Aún no me acostumbro y necesito estar al cien.

Yo sí me sirvo una. Conversamos mientras comemos un delicioso espagueti con albóndigas.

—¿Qué hay de tus padres? —pregunto.

—Murieron cuando éramos niños. Desde ese momento fuimos Dominic y yo solos contra el mundo. —Baja la mirada —. Hasta que murió.

—Lo siento.

—No te preocupes, no es más difícil que…

Lo miro a los ojos antes de que termine, sin embargo, libero un suspiro luego de terminar la copa.

—Ya no me duele hablar de mi hermana, pero no quiero recordar cómo murió —dije un poco afectada.

Crazy

—¿Cómo era Rachel?

—Era alocada, divertida. De buen corazón, incapaz de mentir por maldad. Hermosa, mucho más que yo.

—Nadie podría serlo tanto.

No puedo evitarlo y una pequeña sonrisa se me escapa. Continuamos hablando hasta que apoyo mi cabeza en la mesa y poco a poco me voy quedando dormida.

12:00 a. m.

—Ainara, Ainara. Es una pesadilla, despierta.

Al abrir los ojos, veo que tengo sujetado a Reed encima de mí. No es Hawk y Rachel sigue muerta.

—¿Estás bien? —pregunta

Noto que estoy en el sofá.

—¿Qué hago aquí?

—Te quedaste dormida y te cargué. Es la hora, debemos irnos.

Recogemos todo y nos vamos al lugar. Lo hacemos en su camioneta, yo de copiloto.

—Nunca había tenido compañero —dice.

—Ni yo.

—Se siente bien —responde. Es cierto—. Aunque sé que no durará mucho, gracias por la oportunidad de hacer algo más.

—Aún no celebremos, Reed.

Observamos desde la colina hasta las dos y cincuenta. Pronto harán el cambio de guardia. Repasamos su plan. Él supone que las mujeres deben estar prisioneras en la casa de invitados que queda en la parte trasera de la propiedad.

Entraremos por el lado este, evitaremos las cámaras, de las que conocemos su ubicación, y avanzaremos por las zonas verdes.

Amparados por la luz de la luna, encendemos nuestras pequeñas cámaras de video e iniciamos el procedimiento. Siento cómo la adrenalina y los nervios me invaden a medida que nos acercamos a hurtadillas. Es emocionante y escalofriante. La Ainara de hace un mes atrás no creería en qué acabaría metida. Reed es muy profesional a pesar de su juventud y tampoco muestra signos de temor o estrés, por momentos me recuerda al pesado de Bennett.

Esperamos que más de la mitad de los hombres armados partan en un furgón para saltar el muro.

—¿Por qué lo haces, Ainara? Yo quiero ascender, pero tú ni siquiera quieres que tu nombre salga involucrado cuando acabemos con esta organización criminal.

—Una buena persona murió por buscar a su hija, se lo debo. Saldar mi deuda y rescatar más chicas es suficiente. No me interesa lo demás.

Se me queda viendo por unos segundos.

—Es el momento, saltemos —dice al fin.

Avanzamos bordeando la propiedad, arrastrándonos por la tierra y corriendo cuando podemos. Encontramos la casa de invitados y nos detenemos a verificar el perímetro.

—Pensé que habría más cámaras —comento.

—Las pocas son para mantener el control logístico, están seguros de que nadie los visitará sin avisar.

Tiene sentido.

Enfilo hacia la entrada, pero Reed me toma por la mano.

—¿A dónde vas? Debe haber una puerta trasera.

Me siento la novata.

—De acuerdo.

Rodeamos la casa. Hay un hombre armado, fumando de

espaldas a nosotros. Reed le propina un fuerte golpe con la cacha de su arma, lo desploma. Nos paramos delante de la puerta.

—No creo que haya más de uno dentro, si las cosas se complican, disparamos primero —advierto y él asiente.

—Grabemos todo y salvemos vidas.

Entramos sigilosamente. *sneaking up*

Estamos en la cocina. Hay una chica muy drogada y semi-desnuda sentada en una mesa.

—¿Es una de las que entró la otra noche?

—No tengo idea. Solo su madre podría reconocerla en ese estado. *tied up*

La dejamos allí y continuamos. Avanzamos por un pasillo que da a varios cuartos, en la mayoría hay mujeres acostadas en camas o en el piso, algunas amarradas y todas drogadas. He visto fotos y escuchado testimonios de lugares así, pero presenciarlo es desgarrador. Me resulta difícil controlar la rabia e impotencia. *heartbreaking*

—¿Estás bien? —pregunta Reed.

—Sí. Intentemos hablar con alguna.

Solo una pudo decir algo: «Ayuda». Aunque dudé mucho, Reed me hizo atenerme al plan; intentar sacarlas en ese estado era imposible y tardarnos más en ese lugar nos expondría a ser vistos, la operación fracasaría antes de empezar. Las dejamos allí y salimos de la propiedad.

No hablamos en el camino hacia el apartamento, Danny supo entender que no lo deseaba. Cuando llegamos, le explico detalladamente cómo hará las cosas y con quién deberá hablar. Nada de jefes de división, irá con el director del FBI.

—Nos conocimos hace dos años. Dirás que yo te he enviado y con eso será suficiente para que te preste atención. Nuestra investigación y las pruebas en video bastarán.

—Entendido, Ainara. Encontraré a Kim Wong y a Luisa

Sánchez. ¿Estás segura de que no quieres que tu nombre aparezca?

—Sí. Con que esas mujeres recuperen sus vidas y los Walker paguen es suficiente.

—¿Irás por el tal Donovan?

—Sí. También caerá.

Reed baja la mirada y yo continúo caminando hacia mi Fusion.

—Supongo que no nos volveremos a ver.

—Supongo que no. Pero quién sabe, quizá después de este gran caso te den ese traslado a Nueva York.

Le guiño el ojo y él me regala una última bonita sonrisa mientras me marcho con la luz del amanecer.

8

DE VUELTA AL ASTORIAN

DÍAS *después*
Nueva York

presentación

Estoy en el salón de conferencias donde Donovan White dictará otra ponencia de superación personal. El lugar está repleto de individuos de diferentes etnias y diferentes niveles sociales. Tomé un puesto en la parte trasera y medito mientras espero que comience el evento.

Por fallas en el auto y escasez de tiempo, solo pude ir a ocho entrevistas. De las cuales, en una sola, la de Amara Allen, tuve confirmación en un cien por ciento de que White tuvo contacto con la víctima en los días previos a su muerte; en otras cuatro, en aproximadamente un setenta y cinco por ciento; en las tres restantes, nada.

shameless

Cuando por fin sale Donovan, veo a un brillante y descarado asesino. Sin embargo, a medida que avanza en su charla, entiendo a lo que Sophie Miller se refería. El hombre, su excelente físico, su actitud, su carisma, lo que dice y la forma en que lo hace, te transmiten una cierta e inevitable admiración, te hacen sentir que estás al frente de una persona superior, una que ha encontrado a la evasiva paz interna y a su verdadero propósito de vida. Provoca que en ti nazca un deseo de alcanzar ese estado.

Lamentablemente para White, él me recuerda a mi padre, un ciudadano humanitario, servil y ejemplar en la calle; un hombre soberbio, engreído y desgraciado en casa, que no dejó pasar un solo día sin culparme por el asesinato de Rachel hasta que al final se divorció de mi madre y se marchó para siempre. Por lo que soy inmune a este tipo de hombres, los reconozco.

White es un asesino en serie casi perfecto. El hombre que acompañó a White en la entrevista en CNN y en sus noches de fiesta a los clubes sale también a dar un discurso. Es quizá un poco más alto que yo, algo relleno y de piel blanca, su aspecto en general es encantador. Se llama Josh Cook, psicólogo y psiquiatra.

Luego de terminada la oratoria, espero media hora por White mientras habla con los frenéticos participantes, quienes no dejan de buscarlo para pedirle autógrafos, fotos y algún consejo. Aprovecho para observarlo con detenimiento. Siempre sonríe, y aunque todavía no le encuentro la mirada de psicópata, solo es cuestión de tiempo.

Me acerco.

—Señor White.

—A su servicio, ¿señorita?

—Pons.

—¿Le ha gustado la conferencia? ¿Quiere que le firme algo? —pregunta con simpatía.

—No, vengo a conversar sobre Sophie Miller.

—¿Disculpe?

—Sophie Miller, de Columbus, Nebraska. —Su expresión

de confusión parece real—. Maya Allen, de Wichita, Kansas. ¿Tampoco? Qué le parece el nombre de Vanessa Hope, de aquí. La estríper del club Angel's.

Su cara cambia por completo, sus ojos se oscurecen y de inmediato busca con la mirada a alguien. Parece que lo encuentra porque hace un gesto.

—Llevo años soportando esto y he pedido respetuosamente a los periodistas que no se metan en mi vida privada, tú has sobrepasado la línea. ¿Para quién trabajas? No importa, mi equipo lo averiguará, considérate despedida.

Su buena vibra, su cordial sonrisa y su carisma desaparecieron tan bruscamente que me sorprendió y tardé en responder.

Se da media vuelta para marcharse.

—Soy la agente especial Ainara Pons, FBI.

—¿¡FBI!? —exclama bruscamente el hombre que se acercaba, Josh Cook—. ¿En qué lío nos metiste, Donovan?

La gente comenzaba a voltear con curiosidad.

—¿Qué demonios voy a saber? ¡Esta loca mujer llegó haciendo preguntas sin sentido!

Aquel hombre que salió a dar un discurso de ayuda, superación y paz, había cambiado totalmente y cada vez se volvía más evidente para todos en el salón.

—¡Todas esas mujeres que le mencioné y con las que usted tuvo relaciones están muertas! —digo en voz muy alta, más de lo que deseaba.

—¡Por Dios! ¡Qué está diciendo, agente! Le suplico que vayamos a otro sitio. Como entenderá, no es el lugar ni el momento.

—¡Loca! Si sigues por este camino, te arrepentirás el resto de tu vida —dice Donovan y se marcha iracundo.

Iba a gritarle algo más, pero Josh Cook me pide muy educadamente que me calme y acepto su invitación a salir por un café al restaurante del hotel. Me interesa lo que pueda decir.

Le cuento todo en detalle para evaluarlo y recibir su opinión como psicólogo. Escucha atento y sin interrumpirme. Sirven un par de mocas, pero ninguno de los dos prestamos atención. Comienza contándome que lleva poco más de un par de años trabajando con White.

—Eres quien lo acompaña a los clubes nocturnos —le digo.

—Sí. Somos un par de amigos divorciados que viajamos mucho y le sirvo de contención. Tiene una reputación que mantener.

—¿Contención?

Medita sus palabras.

—Después de su divorcio y salida de la política, perdió su camino y se convirtió en un alcohólico reprimido. Yo lo ayudé a salir de allí en mis consultas. Luego de unos años me contactó para que formara parte de su equipo. Me divorciaba en ese entonces, como él tenía éxito, vi una oportunidad y decidí acompañarlo. Nos volvimos grandes amigos, hacemos negocios y nos cuidamos desde ese momento.

—Después de todo lo que te he dicho, ¿crees que las haya matado? ¿Ves un perfil psicológico de asesino?

—La psicología criminal no es mi especialidad, Ainara. Donovan es un hombre temperamental, a veces agresivo, controlador y engreído, pero no un asesino. En verdad ha ayudado a muchos, soy testigo. Libera el estrés con sexo casual, ¿quién no?

—¿No es demasiada coincidencia las muertes y su relación con ellas?

Por un momento me distraigo en sus ojos, son de un azul intenso. Es un hombre apuesto y cuida mucho su apariencia. El olor de su perfume es increíble.

—Realmente lo es. Pero sigo sin creer que sea posible. Te sugiero que hables pronto con tu jefe, pues Donovan es rencoroso y conoce a mucha gente importante, si puede, te meterá en problemas. Heriste su reputación en un salón lleno, no lo dejará pasar.

Es cierto, y comienza a preocuparme.

—¿Qué crees que fue a hacer Donovan en este momento?

—Encerrarse en su habitación a tomarse un trago mientras busca cómo acabar tu carrera.

Me dice que fue un gusto conocerme, me entrega su tarjeta y me pide que lo llame para lo que quiera. Sonó más a una insinuación y nota que me sonrojo.

—Discúlpame. No quise... —Se muerde los labios y entonces lo supe antes de que lo confesara—. Soy gay y el motivo por el cual dejo esta interesante conversación es porque mi cita me espera en este momento. Por favor, márcame si necesitas hablar. Será un placer atenderte.

Cuando atravieso el vestíbulo para salir del hotel, entra una llamada en mi teléfono, es Phillip. Aunque me lo esperaba, me sorprende la prontitud. Entre gritos, reclamos y sin dejarme explicar, me informa que la fiscal general de la ciudad lo llamó exigiéndole que sus agentes no vuelvan a molestar al exsenador con absurdas acusaciones y pidió mi suspensión. Me advierte que ni con el pensamiento agreda a White o seré despedida. No puedo salir del FBI, no sin antes atrapar al asesino de Rachel. Debo detenerme y olvidarme de Donovan, pero sé que en este punto ya no podré parar.

Preparo algo de comer para Bob y para mí mientras distraigo mi mente conversando con Reed por teléfono. El director le encargó la misión de buscar y elegir a diferentes agentes en todo el país para asignarles la tarea de espiar las sedes de UpTop Model's, todos le rendirían cuentas solo a Reed y quien difunda información sería acusado penalmente. Me actualiza y cuenta que todo va según lo planeado, tienen información clave en treinta ciudades y todos los altos cargos del FBI de los diferentes estados se están reuniendo en Washington en este momento, incluido Phillip. Ninguno sabe de qué se trata el llamado, ni lo sabrán para evitar la fuga de información, y tendrán que preparar un operativo para dentro de doce horas sin saber cuál es el objetivo.

—Me terminé la botella de vino que empezaste aquella noche —dice.

No puedo evitar que sus tontos e innecesarios comentarios me hagan reír.

—¿Te embriagaste cuando el director del FBI te ha asignado la tarea más grande y secreta de los últimos tiempos en suelo americano?

Reed se carcajea.

—Espero que no estén grabando nuestras conversaciones. —Se calla por unos segundos—. He pensado mucho en cómo mi vida ha cambiado desde que apareciste, Ainara.

—Danny…

Otra llamada entra en mi teléfono y le digo que hablamos después. El número es desconocido.

—Pons.

—No me fue nada fácil encontrar tu número.

—Identifíquese o cortaré la llamada.

—Amy Evans.

Me sorprende, no lo esperaba y me intriga saber qué quiere.

—La periodista del New York Post. Gracias por el artículo que escribiste sobre mí.

—Imaginé que te encantaría, pero no te llamo por eso.

—Lo sé.

—Te vi en el salón de conferencias con Donovan White. Quisiera conversar sobre eso. Te prometo que todo quedará entre nosotras. Estoy en Queens tomando una copa, me encantaría que me acompañases o puedo ir a donde quieras.

—Dame la dirección y llegaré.

The Astorian

Conozco el lugar, he estado aquí más veces de las que puedo contar sin avergonzarme. Localizo a Amy sin problemas, está sentada en un mueble hacia la esquina donde queda la chimenea. Ella viste ropa muy elegante y al acercarme noto su gran esfuerzo en el maquillaje, luce hermosa.

—Amy.

—Ainara —dice y se levanta para darme la mano—. Es un gran placer tenerte aquí.

—El placer es mío.

Tomo asiento y un mesero se nos acerca. Ambas pedimos un martini seco.

—Fui a la conferencia porque tenía pautada una entrevista con el exsenador y entonces tú apareciste allí, Ainara Pons, acusándolo frente a todos de la muerte de unas strípperes. Fue impactante, quedé fascinada. Por favor, cuéntame todo lo que sabes de Donovan White. Puedo hacer una historia para el periódico utilizando solo la información que permitas.

Es justo lo que necesito. Vine preparada, le mostré las grabaciones de audio que tomé en las entrevistas y mis anotaciones, entretanto le relataba los eventos desde la aparición de la madre de Vanessa Hope hasta mi encuentro con Donovan. Bebimos más de cinco cocteles cada una en el proceso.

—Es realmente atroz esta información y te creo cada palabra, ese hombre es un monstruo…

—¿Pero?

—No hay nada sólido con qué atacar, es muy peligroso soltar una acusación así. Me van a destruir a punta de demandas.

—Entiendo, Amy, y no quisiera ser la causante de ello. Pero ¿y si te digo que te puedo dar información de primera acerca del operativo más grande que jamás se haya hecho en los Estados Unidos?

—¿Qué tan grande?

—Dudo que ocurra otro igual en décadas. Me prohibieron seguir investigando a Donovan. Si no hacemos algo, quedará libre y continuará asesinando a mujeres inocentes. Que me llamaras me dio esperanzas. Si lo provocamos, lo exponemos y lo sacamos de su zona de confort, se precipitará, se equivocará, y te juro, Amy, que yo lo estaré esperando.

—Puedo perderlo todo e incluso ir a la cárcel.

—No lo permitiré, lo atraparé antes que pase.

Se toma hasta el fondo lo que resta de su trago.

—De acuerdo, Ainara. Tienes mi palabra. Me llevará un par de días porque investigaré un poco por mi lado. Ahora cuéntame sobre esa operación sin precedentes.

—No puedes mencionar mi nombre jamás y solo podrás publicar la noticia después que ocurra. —Miro mi reloj—. Dentro de ocho horas. Son las únicas condiciones.

Ella asiente y yo pido otra ronda de tragos.

9

LE DECÍAN KITTY DIAMOND

DÍAS **después**

Con la llegada del invierno, es publicada la historia en la portada principal del periódico tal y como acordamos. Al mediodía el escándalo había llegado a los noticieros. Lo que no imaginé fue que el impacto en el público americano sería porque un exsenador y gurú de la superación personal visitaba locales nocturnos y no por su posible vinculación con extrañas muertes. Sin embargo, Donovan debe estar descontrolado.

Lo del operativo que se armó y ejecutó contra la agencia aún sigue siendo noticia en todo el mundo. Reed ha sido condecorado y entrevistado muchas veces. Estoy muy feliz por él. Los hermanos Walker huyeron del país, se presume que están en Rusia. El FBI está tras la pista de la mano derecha de Liam Walker, Carl Davis, quien no pudo salir de suelo americano. La letra en las notas de amenaza que mandé al laboratorio y uno de sus autos negros lo vinculan de manera directa con el asesinato del señor Wong. La prestigiosa agencia UpTop Model's ha sido desmantelada juntamente con empresas de origen ruso, chino e italiano que compraban a las chicas. Hay más de setecientos detenidos que serán investigados a fondo para determinar su participación, más de cuatrocientas mujeres fueron liberadas, entre ellas Kim. Luisa no aparece y, según testimonios de otras víctimas, probablemente esté muerta y enterrada.

Todo marcha bien por el momento, sin embargo, me apresuro a continuar con lo planeado. Mi primera movida es llamar a Phillip y asegurarle que, al igual que con el caso de la agencia, tampoco tuve relación, la publicación del periódico fue de autoría de Amy Evans, quien casualmente se encontraba allí cuando acusé a White en público. En tono de pocos amigos, me advirtió que ante cualquier represalia legal estaría sola, el FBI se desligaría por completo.

Mi segundo movimiento es contactar con un especialista en operaciones de espionaje de nuestra unidad, que acepta trabajos clandestinos si la paga es buena. Quedamos en que vendrá a mi casa dentro de una hora. Aprovecharé para visitar la de los Wong y obtener noticias sobre Kim.

Toco la puerta. Cuando Liu la abre y me ve, sus ojos se humedecen instantáneamente.

—Gracias, gracias. —Se acerca y me da un sorpresivo abrazo—. Sabemos que fuiste tú. Mi papá siempre tuvo la razón en que algo estaba mal y en creer en ti.

—Solo hice mi trabajo, Liu, no tienes que agradecerme.

—Un trabajo del que ni siquiera tomaste crédito, Ainara. Eres un ángel. Ven, pasa, quiero que conozcas a mi hermana.

—¿Qué hace aquí, Liu?

—Ven, pasa.

Kim peina su cabello con la mirada perdida cuando entramos a su habitación, tarda varios segundos en notar nuestra presencia. Luce delgada, pálida y aún tiene moretones en su cuerpo. Verla me recordó a las mujeres en Kansas, menos mal que ahora están a salvo.

—Kim, ella es de quien te hablé, la agente Ainara. Ella fue quien ayudó a papá e hizo posible que estés aquí con nosotros.

La chica se arrodilla ante mí y comienza a besarme la mano mientras me agradece entre lágrimas. Me inclino a su nivel para devolverle el afecto. Lo hago por un rato y noto temblores en sus manos. Entre Liu y yo la acostamos en la cama para que descanse. Luego salimos del cuarto.

—Liu, la adicción a las drogas a las que fueron sumergidas es delicada. Al igual que el resto de las víctimas, Kim necesita ayuda para ser rehabilitada. No debería estar aquí, no sé cómo lo permitieron. Liu, debes llevarla y el Gobierno se encargará de todo.

—Pensé que el mejor lugar sería su casa.

—Lo será, una vez esté rehabilitada.

Liu promete encargarse de llevarla al centro de rehabilitación tan pronto Kim despierte. Yo me marcho a casa.

Mientras reviso la base de datos del FBI en busca de algún nuevo caso que me dé alguna pista de Hawk, mi teléfono suena y en la pantalla dice número desconocido, debe ser Jones.

—Es la casa marrón, al frente está el Fusion negro con el maletero chocado.

—Eso ya lo sé, agente Pons. El auto está muy deteriorado, debería cambiarlo con el dinero que cobró de sus vacaciones, ¿o lo gastó todo investigándome?; y quite la nieve que se le está acumulando al frente.

Reconozco su voz de inmediato. Corro a la mesa de noche

de mi cuarto, agarro mi Glock y le quito el seguro. No esperaba una respuesta tan frontal ni rápida.

—¡¿Qué quieres, Donovan!? ¿No ha sido suficiente por un día?

—¿Suficiente? Esto apenas comienza, muchacha. No debiste hacer eso. Primero acabaré con tu mundo, como tú acabaste con el mío. Nos vemos pronto.

La llamada termina y de pronto suena el timbre de la casa. Mi respiración quiere agitarse, pero la controlo. Camino hacia la sala. Bob ladra y corretea en círculos.

—Bob, ven a mi lado. —Lo tomo por el collar y grito—: ¿Quién es?

—Jones, ¿esperas a alguien más?

Ahora espero cualquier cosa. Esa llamada fue una advertencia de que ya me investigó, me vigila y que me puede convertir en su víctima en cualquier momento. Libero un suspiro y a mi bestia, quien se tranquiliza al verme más serena.

Jones pasa y le explico la situación. Por dos mil dólares, acepta el riesgo de trabajar conmigo y espiar las comunicaciones del exsenador. Es necesario para poner la balanza a mi favor. Le pago la mitad por adelantado.

⁓

Siempre he pensado que cuando las cosas parecen ir muy bien, la vida siempre se encarga de equilibrar la balanza. Avanzada la noche, mi «tranquilidad» es robada con el estallido de un vidrio en la sala, esta vez la advertencia es para mí. Carl Davis sigue en Nueva York y quiere venganza. Tengo detrás de mí al poderoso y millonario exsenador Donovan White, ahora también a un exmilitar muy cabreado; ambos con una gran carrera llena de homicidios.

Pienso en irme a un hotel para estar más segura e intentar descansar, sin embargo, no les daré el gusto de hacerme huir de mi propia casa. Así que tranco todas las puertas y ventanas, las refuerzo atravesando objetos pesados. Duermo en la tina del baño, con Bob a mi lado, con el chaleco puesto y el arma en mis piernas, además de varios cargadores.

El repiqueteo del celular me despierta. Es el pesado de Tim Harper, mi contacto de la Policía. ¿Qué demonios querrá? Veo que son las nueve de la mañana. Es muy tarde para mí y me sorprende que lograra dormir algo más que las usuales cuatro horas, en una incómoda tina y cuando tengo dos amenazas de muerte. Soy una persona muy extraña.

Aún somnolienta, atiendo. Solo para callar el aparato.

—Pons.

—Estoy al frente del cadáver de Wynona Martin, le decían Kitty Diamond. Trabajaba en el mismo club que la tal Vanessa Hope, pensé que podría interesarte.

La piel se me eriza. Me pongo de pie tan rápido que me mareo y por poco vomito. Le pido la dirección y salgo hacia allá.

Su cuerpo está tendido sobre una cama empapada de sangre. Los peritos todavía fotografían la escena y recolectan pruebas. Kitty tiene el cuello cortado y muchos golpes en el rostro. Fue una muerte espantosa, puedo imaginar su terror y dolor. Es un claro mensaje de ese malnacido. Quiere que le tema, pero consigue lo contrario, mi respiración se acelera y puedo sentir la vena de mi frente palpitar. Tengo rabia, mucha rabia.

—¿Entonces sí tiene algo que ver con el caso de la tal Vanessa Hope? —pregunta Tim sin interés y mientras enciende un cigarrillo.

—No. Debo irme.

Cuando me doy media vuelta, dice:

—¿Y nuestra cita?

Lo miro por unos segundos, me contengo y solo me marcho.

Estoy furiosa conmigo y llena de impotencia. Sé que es culpable, sé que quiere jugar conmigo, pero no sé cómo atraparlo sin el apoyo y los recursos del FBI. Quizá no debí hablar con la reportera, Kitty seguiría viva. Quiero matar a ese desgraciado. Aunque sé que en el estado que estoy no debo hacerlo, lo hago. Llamo a Jones y le pido que rastree el celular de White. En menos de un minuto me envía la dirección. En este punto y conociéndome, soy una bala que ha sido disparada. Solo me queda impactar.

Amy me llama por segunda vez mientras conduzco a toda velocidad. No deben ser buenas noticias, no quiero atenderle, sin embargo, se lo debo.

—Dime, Amy. Estaba ocupada visitando un cadáver.

—Despidieron a mi editor, llevaba más de veinte años en el periódico. Seré la próxima, Ainara. El abogado de la empresa vino a verme para advertirme de las consecuencias. Donovan White soltó a sus mejores perros para acabarme. Me van a despedir sin importarles la primicia que les di sobre el operativo de la agencia de los Walker. Todos comentan que es mi fin. ¿Qué haremos?

No puedo pensar con claridad en este momento.

—Anoche asesinó a otra mujer inocente, Amy. Voy a confrontar a ese hijo de puta. Te llamo apenas me desocupe y arreglaremos todo. Te lo prometo.

—De acuerdo, Ainara. Confío en ti.

Aprieto más el acelerador.

10

PERDIENDO LA CORDURA

ARRIBO AL LUGAR manejando descontroladamente y dejando el auto mal estacionado. El *valet parking* del lujoso restaurante me pide las llaves, por reflejo se las lanzo. El portero intenta preguntarme algo, le muestro mi placa casera y paso sin titubear. Entro con tanta brusquedad que sin querer me llevo por delante un adorno que termina cayendo al suelo. Muchos voltean a verme, pero, sin darme importancia, continúan en lo suyo. No él. Donovan me reconoce con la mirada y me sonríe mientras mastica. Aunque me suplico internamente «cálmate, cálmate, puedes controlarte», la ira me domina.

Me apresuro hacia él.

—¿Por qué? —pregunto de la forma más calmada posible y siento que se me clavan las uñas en la palma por apretar demasiado fuerte los puños en mi intento de desviar la rabia.

—Buenos días, agente Pons. ¡Qué placer encontrarnos aquí! ¿Gusta acompañarme a un café por lo menos?

—Deja el cinismo. ¿Por qué lo hiciste? Dime por qué, dímelo ya. Dímelo, dímelo.

—No la entiendo, agente. ¿Se siente bien?

Se mete un bocado y lo mastica muy pacientemente.

—¿¡Por qué la mataste, maldito enfermo!? ¿Por qué? ¡Ella no tenía nada que ver! ¿No ibas contra mí? ¡Cobarde! —suelto en voz alta.

Los comensales y empleados en el restaurante voltean. Él se mantiene masticando, pero cuando termina de tragar, me responde:

—No sé de qué o de quién me habla. Si quiere conversar conmigo, por favor, siéntese y compórtese.

Un hombre bien vestido y de cabellos blancos se ubica a mi lado.

—Donovan, ¿todo se encuentra bien?

—Por supuesto, hombre. Mi amiga es una bromista. Los presento. —Me señala a mí y luego a él—: Agente especial Ainara Pons del FBI; Ned Abrahams, nuestro querido alcalde.

Ante la presencia de la máxima autoridad de la ciudad, mis ánimos se calman un poco porque no necesito otra queja con mi jefe. Le tomo la mano y me disculpo por mi comportamiento.

Me siento en la mesa, al frente de White.

—¿Por qué mataste a Kitty Diamond, Wynona Martin? ¿Por qué las mataste a todas?

—No sé de quiénes me habla, agente. ¿Wynona? Ya se me olvidó con quién dormí anoche —comenta burlonamente.

—Sophie Miller, Lana Campbell, Maya Allen, Zoey Green, Emma Parker, Vanessa Hope…

Se encoge de hombros mientras prueba su postre, concentrándose más en este.

—Ninguna me suena. Soy un hombre soltero con una vida sexual muy activa que a nadie le compete. No es un delito en los Estados Unidos.

—Las cosas cambian cuando hay asesinatos.

—¿Asesinatos? Todos esos casos son muertes accidentales.

—¿Tienes un tatuaje de águila en la espalda?

—¿Es un crimen?

Cambia de postura y se acerca, inclinándose un poco hacia mí.

—Hablemos de usted. ¿Cómo siguen las cosas con su padre?, ¿aún la culpa? Por qué no deja de perder el tiempo conmigo y sigue buscando a Jerry Hawk. Debes tener pesadillas con la pobre Rachel. —Me mira detenidamente—. ¿Son muy frecuentes?

—No te atrevas a nombrarla otra vez o no respondo. ¿Dónde estuviste anoche?

Sonríe y toma otro bocado de su postre. Quiero ahorcarlo. Es como si viera a mi padre, sus gestos, su arrogancia, su cinismo. Ayer me llamó amenazándome, mató a Kitty y hoy actúa con absoluta normalidad.

—¿Quiere que le pida uno? Este *gelato* está exquisito. ¿No? Usted se lo pierde. Estuve en mi habitación, lo puede comprobar.

—¡Mentira!

—Te fuiste de fiesta y dejaste sola a Rachel. El terrible asesino en serie, Jerry Hawk, con su fachada de vecino confiable la secuestró porque vio la oportunidad que dejaste. La pobre apareció una semana después, estrangulada, con signos de tortura y violación en una mugrienta cabaña. —Mis manos comienzan a temblar y mis ojos a ver todo rojo—. Ella sería una hermosa modelo, tú, una exitosa cirujana. Pero no la cuidaste, ahora ella está muerta y tú eres una agentucha del FBI a punto de jubilarse a sus veintisiete años. Debe ser frustrante que Jerry desapareciera de la faz de la Tierra justo después de tomar su vi…

Salto por encima de la mesa y aterrizo sobre él como una fiera, poseída por la ira. Me olvido de todo. Lo golpeo con todas mis fuerzas en la cara hasta que me sujetan los brazos.

—¡Suéltenme! ¡Tengo que acabarlo!

Forcejeo y grito sin parar. No puedo contenerme, no tengo control sobre mi cuerpo. Deseo matarlo y vengar a todas esas mujeres.

~

5:00 p. m.
Departamento de Policía, calabozos

—Qué lío en el que te metiste, Ainara —comenta Tim desde afuera de mi celda.

—Ni que lo digas. No sé qué me pasó. Simplemente perdí el control. Estoy acabada.

—¿Estás segura de que no quieres que llame a alguien por ti? La fianza son veinte mil dólares y tengo entendido que tu madre tiene mucho dinero.

—Prefiero podrirme en este agujero.

—El alcalde está molesto. Comía con su familia cuando decidiste hacer ese espectáculo. Seguro ya se lo comunicaron a tu jefe, quien tampoco debe estar muy contento.

—Tim…, ya eso lo sé. Por favor, déjame sola.

—Nunca tendremos esa cita —dice entre dientes antes de irse.

No pasaba tanto tiempo en este lado de una celda desde mi época oscura. Después de lo de Rachel me perdí en vicios y hasta llegué a cometer robos menores. Phillip y mi madre son amigos, él me ofreció la oportunidad de canalizar mis emociones, dolor y malas actitudes. Entonces el FBI se convirtió en mi hogar y atrapar criminales en mi razón de vivir. Ahora estoy a punto de perderlo.

Donovan dijo que también acabaría con mi mundo, no

mintió. No tengo la más mínima idea de cómo justificaré todo esto a Phillip. Lo intentaré mostrándole las pruebas, le mencionaré que Carl sigue en Nueva York y que me amenazó. Haré lo que sea necesario para no perder mi trabajo.

Un par de horas después, el guardia golpea los barrotes y me alumbra con la linterna.

—Pons.

—¿Qué ocurre, Alex? Apaga esa luz.

—Levántate. Puedes irte.

—¿Cómo?

—Pagaron tu fianza. Vamos, muévete.

Cuando veo quién pagó los veinte mil dólares, mi sorpresa es tanta que tardo algunos segundos en procesar.

—¿Estás bien? —pregunta Josh Cook.

—Eso creo… ¿Por qué pagaste mi fianza?

—Pena ajena, supongo. No por ti, sino por Donovan. Por lo que te hizo.

—No es tu responsabilidad y es mucho dinero.

—El dinero lo tomé de la empresa de la que soy socio con Donovan, no te preocupes.

—Aún no me respondes. ¿Por qué lo hiciste?

Él toma asiento en un banco de madera del pasillo y me pide que lo acompañe.

—Me caes bien. Eres una mujer valiente e inteligente y no temes en decir lo que piensas sin importar las consecuencias, y por ello estás aquí. Donovan prepara una demanda millonaria en tu contra por daños y perjuicios.

—Eso ya lo esperaba.

—Debería preocuparte. Si puede, llevará el caso a la Corte Suprema del estado y buscará la mejor recompensa para él, o el peor castigo para ti. Tiene muchos amigos poderosos.

Noto que da demasiadas vueltas al asunto.

—Josh, ¿por qué viniste hasta aquí? ¿Qué sucede?

Se queda pensativo, mordiéndose los labios.

—Donovan ha estado muy extraño, no sé cómo explicarlo. No solo por lo que te hizo en el restaurante, que fue planificado hasta el último detalle. Estoy seguro de que la presencia del alcalde estuvo en sus cálculos.

—Dime algo que no sepa, Josh. La tarde de ayer me llamó, amenazándome. Juró que acabaría con mi mundo, y heme aquí.

—Fuiste demasiado lejos con ese artículo del periódico, Ainara. Donovan no va a parar hasta destruirte.

—¿Lo acompañaste anoche? ¿Sabes qué hizo, a qué hora se acostó? Mató a otra mujer, esta vez fue distinto. La molió a golpes y luego la degolló.

—Es terrible lo que le ocurrió a esa mujer. Lo siento, Ainara. Anoche tuve visita en mi habitación y no supe de más nadie.

No defendió a Donovan.

—¿Tu cita de la otra vez?

—Así es.

Hablamos un poco más y antes de irse me pide que lo llame si necesito alguien con quién hablar, psicólogo o amigo. Yo le prometo que le devolveré el dinero tan pronto como organice mis problemas.

~

Intento retirar mis pertenencias, sin embargo, me dicen que debo esperar en una sala de interrogatorios un rato más porque no me puedo marchar hasta que hable con una persona que viene en camino hacia la estación. Lo que hago sin poner resistencia, en este momento lo último que quiero es otro altercado.

No he comido nada en el día, tampoco he dormido bien, por lo que el frío de la sala me hace temblar un poco mientras cavilo mis posibles opciones, las cuales parecen menos viables a medida que las pienso mejor. Cuando vuelvo a repasar por tercera vez lo que le diré a Phillip, él entra a la sala. Se me queda mirando con unos ojos que no le conocía. Es claro su enojo y evidente su decepción.

—Phillip...

—Señor Laurie, agente Pons.

—Yo de verdad...

—Has desobedecido tantas veces mis órdenes y lo último que hiciste es tan grave que no necesitaba venir personalmente. Lo hago por el respeto que le guardo a tu madre y el cariño que aún te tengo. Eras una de mis mejores agentes, la que tenía el futuro más prometedor. No había límites para ti, Ainara. Mi cargo te iba a quedar pequeño si continuabas como ibas. Pero...

—Señor, puedo reparar el daño. Donovan White es un asesino en serie, uno de los peores de todos los tiempos. Puedo probarlo, solo necesito que crea en mí y me dé apoyo.

Aunque por un momento se queda pensativo, vuelve su mirada fría y distante.

—Ya pasamos ese punto. Vine para entregarte tu carta de despido. Desde este momento dejas de ser parte del FBI. Se acabó, exagente Pons. No más Donovan, Hawk, los Walker. Todo terminó.

Sus palabras me golpean fuerte y siento que nace la desesperación en mí.

—Tuve razón con ellos. ¿Por qué no confía en mí esta vez? Por favor.

—No puedo. Tengo a demasiadas personas de poder llamándome. Pidiéndome explicaciones de por qué una de mis agentes agredió a un exsenador en público y frente al alcalde de la ciudad. Ya no importa si es culpable, se me prohibió abrir cualquier investigación contra Donovan White y a ti que te acercaras a menos de cincuenta metros.

Ahora es intocable; no para mí, no mientras pueda hacer algo.

—Carl Davis dejó una amenaza en mi casa. Sigue en la ciudad y quiere desquitarse.

—¿Por qué querría vengarse de ti? Tú no tuviste nada que ver con aquella investigación, ¿cierto? —finaliza riendo.

También sonrío y bajo la mirada.

—Mandaré vigilancia de veinticuatro horas a tu casa. Sin embargo, todo sigue igual. Tus cosas te serán enviadas por mensajería, no vuelvas a la oficina. Para evitarnos escenas innecesarias. —Antes de salir se detiene y agrega—: Ainara, de verdad quería lo mejor para ti. Tienes el potencial para hacer lo que sea, no lo desperdicies.

En el momento que lo veo salir, siento un nudo en la garganta. Mis manos sudan y mi mente se turba con ideas negativas.

11

¿SEGUIRÁS HASTA EL FINAL?

EL INVIERNO y el blanco de la nieve hacen lucir a la ciudad opaca, o quizá es lo único que puedo apreciar en el estado en que me encuentro. A diferencia de la última vez que conduje, en esta ocasión lo hago con extrema lentitud, en automático. Carezco de motivación, no tengo nada que me impulse a continuar. Voy a casa porque es donde puedo refugiarme y porque Bob está allí; es todo lo que me queda.

Al llegar, entro rápido para abrazar a mi bestia y lo hago con desespero. Me aferro a él y dejo salir todo lo que acumulo por dentro. Lloro, maldigo, golpeo el piso; Bob lame mi rostro. Lo estrecho por un buen rato y hasta que, ahí tirada, me quedo dormida.

El sonido repetitivo del timbre y los ladridos de Bob me despiertan. Lucho para ignorarlos, sin embargo, la bulla es tan perturbadora que vencen mi desgano y me levanto a abrir. Me duele todo el cuerpo.

—Bob, por favor. Cállate —suplico.

Mientras giro la manilla de la puerta, me doy cuenta de que ya no me importa si mi vida corre peligro, si es Carl Davis o el mismo Donovan que vienen a terminar conmigo.

—Ainara, ¿estás bien? —pregunta Amy tomándome por los hombros.

—¿Lo ve, señorita? Le dije que estaría durmiendo —comenta el hombre a su lado y vuelve a su vehículo negro.

Es joven y está bien vestido, es un novato del FBI. Lo mandó Phillip para mi protección.

—¿Qué hora es?

—Ese hombre dice que tiene orden de cuidar tu casa. Son casi las diez.

—Lo mandó mi jefe. Pasa.

—¿Por lo que ocurrió en el restaurante? Cuando me enteré, fui a la estación, pero ya habías salido.

Caminamos hasta la cocina. Bob la olisquea.

—Seguro lo exageraron todo —comento con ironía.

Saco una botella de *whisky* y dos vasos.

—Sí, seguro no te le lanzaste encima a Donovan White y le caíste a golpes frente al alcalde y sus dos hijas pequeñas.

—¿¡Qué!? Incapaz.

Ambas reímos sin ganas y tomamos un sorbo de la fuerte bebida. Ella arruga la frente al tragar, a mí me pasa como agua.

—Te ves fatal. ¿Has dormido o comido algo?

—Tú no te ves mejor, Amy.

—Me despidieron. Mi carrera se puede ir al demonio, me van a demandar y puedo perderlo todo.

—A mí me echaron del FBI. No sé qué hacer, no sé qué sigue, no sé nada. Si no estuvieras aquí, seguiría dormida en el piso junto con Bob.

—¡Ainara! No podemos quedarnos de brazos cruzados,

dejar que nuestras vidas acaben y ese Donovan siga libre. Investigué lo que me dijiste. Lo que le hicieron a esa mujer, Wynona, no tiene nada que ver con las demás muertes. Este fue un claro homicidio. ¿Por qué estás segura de que fue él? Si la asesinó, lo hizo en la madrugada y las cámaras del hotel donde se alojaba deben haber grabado cuando él salió y volvió. Comencemos por allí. Mañana conseguiré esas cintas. *get those tapes*

—Si comprobamos que sí salió y regresó en la madrugada, ¿y luego qué? Mi jefe me notificó que le prohibieron hacer cualquier investigación contra Donovan White. —Me tomo lo que resta de mi trago—. Sé que lo hizo él porque me llamó en la tarde de ayer, me amenazó y me juró que acabaría con mi mundo. Matar a esa mujer de esa manera descarada fue su forma de enviarme un mensaje.

—¿Qué mensaje?

—~~Que es intocable,~~ que puede hacer lo que quiera y que probablemente yo termine como aquella mujer.

—¿Entonces es todo? ¿Te rendirás? ¿Me dejarás sola en esto?

Sirvo otra ronda, entretanto, medito mi respuesta.

—No, no me rendiré, porque no sé hacerlo. Pero ahora, por lo que queda de la noche, no tengo ánimos de discutirlo. No me importa si él va ganando o si me llevará toda una vida derrotarlo. Quiero beberme esta botella y muy probablemente la otra que me queda guardada. Ahora, mi pregunta es, ¿me acompañarás o tienes algo mejor que hacer?

—No tengo tanta suerte, así que me quedaré contigo.

—Esa es mi chica.

—Pediré una *pizza*. Muero de hambre.

—Pide lo que quieras, estás en tu casa.

Amy se pone al teléfono.

Por momentos siento ganas de tomar mi Glock y acabar

con todo. No quiero pensar más, no quiero recordar nada, no quiero seguir dando explicaciones; quiero desaparecer.

—Pedí con extra de *peperoni*, espero que te gusten —dice y me hace volver de esa zona peligrosa en mi cabeza.

—No recuerdo la última vez que comí. Cualquier cosa estará bien.

La *pizza* llegó a los veinte minutos. La devoramos entre los tres, aunque Bob y Amy fueron quienes más comieron.

Tomamos *whisky* sin discreción y conversamos sin parar, olvidándonos un poco de los problemas gracias al poder inhibidor de la bebida. A pesar de que Amy solo me lleva tres años de edad, es una mujer mucho más madura y preparada para enfrentar la vida, es muy profesional, centrada e inteligente y con gran sentido del humor. Me inspira admiración. Supongo que algo así era yo para Rachel, y así se debe sentir tener una figura de hermana mayor.

—¿Entonces no has tenido novio desde hace nueve años? ¿Y tampoco nada de…?

—Una sola vez intenté tener una relación, pero no funcionó. Algunas veces he tenido sexo casual de una noche. Creo que perdí las ganas.

—Has tenido un motivo fuerte por el cual tu vida se ha visto muy afectada, sin embargo, debes recuperar las ganas de vivir, Ainara. Porque desde hace nueve años dejaste de hacerlo.

Bebía un trago y al escapárseme una carcajada, me ahogo.

—Estás hablando como mi psicólogo —digo con dificultad mientras intento recuperar el aliento.

—Y tú estás evadiendo lo que sabes que es cierto.

—No podré avanzar hasta cerrar el ciclo, hasta atrapar a Donovan, a Hawk.

—Después que lo atrapes y recuperemos nuestros trabajos, ¡porque lo haremos! Siempre habrá otro Donovan por el que tendrás que ir, tu vida no puede girar únicamente en torno a criminales.

—Intentaré atraparlo.

—No, ¡lo atraparás! —afirma y acerca su vaso.

Dudo un instante en responder, debido a que en este momento he perdido toda confianza en mí y me siento derrotada.

—Lo atraparé —repito y brindamos.

Falta poco por acabar la segunda botella y ella se levanta para ir al baño, sus piernas vacilan. Bob la escolta y yo me quedo pensando en todo mientras contemplo el líquido amarillento dentro de mi vaso, conseguir las grabaciones del hotel podría ser útil más adelante; espero que Kim, al igual que las demás chicas, ya esté recuperándose en rehabilitación; recordar la sonrisa de Reed trae una a mis labios y ganas de llamarlo; debo llamar a mi madre en estos días; necesito conseguir una manera de tener aún acceso a la base de datos del FBI para no perderme de nada que me pueda llevar a Hawk.

—Ya estoy muy ebria y es muy tarde. Creo que debería irme —dice Amy al regresar.

Aunque también me siento muy ebria, me mantengo consciente.

—Motivos por los que no puedes manejar. Quédate, puedes dormir en mi cuarto y yo tomo el sofá. Te vas mañana temprano.

—No quiero incomodar.

—Tranquila. Duermo mejor y más en escritorios, tinas, sofás, pisos. Soy extraña…

—¡Eh! ¡Alto ahí! —grita el agente que vigila mi casa.

Nos alertamos. A Bob se le erizan los pelos y sus orejas se paran de punta, comienza a gruñir.

Los estruendos y los impactos en las ventanas nos paralizan por un segundo, hasta que reacciono velozmente.

—¡Al suelo! —grito mientras me tumbo sobre Amy y como puedo cojo a Bob por el collar.

—¿¡Qué pasa!? —pregunta mi invitada tartamudeando y entrando en pánico.

—Debe ser Carl Davis.

—¿Quién?

—¡No importa! Necesito llegar a la cocina, dejé mi arma allí.

—¡No salgan de la casa! ¡Pidan refuerzos! —grita el agente.

Comienzan a sonar los disparos de una pistola, y los del rifle automático, a variar en intensidad. Es mi oportunidad. Agarro la mano de Amy y hago que sujete a Bob.

—¡Quédate aquí y no se muevan! Llámalos —finalizo entregándole mi teléfono.

Corro por mi arma y disparo desde la ventana de la cocina hacia su auto negro. A pesar de que la adrenalina ha disminuido mucho los efectos del alcohol en mi sangre, mi puntería es pésima. Sin embargo, logro que se tenga que cubrir.

—¡La policía viene en camino! —avisa Amy.

La puerta de la sala se abre y, de golpe, Amy suelta un grito, pero es el agente y la calma. Los disparos del rifle automático reinician. Me cubro.

—No me quedan balas —susurra el agente al acercarse.

Le doy un cartucho y ordeno a Amy que busque más en mi cuarto.

Aguantamos un minuto más, hasta que Carl se monta y arranca a toda velocidad.

Los tres nos recostamos y recuperamos el aliento. Mi colega nos dice que el sujeto llegó sigilosamente y pretendía asaltar por sorpresa. Entonces entiendo que si Phillip no hubiese mandado a este hombre, Amy, Bob y yo tal vez estaríamos muertos.

~

Me despierto en la tina nuevamente. Me duele desde la cabeza hasta los pies, y mis ánimos siguen por el suelo.

Siento escalofríos al salir a la sala y ver todo el desastre que dejó el ataque de Carl, imagino mi cuerpo y el de Amy tendidos en el suelo; estuvo muy cerca. Las ventanas quedaron destrozadas, las paredes están llenas de agujeros y en el piso siguen los restos regados. Amy se fue poco después de que llegara la policía, todo el susto también la hizo volver al estado de sobriedad. Ella quedó muy conmocionada, nunca había estado en medio de un tiroteo. Yo tampoco, pero la preparación del FBI, el alcohol y la poca importancia que le daba a mantenerme con vida jugaron a mi favor.

Tengo varios mensajes de Jones, avisándome que tiene pinchado los teléfonos de White y manteniéndome actualizada. En otras circunstancias, me hubiera emocionado. Cuando voy a dejar el teléfono para meterme a la ducha que mi cuerpo clama, comienza a repicar. Es Bennett. ¿Qué hace el mejor agente de campo del FBI llamándome? Nunca hemos sido amigos. Aunque dudo al principio, atiendo.

—Pons.

—Perdiste tu empleo, tu reputación y tu carrera. ¿Estás segura de que él las asesinó? ¿Seguirás hasta el final?

—Sí.

—De acuerdo.

Cuelga.

Esa simple y corta llamada revive mis ánimos y esperanzas. Me motiva a continuar. Si hay otra persona en el mundo capaz de ayudarme a atrapar a Donovan, es él, Peter Bennett

¡QUÉ BONITA LA CASA DE TU INFANCIA!

9:00 p. m.
Afueras del club Gentleman

Me encuentro a la espera de la mujer que Donovan se llevó anoche, necesito ponerla en alerta. Lo único destacable que ha pasado en casi una semana fue la salida nocturna de ayer, que Cook no lo acompañó como solía hacer. He notado un distanciamiento entre ellos, y que muchos de sus patrocinadores y contactos políticos también se han alejado. Hemos escuchado muchas de las llamadas en las que le cuelgan o se niegan a hablar con él. Las grabaciones de las cámaras del hotel la noche que mató a Kitty no mostraron nada sospechoso, se ve a White regresando a su habitación a las diez de la noche y que no salió hasta el otro día. No sé cómo lo hizo.

Está nevando mucho. Afortunadamente me abrigué bien antes de salir. Cuando llega, la reconozco sin problemas por su cabellera larga y roja. Ella enciende un cigarrillo antes de entrar al local. Aprovecho mi oportunidad.

—Hola, soy la agente Pons del FBI.

—¿¡FBI!? ¡Mi Dios! —exclama en voz alta.

Los dos porteros que custodian la entrada voltean hacia nosotras.

—No te asustes, por favor. Solo necesito hablar contigo un momento, a solas. No tomará más de cinco minutos.

—Te daré el tiempo que dure mi cigarro —advierte.

Nos movemos al estacionamiento. Instintivamente busco con la mirada a Samuel, el agente que Phillip me asignó como protección las veinticuatro horas del día; no lo veo por ningún lado, ni siquiera fumando cerca del auto, como acostumbra a cada rato. La mañana después que Davis atentó contra mi vida en la casa, me ofrecieron un refugio seguro mientras se logra su captura; sin embargo, no accedí porque nadie me sacará a la fuerza de mi propia casa, y menos por miedo.

—Ayer saliste de aquí con un hombre. ¿Sabes quién es?

—Sé lo necesario: se llama Johnny, es un hombre muy guapo con mucho dinero y un gran amante.

—Te mintió, se llama Donovan White y es un hombre muy peligroso. Es sospechoso de numerosos asesinatos de mujeres con tu… tipo de profesión.

Ella da una calada profunda mientras me mira con disgusto y piensa qué responderme.

—De mi profesión… ¿Entonces me encuentro en peligro?

—Sí.

—Ya veo. ¿Y qué me recomienda hacer, agente? —pregunta sin interés.

—No vuelvas a verlo, y si vives sola, ten mucho cuidado. Cierra las puertas y ventanas con seguro. Advierte a tus vecinos sobre el peligro que corres.

—¿Dice que ese hombre me buscará en mi propia casa para matarme? —finaliza dejando salir una carcajada.

—No es una broma. Muchas ya han muerto así.

—Si saben que es un asesino y hasta cuáles han sido sus víctimas, ¿por qué sigue libre? Nunca entenderé a los policías.

—Es complicado, pero trabajamos en ello.

—Bueno, agente, gracias por advertirme. Mi cigarrillo se acabó, me estoy congelando y debo ir a trabajar. En mi «profesión» solo pagan por trabajo hecho. —Se da la vuelta y se aleja.

—¿Dijo algo o notaste algo extraño? —pregunto en voz alta.

Se detiene y voltea con mirada pensativa.

—Los clientes siempre hacen o dicen cosas extrañas. Lo único que recuerdo que llamara mi atención fue que le recordaba a una tal Sophie. Espero que no sea su hija porque sería muy raro. —Se encoge de hombros y se va.

Sophie Miller era pelirroja. Ya no puedo estar más segura de la culpabilidad del exsenador, solo necesito probarlo.

Mi teléfono suena, es Reed. No he atendido sus llamadas desde hace una semana. Me recuesto en una camioneta y contesto. Me mantengo buscando a Samuel con la mirada mientras nos ponemos al día sobre nuestras vidas. A pesar de su gran éxito, su gran aumento salarial, los reconocimientos y haberle dado la mano al presidente, sigue siendo el mismo chico; me reclama que no le atendí antes y me dice muy enérgicamente que apenas termine todo el trabajo que tiene pendiente vendrá a Nueva York para protegerme. Siempre me hace reír. Le prometo que me cuidaré hasta entonces y que le marcaré después porque otra llamada entra en ese momento, es Amy.

Con el celular al oído comienzo a caminar entre los autos estacionados. Me siento incómoda estando inmóvil tanto tiempo en un lugar público.

—Ainara, no te había dicho nada antes porque no pensé que llegaría a esta cantidad y no le di mucha importancia a las primeras. Mi artículo del periódico está dando más frutos, hasta ahora he recibido más de veinte llamadas, de algún familiar, amigo o persona cercana a una mujer que al parecer tuvo una muerte extraña y algún contacto con Donovan White. Toda esa información también se la pasé a un compañero tuyo, Bennett. Me pidió que no te dijera nada.

Me ha salvado dos veces, ¿de verdad lo hará una tercera? Mi situación parece mejorar.

—Dale toda la información que tengas, está de nuestro lado. Amy, una cosa más…

Lo veo en el reflejo del vidrio del auto que tengo de frente, pero es muy tarde. Con un solo brazo me rodea y aprieta tan fuerte que mi mano se abre por la presión, mi teléfono cae.

—Si no hubieses metido tus narices. —Lucho con todas mis fuerzas por liberarme—. Llegó la hora de que pagues por arruinarme la vida.

—¡Suelta…!

Coloca un paño sobre mi rostro. Mi visión comienza a nublarse muy rápidamente.

—No te resistas, relájate —susurra Carl.

Despierto mareada, aunque los constantes golpes y el vapuleo de mi cuerpo me terminan de espabilar. Estoy amarrada de manos en lo que parece ser el maletero de un vehículo. Tardo unos segundos en entender que debe ser el de Carl. Vamos a gran velocidad, puedo escuchar el motor rugir al ser forzado. Otro golpe me hace saltar y pegar la cabeza contra algo metálico. Escucho sirenas a lo lejos y el claro sonido de un helicóptero, estoy en una persecución. Es bueno porque saben que me tiene y malo porque casi nunca terminan bien. Comienzan a sonar disparos.

Nunca me había sentido tan impotente e indefensa, mi vida no depende de mí.

—¡Maldición! ¡Debo soltarme! —me digo.

Un fuerte golpe hace que el automóvil se vaya bruscamente hacia un lado. Levito por un instante y todo empieza a dar vueltas sin control.

Quedamos en una pendiente, todo está inclinado unos cuarenta y cinco grados. El maletero está entreabierto, pero no puedo moverme porque la gravedad me atrae hacia el fondo. Mi cuerpo quedó atrapado y mis manos siguen atadas. Estoy mojada, huele a gasolina y también hay humo; esto no es bueno. No puedo ver mucho, todo está muy oscuro.

—¡Ayuda! ¡Alguien que me ayude! —grito por instinto al imaginarme quemarme hasta morir.

Como puedo utilizo mis piernas para intentar apoyar mi espalda contra la estructura y levantarme, lo que me resulta imposible. La frustración me hace liberar patadas que provocan un leve movimiento que hace que el auto se deslice. ¿Estoy al borde de un abismo? ¿¡Por qué tardan tanto en llegar!?

—¡Mierda!

—¡Ainara! ¿¡Estás bien!? —grita Samuel.

Nunca había estado tan feliz de escuchar la voz de alguien.

—¡Sí! ¡Estoy amarrada y no puedo salir! ¡Apúrate que esto va a explotar!

Hay cada vez más humo.

—¡Ya casi estoy allí! No te muevas mucho o el auto se irá por el barranco. Estira la pierna —dice al ponerse al frente del maletero.

Se inclina estirando el brazo e intentando no tocar el vehículo. Me agarra con fuerza llevándome hacia él.

—¡Desátame ya!

Cuando logra jalar el primer nudo es sorprendido y golpeado por Carl en la cara. Samuel cae casi noqueado. Lucha por levantarse y yo por desamarrarme. Las luces de las patrullas se ven a lo lejos y el helicóptero nos sobrevuela.

—¡Carl Davis, arriba las manos inmediatamente! — ordenan desde arriba.

Está herido y rodeado, sin embargo, no se rinde. Libera su ira contra el helicóptero, disparándoles todo un cartucho de su rifle automático. Los hace alejarse. Posa su mirada en mí. Suelta el rifle y saca su pistola.

—¡Tú, maldita!

Samuel lo derriba, saltándole encima antes de que me disparara. Me bajo del auto con dificultad y un ataque repentino de náuseas me gana, no puedo evitar vomitar mientras los dos hombres forcejean y pelean a muerte. Descargan el arma con tiros al aire mientras la disputan. Luego mi colega es violentamente noqueado con un cabezazo, Davis es muy superior en combate cuerpo a cuerpo.

Aunque las patrullas están a menos de doscientos metros, estamos en el medio de un cementerio y los varios centímetros de nieve harán que tarden un poco más. Mis piernas funcionan bien y puedo alejarme corriendo, pero podría matar a Samuel. Davis está herido, lleno de ira y cansado, puedo vencerlo, y estoy harta de él.

—¿No piensas huir? Eres más estúpida de lo que pensé — asegura sonriendo.

Su pierna izquierda sangra y no la apoya del todo. Adquiero posición de combate y él ríe más.

—Veamos si sabes algo más que atacar por la espalda — digo—. Ven por mí, ¿no querías vengarte? Acabé con tu vida y lo he disfrutado mucho. No vales un centavo ahora e irás preso por el resto de tu vida —finalizo regalándole una sonrisa.

Se enfurece y de su espalda saca un enorme cuchillo. No contaba con eso, sin embargo, no quiero retroceder. Saco mi cinturón y lo enredo alrededor de mi antebrazo.

—¡Vamos, cobarde! —digo retándolo.

Se abalanza sobre mí. Su rabia vuelve sus ataques predecibles, los esquivo y contraataco sobre la articulación de su pierna varias veces con la planta de mi bota hasta hacerlo caer de rodillas al no poder soportar su peso. Lo pateo en el pecho. Cuando voy por su rostro, me agarra la pierna y me tira al suelo.

Los policías gritan al acercarse más.

—¡Arriba las manos!

—¡No se muevan!

Davis levanta el brazo con el que tiene el cuchillo. Samuel reaparece, lo sujeta y desarma. Yo me levanto, agarro el rifle descargado y le doy mi mejor golpe en la cabeza. Cae inconsciente. Samuel se deja caer de rodillas abatido por el cansancio, yo lo imito y nos quedamos mirando fijamente; sin necesidad de hablar, nos agradecemos.

Los oficiales lo esposan mientras mi colega y yo agarramos aire tirados en la nieve.

—¿Cómo llegamos al cementerio y dónde estabas cuando me raptó?

Él carcajea.

—Compraba cigarrillos. Vi de lejos cuando te metió en su auto y decidí seguirlo sin que se diera cuenta mientras llamaba por refuerzos. —Saca algo de su bolsillo y me lo extiende—. No creo que siga funcionando. Lo recuperé del estacionamiento.

Es mi celular.

—¿Con que mi vida casi acaba por una caja de cigarros? Y no conforme con eso, volcaste el auto en el que iba prisionera.

—Vamos, Ainara, no pasó nada. Solo son un par de raspones. A mí me tocó la peor parte, nunca me habían dado una paliza así.

Nos reímos y hablamos un rato más antes de marcharnos del lugar, drenamos el exceso de adrenalina.

~

5:00 p. m.
Al día siguiente

Me dirijo a casa. Espero que Liu haya pasado, alimentando y revisando a Bob. Por órdenes de Phillip me llevaron a un hospital y me mantuvieron recluida hasta que todos los exámenes médicos demostraron que estaba físicamente bien. Solo tengo un par de contusiones menores. Mi madre ha estado llamándome desde temprano, aunque pedí que no le informaran nada, supongo que lo hicieron.

La captura de Davis ha salido en todas las noticias. Los Walker no podrán estar más hundidos luego de que este hable y cuente todo lo que sabe.

Mi teléfono, que sobrevivió a toda aquella aventura, suena. Es un mensaje de un número desconocido. Mi mano tiembla cuando leo: «Qué bonita la casa de tu infancia». La piel se me eriza al pensar en que mi madre corre peligro por mi culpa.

—Donovan...

13

AL DEMONIO CON EL MAL TIEMPO

ME PREGUNTO por qué carajos Jones no tenía ese número vigilado. Lo llamo.

—¡Vaya, Ainara! No pensé que volverías tan pronto a lo nuestro, casi te matan. ¿Cómo sigues?

—¿¡Dónde demonios está White, Jones!? —Me pide un momento—. ¡Rápido!

—280 Washington Ave, Brooklyn. ¿Qué sucede?

—¡Está en casa de mi madre!

—¡Mierda! ¿Pido refuerzos?

—No.

Nadie del FBI irá si se trata de Donovan y no quiero más espectáculos con la policía. Cuelgo y acelero.

La casa de mi madre parece un edificio de cuatro pisos lleno de lujos, de la que aún conservo la llave. Me bajo del auto con pistola en mano y corro hacia la puerta. Está entreabierta, trago saliva y mi corazón comienza a latir fuerte. Hay varios objetos tirados en el suelo.

—Maldición, mamá…

Mis nervios me hacen dudar demasiado, pero opto por

revisar primero el piso en el que estoy. Avanzo con cautela, no llamo a mi madre para evitar ponerlo en sobre aviso. No están en la sala ni en la cocina. Lo que veo cuando llego al patio trasero me deja perpleja. White y Merlina, compartiendo un té, se sorprenden de mi llegada. Volver a ver a ese sujeto sonriendo, ahora sentado en los muebles donde Rachel y yo jugábamos de niñas, y junto con mi madre, me hace descontrolar.

—¡Ainara, baja esa arma! —grita ella cuando ve mi mirada desquiciada.

—¿Qué demonios significa esto? —pregunto mientras lucho por desviar la mira de mi arma del rostro de White.

—No te esperábamos, Ainara —miente descarada y tranquilamente. ¿No tiene miedo a morir o no me cree capaz?

—Llegó una notificación a esta casa. Llamé al señor White para llegar a un arreglo. ¿Sabías que te demanda por dos millones de dólares? Por supuesto que sí. Tú le dejaste el rostro así. Después de tantos años, todavía tengo que reparar tus errores.

—Ese maldito psicópata es un asesino. ¿Qué pasa contigo? ¿No lees ni siquiera los periódicos de alta sociedad? —Lo miro a él—. Tú, malnacido, dejaste la puerta abierta y soltaste los adornos en el piso a propósito.

—No sé de qué me está hablando, Ainara. Yo solo he venido en son de paz y a tratar de llegar a un arreglo con tu adorable madre para retirar los cargos en tu contra. No tenía idea de que aparecerías.

—Asesino o no, si no le pagas y él no retira los cargos, irás a la cárcel.

Donovan disfruta el espectáculo.

—¡Madre! Anda a la entrada y podrás ver las cosas regadas. Me mandó un mensaje, todo lo hizo a propósito…

—Un hombre como el señor White no tiene tiempo para

104

andar con juegos con una muchacha. Seguro las tumbaste cuando llegaste con esa actitud. Me preocupas, Ainara. Tu psicólogo me dijo que has faltado a las consultas.

—Vine a toda velocidad desde el hospital pensando que estabas en peligro y me encuentro esto.

—Tengo semanas llamándote, te hubieras ahorrado el viaje si me atendías. Me alegra que hayas salido bien en los exámenes, Phillip me contó todo. Pero haz algo con tu apariencia, luces desastrosa, no pareces hija mía.

—A ti lo único que siempre te ha importado es el maldito dinero, la imagen y lo que puedan decir los demás. No te dolió lo de Rachel, no te importo yo.

—¡Tú pediste que no se me informara que estabas en el hospital! ¿Qué querías que hiciera? —Se levanta del mueble —. ¡Y no metas a tu hermana en esto, te lo prohíbo! ¿Por qué siempre lo haces? Porque mi vida no es un desastre como la tuya, ¿¡crees que no me duele!? ¿Crees que no la pienso y recuerdo todos los malditos días de mi vida? ¡Fue tu hermana, pero también fue mi hija!

Camino rápidamente hacia la salida. Necesito irme, no aguanto un segundo más en presencia de ellos. Siento que la cabeza me va a explotar. Salgo y bajo por los escalones hacia la acera. Ella me sigue con White detrás y «ordena» que me detenga.

—¡Ni sueñes que voy a pagarte la demanda! —grita.

Me paro y volteo. Donovan sonríe a su lado.

—¡Solo muérete para poder cobrar mi herencia y así pagaré todas las demandas que quiera! —grito muy fuerte y con mucha rabia. Muchas personas voltean a vernos.

No me interesa el dinero, solo quiero hacerla enojar. Me monto en mi Fusion y me largo a casa.

❧

Green-Wood Cemetery
9:00 p. m.

No pude ir a mi casa. Aquel encuentro con mi madre inevitablemente me trajo aquí, al único lugar que logra darme algo de tranquilidad. Soy extraña, y nunca dejo de repetírmelo.

—Ya debo irme. Te prometo que vendré más seguido. Te juro que lo voy a atrapar así me lleve toda la vida. —Cierro los ojos y evoco su rostro—. Cómo quisiera que todo esto solo fuera una larga pesadilla y poder despertarme para llevarte a comer los increíbles panqueques que tanto nos gustaban, las que hace el señor Dilma. Nos vemos, Rachel.

Despego mi frente de la lápida y me marcho.

De camino a casa compro una botella de *whisky* y dos hamburguesas, una para mi bestia negra. Mi teléfono no ha parado de sonar desde hace rato por mensajes y llamadas, de Reed, Jones, Amy, Merlina, Phillip y otro número desconocido. Sin embargo, ya no quiero hablar con más nadie por hoy. Al llegar, me siento en el piso recostada en la pared y como junto con Bob. Él ama las hamburguesas.

Después de darle cariño, me levanto a tomar una ducha, la necesito desde hace más de un día. Me baño con calma y sin ningún tipo de apuro, de manera contraria a como sería usualmente. Donovan me ganó otra batalla, esta vez en mi propia casa y con mi madre. Por lo que resta de la noche, únicamente quiero curar mis heridas con alcohol.

Paso la siguiente hora y media bebiendo en mi cocina mientras escucho canciones de los éxitos de los noventa en una lista de reproducción de YouTube. Cuando voy por mi quinto vaso de *whisky*, el repiqueteo del teléfono colma mi paciencia y debido a que soy incapaz de apagarlo para desconectarme por completo del mundo, le atiendo al número desconocido.

—¿¡Qué carajos!? —suelto.

—Lo siento, Ainara. No quería incomodarte. Llámame cuando puedas.

—¿Josh?

—Sí.

—¿Por qué no tengo este número? ¿Qué ocurre? No suenas bien.

—Tuve que comprarme un teléfono nuevo después de que Donovan destrozara el mío.

—¿Cómo? ¿Dónde estás?

—Estoy bien, en el hotel. Donovan me contó lo que ocurrió en casa de tu madre y le demostré mi desacuerdo. Ya te hizo perder el empleo, te está demandando por dos millones de dólares. Es demasiada maldad...

—¿Y qué ocurrió?

—Se alteró y discutimos fuerte. Aunque ya yo estaba pensando en distanciarme por todo lo que ha estado ocurriendo, fue él quien decidió terminar nuestra sociedad. No es el sujeto que conocía. Dijo que está harto de Estados Unidos, que dará su última conferencia en Nueva Jersey y se marchará. Ya se debe encontrar allá. He notado algunos comportamientos extraños luego de nuestra primera conversación, y muchos otros cuando salió lo del periódico.

Siento mucha tensión en su tono. No quiere admitirlo, pero sospecha de su amigo.

—Josh, él las mató. Degolló a Wynona la otra noche.

Hay un silencio de varios segundos.

—No iré a Nueva Jersey. Tampoco deberías ir, por tu seguridad. Estamos en contacto —finaliza y cuelga.

Llamo a Jones mientras recargo mi vaso. Este me corrobora la información de Josh: White está en Somerset, Nueva Jersey.

—¿Cuándo irás?

—Ahora mismo.

—Es muy tarde y está nevando mucho, no es buena idea.

—Mantente al pendiente de tu teléfono —finalizo la conversación.

No quiero ir a ese estado ni agarrar carretera con este clima tan malo y peligroso. Pero es mi última oportunidad de atrapar a Donovan, no dejaré que se largue y sus crímenes queden impunes como los de Jerry Hawk. Al demonio con el mal tiempo, será un par de horas de viaje por la nieve.

Salgo de mis cavilaciones cuando escucho un golpe y la alarma de mi auto dispararse. Bob pega un brinco hacia la puerta, yo tomo mi arma y corro a su lado. Salimos. No veo a nadie, pero Bob sale disparado hacia la cerca de una casa a unos treinta metros y puedo ver la silueta de un hombre saltarla. Mi bestia casi lo agarra.

—¡Malditos antisociales! —grito.

Los demás perros de la cuadra comienzan a ladrar y alborotarse. Sin embargo, el frío y mi objetivo de ir a Nueva Jersey me obligan a entrar de inmediato. Busco un pequeño bolso y meto lo necesario. Si bien pienso en llamar a Amy o a Reed para avisarles lo que voy a hacer, creo que con Jones al tanto de todo es suficiente. No hace falta preocupar a más nadie.

Dejo a Bob con Liu y me subo en el auto.

14

¿QUÉ ES UN 3-4?

1:20 a. m.
Somerset, Nueva Jersey

Por culpa del pésimo clima, tardé poco más de dos horas. El tiempo me sirvió para pensar mucho en mi vida y mis posibilidades. Fuera del FBI podría trabajar como detective privado, tengo un buen historial y algo de fama, clientes no me faltarían; pero si no atrapo a Donovan o no le pago la demanda por dos millones de dólares, iré presa y estaré jodida. Así que, o lo capturo o me suicido.

Gracias a la comunicación constante con Jones no me fue difícil dar con White. Está en un lujoso hotel. Llevo una hora aquí. Me mantengo en el estacionamiento, dentro de mi auto y vigilando el de él. Por primera vez voy a un paso por delante. No se imagina lo cerca que estoy.

No para de nevar, y a pesar de que barren las calles, estas se cubren rápidamente. Tengo la calefacción casi al máximo. Al termo que me traje ya no le queda mucho café, y el aburrimiento y el cansancio que acumulo me están generando sueño.|Por momentos recuerdo e imagino aquella enorme y cómoda cama en el Hilton. Me pone ansiosa pensar que es probable que Donovan no haga nada esta madrugada y que yo solo esté perdiendo mi tiempo y energías en vano.

Mi teléfono repica y me hace pegar un leve brinco. «Número desconocido», dice en la pantalla. Por mi experiencia, sé que se trata de una extensión privada del Gobierno, lo que no me da un buen presentimiento.

—Pons.

—Agente Pons, es la asistente de la secretaria del Departamento de Seguridad Nacional, Leonore O'Sullivan. En breve se la comunico, por favor, no cuelgue la llamada.

Me pregunto si habrán capturado al Bombardero. Pasa un minuto.

—Agente Pons, te habla Leonore. Entiendo que es un poco tarde por allá en Nueva Jersey.

Son Seguridad Nacional, no debería sorprenderme.

—Sí, señora secretaria. Pero no acostumbro a dormir tan temprano. ¿En qué puedo ayudarla?

—Por ahora, en nada. Hace horas capturamos al Bombardero gracias a tu poca, pero muy precisa información; militar, zurdo y con historial de problemas psicológicos. Iba a volar gran parte de una preparatoria aquí en la ciudad de Washington.

—Es una excelente noticia para el país, señora secretaria. Buen trabajo.

—Me enteré de que fuiste despedida del FBI.

—Así es. Tuve…

—También lo sé, pero no me importa. Dentro de algunas horas se dará una rueda de prensa en la que quiero que participes, si no fuera por ti, muchas más personas estarían en peligro. Quiero que tengas el reconocimiento que mereces, solo tengo dos condiciones.

—¿Cuáles?

—Uno, que dejes la tontería que estés haciendo en Nueva Jersey y vengas de inmediato a Washington. Dos, que trabajes para mí.

—Tengo una demanda de dos millones y cargos.

—Seguridad Nacional se ocupará de todo, no te preocupes más por el exsenador. Eres un valioso activo que requerimos. La protección de los Estados Unidos está por encima de intereses particulares sin importar de quien se trate.

—¿Puedo pensarlo?

La vida tiene formas extrañas de hacerte escoger tu destino. Donovan sale caminando del hotel hacia el estacionamiento con un enorme bolso colgado de lado.

—Por supuesto que no. Tienes máximo doce horas para estar aquí. Si no vienes, lo tomaré como un rechazo.

—De acuerdo.

—Toma la decisión correcta, Ainara —finaliza y cuelga.

Donovan suelta el bolso en el maletero y se sienta detrás del volante.

La decisión correcta para qué o quién. Puedo recuperar mi vida, ahora como una agente de Seguridad Nacional con más alcance y menos restricciones, pero White quedaría libre y todas esas mujeres nunca recibirán paz. Rachel nunca me lo perdonaría, yo no me lo perdonaría. No puedo dejar que se salga con la suya, no puedo.

—No puedo, no puedo —murmuro mientras lo veo arrancar.

Enciendo y apago el motor. Mi vida y futuro dependen de este momento. Pero si lo dejo ir, nunca volveré a tener paz.

Manejamos durante casi veinte minutos por carretera. Los vidrios de su auto son oscuros, por lo que no puedo ver sus movimientos en el interior; es inquietante porque a pesar de que mantengo bastante distancia, él podría estar observándome y yo no lo sabría. Mi preocupación aumenta cuando reduce la velocidad y se desvía por un camino de tierra cubierto de nieve. No me gusta para nada. Apago mis luces, me orillo y le doy tiempo de avanzar para continuar detrás de él con suficiente distancia.

Lo sigo por el camino con las luces apagadas. Pocos metros después, la luz artificial de la ciudad se va perdiendo entre los altos árboles y mis nervios van ganando más terreno. La ventisca de nieve y la oscuridad me favorecen. Ya no veo la forma de su auto, solo sus luces; debo ser invisible para él.

Se detiene al lado de otro auto, se baja y comienza a andar a pie con una linterna en mano. También me bajo y camino. Siento una extraña familiaridad con la zona que me inquieta aún más.

—¿Qué haces aquí, Donovan? —musito para mí.

Luego de caminar durante varios minutos y con dificultad por la profundidad de la nieve, lo entiendo todo cuando lo veo entrar en ese maldito lugar, en esa maldita cabaña donde Rachel fue asesinada. La vi tantas veces en fotos que no puedo confundirla a pesar de la nieve, la oscuridad y el ~~notorio deterioro.~~

notable deterioro

2:40 a. m.

El sonido de las sirenas policiales me despierta acelerada, con la respiración descontrolada y una sensación de asfixia por el poco oxígeno dentro de mis pulmones. Me duele muy fuerte la cabeza. Al abrir bien los ojos, noto que estoy en el piso de la cabaña y que a mi lado hay un cuchillo lleno de sangre y la Glock. Tomo mi pistola sin dudar, me arrastro y doy media vuelta apuntando en todas direcciones. En menos de dos segundos, paso de modo defensivo a modo pánico cuando comienzo a recordar todo lo que ocurrió en este lugar.

—Maldito. No, no.

Al ponerme de pie, noto que tengo toda la ropa manchada de sangre. Rápidamente palpo mi cuerpo, revisando que no haya heridas graves, tengo un gran hematoma en la cabeza. Detengo la innecesaria búsqueda cuando vuelvo a contemplar el cuerpo sin vida de Donovan sobre un charco de sangre. El bastardo no se merecía ese final tan espantoso, era culpable de muchas cosas, pero inocente de esas muertes.

Aún sigo intentando comprender y aceptar que todo el tiempo se trató de Josh. Donovan y yo solo éramos fichas en su juego. Lo planeó y previó todo a la perfección.

Puedo escuchar a las patrullas llegar y a los agentes bajar de ellas, están fuera. Veo las luces rojas y azules filtrarse por las grietas de la cabaña. Tal y como afirmó Josh, me culparán por el asesinato de un exsenador de los Estados Unidos a quien ataqué, perseguí en público repetidas ocasiones y que me demandaba por dos millones de dólares; tengo su sangre encima y el cuchillo debe tener mis huellas. Lo que omitió fue que me dejaría viva para que pagara por ello.

Ahora suena más atractiva la oferta de la secretaria Leonore. Me siento estúpida, burlada, y estoy jodida porque no existe manera de que me salve de esto.

—¡Policía de Somerset! ¡Todos con las manos arriba, vamos a entrar! —grita un oficial.

—¡Solo estoy yo! —respondo.

Suelto mi arma, me dejo caer de rodillas y subo las manos.

Rompen la puerta. Entran apuntando y registrando todo el sitio. Ven el cadáver de Donovan y lo comunican por radio. Me tiran bocabajo y me esposan.

—Levántenla —ordena el oficial de mayor rango—. ¿Tú lo hiciste? ¿Qué ocurrió aquí?

—Fue Josh Cook —afirmo, más para repetírmelo y terminar de aceptarlo que para el hombre que me interroga.

Este mira en todas direcciones dentro de la cabaña y luego me observa confundido.

—¿Josh Cook? ¡Aquí no hay nadie más! —grita y me toma por los hombros—. ¿Qué pasó aquí?

En otras circunstancias estaría muy molesta, a punto de explotar por el trato abusivo y ofensivo de este hombre, sin embargo, ya no me quedan fuerzas.

—Solo hablaré en presencia de un abogado.

—Eso dicen todos los culpables. Como prefieras…

Un hombre entra corriendo y con mi cartera en la mano e interrumpe:

—¡Jefe Donald! —El hombre que me interroga voltea a verlo—. Es del FBI.

—¿FBI? ¿Qué está sucediendo? —me pregunta Donald.

—No es asunto tuyo.

—Estás en Somerset, bañada en sangre junto a un cuchillo y a unos metros está el cadáver de un hombre. ¿Ves lo que dice aquí en esta placa? —Me la acerca—. ¡Policía de Somerset! Todo lo que pasa aquí es asunto mío.

Ahora es una mujer joven quien entra exaltada.

—¡Jefe!

Donald cierra los ojos y se agarra el cabello.

—¿¡Qué!? ¿Me pueden dejar que interrogue a la sospechosa?

—Hay otro 3-4 en el auto de la sospechosa.

¿Qué hay en mi Fusion?

—¡¡Qué es un 3-4!? —pregunto nerviosa.

—Vamos para que lo veas tú misma —dice Donald con molestia.

Me levanta tirando de mi brazo con rudeza y me saca de la cabaña. El mal clima ha mejorado, nieva mucho menos. Los oficiales presentes, haciendo sus labores, me juzgan con esa mirada fría y despectiva con la que yo también desprecié tantas veces a cualquier sospechoso que salía capturado, esposado y derrotado de su escondite o del lugar donde cometía su crimen.

Me lleva a punta de empujones hasta el maletero de mi Fusion.

—¿Quién es ella? —pregunta, refiriéndose al cadáver de mi madre.

Mi cabeza reproduce el sonido del golpe y el de la alarma del auto disparándose en mi casa. Ya no necesito pensar más y me desconecto.

15

NO COMAS MUCHO ANTES DEL TRASLADO

Un mes después
Corte Suprema del Condado de Nueva York

La sala está repleta de personas que seguramente ya tienen y comentan su veredicto propio. Aunque nunca me había sentido tan expuesta, poco me ha importado. Ya lo perdí todo, familia, trabajo, reputación, solo falta la estocada final, mi libertad. Estoy sentada en silencio al lado del abogado de oficio que me asignaron, quien, para mi sorpresa, realmente se ha esforzado.

—Señor fiscal, por favor, llame a su último testigo —solicita el juez.

Segundos más tarde, lo vuelvo a ver después de nuestro último encuentro en la cabaña. Josh se sienta en el estrado y nos miramos fijamente. Él no muestra ninguna emoción, yo tampoco; él me destruyó, yo lo acepté. Miro por unos segundos el arma del oficial de Policía que me custodia, no estoy esposada y quizá me daría tiempo de tomarla y matar a ese malnacido infeliz, pero ya perdí hasta las ganas de venganza.

Le hacen las preguntas de rutina, Cook jura decir la verdad y nada más que la verdad. Su actuación y descaro provocan que se me escape una fuerte e incontrolable carcajada. Todos voltean a verme y el juez le pide a mi abogado que me calme.

—Conocí a la señora Ainara Pons cuando aún trabajaba para el FBI. Debo decir que ese primer encuentro no fue agradable para Donovan ni para mí. Ella llegó acusándolo de cosas sin sentido y hasta de homicidios, en medio de una de sus conferencias de superación personal. Yo intenté mediar entre ellos y siempre le ofrecí mi ayuda profesional para calmar sus ataques de ira.

—Cuéntenos más sobre el ataque a Donovan White en el restaurante —pide el fiscal.

—No estuve presente, pero vi el video de seguridad y cómo quedó Donovan después de aquel ataque sin sentido. Le rompió el tabique y le provocó fisuras en la mandíbula, aparte de hematomas.

—De acuerdo, señor Cook. —El fiscal camina en círculos antes de hacer su pregunta final—: En su opinión experta de psicólogo, ¿por qué cree que la exagente Ainara Pons mató al honorable Donovan White y a su propia madre?

—Obsesión y problemas de ira. Motivado por el asesinato de su hermana hace nueve años. Ainara nunca pudo recuperarse de aquello. No volvió a tener buena relación con su familia, no tiene amigos, no tiene vida social. Se obsesionó con el asesino en serie Jerry Hawk y, al no tener la capacidad de atraparlo, comenzó a alucinar con patrones y asesinatos absurdos que le atribuyó a mi querido amigo.

—Gracias, señor Cook. Es todo —dice el fiscal.

—¿La defensa quiere hacerle preguntas al testigo? —indica el juez.

Mi abogado se levanta y dispara.

—Señor Cook, ¿sabe que mi defendida lo acusa a usted de todo?

—Sí. No me extraña, yo en su lugar también culparía a otro.

Se escuchan risas entre la audiencia.

—Claro, es lógico. ¿Por qué le pagó la fianza de veinte mil dólares después del ataque a su «amigo»? Tengo el recibo de la estación de Policía, no se atreva a mentir.

—Objeción, su señoría. ¿Eso qué tiene que ver? —interrumpe el fiscal.

—No ha lugar. Responda, señor Cook.

—Lo hice porque soy una buena persona y con la intención de ayudar a una mujer con claros problemas psicológicos que iba a enfrentar una demanda de dos millones. Siempre le ofrecí mi ayuda, y si la hubiese aceptado, no estaríamos hoy aquí.

—Veinte mil dólares es mucho dinero, señor Cook. Pero está bien, aceptemos la idea de que es un buen samaritano. ¿Niega haber estado en Somerset la madrugada del asesinato de Donovan White?

—Por supuesto. Estuve toda la noche en la habitación de mi hotel, lo pueden comprobar con las cámaras de seguridad.

—Lo ha pensado mucho, ¿no?

—¡Objeción!

—No ha lugar. Continúen.

—¿Por qué pensar en ese tipo de detalles si es un hombre que no tiene nada que probar?

Mi abogado es terriblemente bueno.

—¡Un momento! ¿Es a mí a quien juzgan hoy? ¿Me perdí de algo?

—Solo son preguntas que me hago.

—Abogado, si no tiene más preguntas, por favor, tome asiento. Señor fiscal, dé su exposición final —ordena el juez.

El fiscal se levanta y se dirige al jurado.

—Como pueden ver, Ainara Pons no solo mató al exsenador, también a su propia madre…

La puerta se abre y todos volteamos. Danny entra vestido con un traje que exhibe sus condecoraciones y con una carpeta en mano. También noto que en el fondo de la sala está Phillip, Bennett y Leonore, Amy también vino. Sus rostros lucen serios y preocupados.

—Su señoría, mi nombre es Daniel Reed, agente del FBI.

—Todo el país y gran parte del planeta lo conocen, agente. ¿A qué viene aquí hoy?

—Tengo información que creo es necesaria que todos sepan.

—¿Es relevante para el caso?

—Lo creo, sí.

—¿Está de nuestro lado? —pregunta mi abogado en voz baja.

—Sí.

Se levanta, toma por el brazo a Danny y lo lleva al estrado. Comienzan sin demora.

—Siempre quise hacerlo, pero ella no quiso y me dejó tomar a mí todo el crédito…

—¡No, Danny! ¡No sigas! ¡Es tu carrera! —suelto por impulso.

—No me importa —dice sonriendo—. Esa mujer que está allí y que hoy acusan de asesina fue quien descubrió, empezó y armó todo, yo solo seguí sus instrucciones. Hasta como llevaríamos a cabo el operativo final fue su idea. Ainara Pons descubrió lo que esa agencia llevaba años haciendo con esas mujeres en suelo americano y yo solo fui quien la acompañó a ella. —Le entrega su teléfono a mi abogado.

En una pantalla comienza a reproducirse todo lo que grabamos la noche en que nos infiltramos, lo que dijimos, lo que vimos y lo que hicimos. Al terminar, la mayoría comienza a murmurar y se eleva mucho el ruido en la sala, hasta que el juez pide silencio.

—A ella nunca le importó el reconocimiento, la gloria, los halagos y todos los beneficios de haber sido la autora del caso más grande de nuestros tiempos…

—Objeción, su señoría. Esto no tiene nada que ver con el caso —interrumpe el fiscal.

—Ha lugar. —Voltea hacia Danny—. Señor Reed, su información solo nos habla de la gran habilidad de la sospechosa y su desinterés por el reconocimiento. Temo que no es de ayuda.

Mandan a mi querido y valiente Danny a sentarse. Defensa y Fiscalía dan sus alegatos finales al jurado de diez personas. Quienes luego de dos horas salen con su dictamen. Una señora de piel oscura lo lee:

—Con nueve votos a favor y uno en contra, encontramos a la señora Ainara Pons culpable del homicidio…

Sigo oyendo, pero dejé de escuchar.

~

Una semana después
Reclusorio del condado

Como mañana será mi traslado a una prisión de máxima seguridad, me he dedicado a leer las cientos de cartas que me han llegado de las mujeres y familiares del caso Walker, de curiosos y periodistas. Sin embargo, llevo más de una hora abstraída entre las letras de una que me envió la última persona posible en todo el mundo:

Querida Ainara. Me avergüenza confesarte esto, pero no te recordaba. Yo a diferencia de ti, continué con mi vida luego de lo que ocurrió con nuestra querida Rachel.

Nunca habría sabido que me buscabas con tanto desespero de no haber sido por las afirmaciones de aquel psicólogo en tu juicio. Me entristece ser el culpable de tus desgracias, pero no te desanimes, porque has vuelto a ~~despertar~~ *lo que estaba dormido dentro de mí. Pronto tendrás noticias.*

P. D.: Siempre recuerdo con cariño las veces que te ayudé con tus trabajos de medicina.

JH.

Nadie más sabe esa información, es él, a quien busqué por tantos años. Al fin me encontró a mí. Es extraño, pero ni ello me produce gran efecto, es como si estuviera muerta en vida, inmune a toda emoción, alejada de toda esperanza.

El guardia toca los barrotes.

—Tienes otra visita, ¿digo que no?

—¿Quién es?

—Un tal Bennett.

No pensaba recibir a nadie más por el resto de mi vida. Pero que Peter Bennett esté aquí, puede significar algo. No vendría si no fuera así.

Cuando entro en la sala, nos vemos a través del cristal. Mi apariencia debe ser horrible, sin embargo, él no muestra ninguna sorpresa. Tomo asiento y descolgamos los teléfonos.

—¿Por qué no te defendiste?

—No tenía caso. Él se encargo cuidadosamente de que todas las pruebas estuvieran en mi contra.

—Josh Cook.

—¿Investigaste?

—Sí, pero nadie nos creerá y, sin pruebas, es imposible probarlo.

—Lo sé.

—¿Qué pasó en esa cabaña? ¿Donovan era cómplice?

—Todo comenzó con mi aparición en sus vidas, lo del periódico fue el detonante. Investigó sobre mí, lo planeó todo. Con su inteligencia y a través de Donovan, me guio hacia una emboscada. Y qué mejor lugar que donde murió mi hermana, donde empezó mi obsesión por atrapar criminales y donde él tendría ventaja psicológica. Donovan era culpable de muchas cosas, pero no de asesinato. Josh lo utilizó y lo manipuló para que yo viera lo que él quería. Improvisó matando a Kitty para que yo me descontrolara e impulsivamente fuese a confrontar a White; a White le dio la información necesaria para desequilibrarme. Ambos querían un espectáculo para socavar mi credibilidad y fuera expulsada del FBI.

—¿Qué ganaba Donovan? ¿Qué hacía en la cabaña?

—Yo destruí su reputación, él solo quería venganza, y Josh le dio la guía psicológica de cómo obtenerla. No lo noté en ese entonces, pero esa noche fue Josh quien me hizo ir por White a Somerset, y a White lo engañó para que acudiera a esa cabaña.

—Mató a White.

—A pesar de que lo amaba. Josh es gay. Estando vulnerable después de su divorcio y al comenzar a trabajar con White, inevitablemente se enamoró de sus encantos. Por ello mataba a esas mujeres, por rencor. Porque ellas podían tener lo que él no. Las drogaba y les provocaba muertes accidentales. Nunca imaginó que alguien lo notaría. Parecía imposible.

—Lo era. ¿A cuántas mató?

—Dijo que después de la número veinte, dejó de contar.

—¿Donovan nunca sospechó después que tú lo acusaras a él?

—Después de lo de Kitty, sí, pero no le importó.

—¿Tu madre cómo terminó involucrada?

Nos miramos en silencio por unos segundos.

—Se lo buscó cuando contactó a White para hablar de la demanda en mi contra. Josh vio una oportunidad de acabarme aún más y no la desperdició. Solo me envió un mensaje cuando Donovan estaba allí para que temiera por la vida de mi madre y me asustara, a él le dijo cómo preparar el lugar para mi llegada y así enloquecerme aún más. Yo sola me encargaría de hacer otro espectáculo en público que me hiciera ver culpable de lo que él haría. La mató y escondió en mi maletero porque sabía que nunca intentaría abrirlo, estaba atorado. También pagó mi fianza cuando ataqué a White, y todas las veces que pudo, pero sin mostrar interés, metió más certezas en mi cabeza sobre Donovan. Todo el tiempo jugó conmigo. Yo tenía pinchado los teléfonos de White, Cook tenía el mío y sabía todos mis movimientos. Lo tramó todo. Nunca notaron su ausencia aquella noche en el hotel donde se hospedaba en Manhattan. Dejarme viva y tras las rejas es su castigo por haberlo obligado a matar a su amado.

—Con la muerte de White y tu encierro como una exagente desquiciada, desestima cualquier duda sobre las muertes «accidentales» de esas mujeres. Él quedaría impune.

—¿Quedaría?

—Durante un mes investigué caso por caso, estado por estado. No te aseguro que podré sacarte de aquí, porque dependerá de ti, pero te prometo que lo haremos caer.

—¿De mí? No entiendo.

—De que logres su confesión cuando lo tengas al frente, esta misma noche.

—¿Cómo?

—No comas mucho antes del traslado.

Él sonríe de esa manera engreída que siempre detesté, pero que ahora y de manera poderosa aviva el fuego interno que yacía extinto en mí. Y entonces, sin importar de qué se trate, supe que iría hasta el final.

16

OBÚS

7:00 a. m.

Voy en el vehículo hacia el penal de máxima seguridad. Solo me traje una foto de Rachel y la carta de Hawk. Justo como pensé, la seguridad es mínima: piloto, copiloto y un custodio. Están relajados y conversan cosas cotidianas. El hombre que maneja va a ser padre esta semana, el copiloto es nuevo y quien me vigila de cerca está felizmente casado, con dos hijos pequeños. No podría haber otro equipo con menos ganas de arriesgar sus vidas. Estoy ansiosa porque sé que en cualquier momento puede ocurrir algo.

Me resulta impresionante entender cuánto puede cambiarnos la vida en tan poco tiempo por una decisión. No importa quienes seamos, lo que tengamos o lo que hayamos logrado. No podemos escapar a nuestro destino. Era una agente con cierto prestigio y un gran récord de casos cerrados en el FBI; ahora tengo una condena de dos cadenas perpetuas y estoy en proceso de una posible fuga.

—No puedes fumar dentro del furgón —dice el oficial detrás del volante.

—De acuerdo, cuando paremos —responde el copiloto.

—Ese vicio te va a matar, muchacho —agrega mi custodio mientras escribe en su celular.

—A ti te va a matar tu esposa cuando se entere que andas detrás de la mesera aquella —responde el joven con tono de burla.

—Si a tu madre no le importa…

Todos pegamos un brinco hacia adelante cuando el piloto frena de golpe.

—¿¡Qué mierda!? —dice mientras intenta cambiar de velocidad.

—¿¡Qué ocurre!? —pregunta nervioso el más joven.

—Nos atacan, vienen por ella —asegura mi custodio mientras me mira con frialdad.

El furgón acelera con fuerza y velocidad, pero no se mueve mucho porque choca contra algo.

—¿¡Por qué no nos movemos!? —pregunta muy asustado el copiloto.

—¡Nos encerraron! ¿¡No ves los espejos!?

Los disparos comienzan a sonar y escucho que destrozan el parabrisas delantero. En las puertas traseras se oye que algo golpea. Mi custodio carga su escopeta y espera, apuntando.

La explosión lo lanza hacia atrás, queda inconsciente. Un hombre enmascarado sube, revisa el pulso de mi custodio y rápidamente tomas sus llaves. Comienza a abrir mis esposas en manos y tobillos. Me mira a los ojos luego de terminar y lo reconozco, es Danny. La sorpresa me deja inmóvil, él sonríe, me roba un beso en la boca y me jala hacia afuera.

—Vamos, vamos, vamos. Al auto —dice Bennett también con una máscara puesta y me toma por el otro brazo.

Me guían los dos únicos hombres que producen algo en

mí, el que me hace sonreír y el otro, al que a veces siento odiar pero admiro profundamente.

Al subirnos, Jones me saluda desde el puesto de piloto y me guiña el ojo.

$\sim$

Doce horas después
Casa segura

Miro asombrada las noticias en el televisor de una de las habitaciones. En demasiados canales hablan sobre mi fuga. La búsqueda es frenética en toda la ciudad. Me catalogan como desequilibrada mental y extremadamente peligrosa, recomiendan no acercárseme ni intentar detenerme, solo llamar a la policía. En una entrevista en vivo, varios «expertos» hablan del tema. Uno dice que la principal culpa es de quien me reclutó en el FBI, ya que una «mujer» con un trauma tan fuerte jamás debió ser entrenada para convertirse en agente porque me convirtieron en un arma sofisticada; según el imbécil, las mujeres no tenemos control de nuestras emociones.

Un helicóptero sobrevuela cerca y en círculos. Por momentos también puedo escuchar sirenas alejándose o acercándose. Sonidos que antes significaban apoyo y seguridad, ahora me dan cierto escalofrío.

En la sala se encuentra todo un equipo combinado entre el FBI y Seguridad Nacional. Bennett toca la puerta y entra.

—¿Estás bien?

—Estoy libre.

—No has comido nada, Ainara. Necesitas energías para lo que vamos a hacer.

127

—Me inyectaron un coctel de vitaminas y otras drogas, estaré bien. Peter, ¿y si no funciona?

Se me acerca y coloca al frente.

—Va a funcionar. Eres la peor agente de campo, pero...

Nos reímos.

—Pero lo vas a lograr. Te enfrentaste a un exmilitar de un metro ochenta y cinco que tenía un cuchillo del tamaño de un machete, Cook será pan comido. Estarás bien y todos nosotros nos mantendremos muy cerca, apoyándote.

—Necesito su confesión. La pelea con Josh va a ser intelectual y él ya me derrotó demasiadas veces.

—Es inteligente pero es un cobarde. La sorpresa lo asustará, y los cobardes son tontos cuando tienen miedo.

—¿Por qué me ayudas? Arriesgas mucho y nunca hemos sido cercanos.

Sonríe, pero sin la arrogancia o la poca modestia con la que lo hace habitualmente.

—También lo harías por mí si supieras que es lo correcto. Y... tú eres a la única persona que en realidad admiro. Eres mejor que la mayoría de las personas que conozco. Vences cualquier obstáculo, uno tras otro, y atrapas a quien sea, nada te detiene. Has pasado por mucho y nunca te rindes.

—Cuando era nueva, siempre fuiste malo conmigo.

—Al principio me molestaba que una niña me contradijera. Luego te comencé a conocer a la distancia. Miraba que te quedabas en la oficina hasta tan tarde o dormías allí.

—Tú también comenzaste a hacerlo a veces.

—No podía dejar que me ganaras, y me gustaba verte ahí encerrada, con todos esos papeles y mapas pegados en las paredes de vidrio. Parecías una demente, pero una buena agente.

—Gracias, Peter.

—¿Por qué?

—Por salvarme cuando Tom me estrangulaba, por no decirle a Phillip que casi arruiné esa captura y por arriesgarlo todo al rescatarme de la cárcel. Por creer en mí.

Toma mis manos.

—Quería decírtelo, no encontraba el momento. Lo siento por lo de tu madre.

Siento un fuerte dolor en el pecho al recordarla en el maletero de mi auto, mis ojos se humedecen y él me abraza. Entonces, el primer contacto de afecto que recibo en meses provoca que todas mis emociones afloren. Lloro en silencio, lo hago en el pecho y entre los brazos del hombre que detesté por años.

Se abre la puerta y yo me suelto de Bennett. Danny se nos queda mirando.

—Espero no interrumpir —dice la secretaria al entrar.

Phillip la sigue.

—Espero lo mismo —agrega Danny con mal tono.

Los jefes voltean a verlo a él y luego a mí.

—De acuerdo, obviaré eso —continúa Leonore—. El FBI cumplió su parte al liberarte sin que nadie resultara herido, solo hubo mínimas pérdidas materiales. Ahora nos toca a nosotros coordinar la confesión y captura de Cook.

—Nosotros ahora seremos el apoyo —agrega Phillip. Voltea hacia mí—. ¿Estás bien?

—Sí, gracias a todos ustedes. A cada uno de los que se están arriesgando por mí.

—Tienes que agradecerle a ese joven —dice Leonore y señala a Danny—. Después de que rechazaste mi oferta, no quise saber nada de ti, y cuando me enteré de lo que te había pasado, me puse furiosa. No veía esperanzas para ti ni pensaba mover un solo dedo. Pero que Reed contara y demostrara tu participación en el caso Walker, lo cambió todo. El agente Bennett también me abordó en el juicio. Amy Evans me mostró más evidencias y finalmente, cuando consulté con Phillip, él me dio el ~~empujón~~ que faltaba. Decidí que la captura de Josh Cook era de interés para la seguridad nacional y que la única manera de lograrla sería contigo.

—Cook volvió a casa —dice Jones al entrar—. Todos los puntos están vigilados.

—De acuerdo, muchachos. Vamos a organizarnos. Salimos en diez minutos —indica Leonore.

—Bennett, prepara al equipo Alfa. Cuento que, contigo ahí, nada le pasará a Ainara.

—Entendido.

Leonore se detiene y levanta la mano.

—Una última cosa. Como saben, esta es una operación ilegal, clandestina; asaltamos un vehículo oficial de nuestro sistema penitenciario y liberamos a una mujer con dos cadenas perpetuas impuestas por nuestro sistema judicial. Esto solo se dará a conocer si todo termina bien. Y saldrá bien porque obtendremos la confesión de Cook, pero sin soporte legal, no vale nada. Así que mandé a buscar, y ya viene llegando, al asistente del fiscal de Nueva York para que esté presente en la operación. Su único pedido no negociable es que Ainara Pons no lleve armas, a sus ojos, todavía es una sospechosa.

—No hay problema. Iré desarmada.

Hay silencio por unos segundos e intercambio de miradas preocupadas.

—¡Prepárese, salimos en ocho minutos! —ordena Leonore.

Todos salen apresurados, menos Danny. Se me acerca.

—¿Quieres pasta con albóndigas?

No sé cómo lo hace o quizá sea por los nervios, pero me provoca un ataque de risa.

—¿Tú y ese Bennett? —pregunta.

—No.

Hablamos de cualquier cosa ~~hasta que llega el momento de la verdad, y~~ salimos a la sala en donde están todos reunidos, armados y listos.

—¿A dónde iremos? —pregunto.

—Cook se compró un apartamento nuevo en la ciudad. Ya desocupamos todo el piso para el operativo, el lugar está completamente vigilado y los ~~francotiradores~~ están en posición. En marcha —ordena Bennett.

Nos montamos en dos camionetas negras y enormes, claramente de uso gubernamental, nadie se atreverá a detenernos.

Cuando llegamos al estacionamiento del edificio, Reed me toma de la mano y nos alejamos. Bennett nos observa en todo momento.

—No la saques a menos de que sea necesario —dice y me abraza mientras, con disimulo, mete un arma por mi espalda —. Ocúltala bien.

—Si descubren lo que estás haciendo.

—No importa. Estaré justo detrás de la puerta y entraré en cuestión de segundos.

En el lugar hay un tráiler donde tienen conectados todos los dispositivos. Las pantallas muestran las imágenes en vivo que proporcionan las cámaras y los micrófonos ocultos dentro del apartamento de Cook.

—¿Sabemos si está armado? —pregunta Phillip.

—Limpiamos el apartamento, pero no sabemos si trae un arma consigo. Ainara, debes mantenerlo cerca de las ventanas para que los francotiradores puedan darle si es necesario.

—De acuerdo.

Me coloco el chaleco antibalas, un auricular al oído y un micrófono al pecho. Los jefes y el asistente del fiscal se quedan en el tráiler, monitoreando. Danny, Bennett y yo subimos.

Durante el ascenso dentro del elevador, las ansias de tener en frente a ese malnacido infeliz me aceleran el corazón. No tengo una pizca de miedo o temor a algo. Solo quiero ver su cara cuando lo acorrale, esto no estaba en sus planes, no lo pudo prever.

«Aquí líder Alfa, manténganos informados si el objetivo sale de su habitación. Obús va a entrar. Águila uno, dos y tres, contamos con ustedes».

Obús se llama un tipo de proyectil de artillería pesada, combina conmigo.

Todos dicen afirmativo y un técnico termina de abrir la puerta. Es mi momento, cuando voy a caminar hacia el interior, Bennett me toma por el brazo.

—Primero la confesión de todo, después puedes explotar y acabar con él.

Voy hacia la cocina y agarro el cuchillo más grande que encuentro. El asistente del fiscal pregunta para qué lo tomo por el canal de radio, todos lo mandan a callar. Continúo hacia la habitación. Constantemente actualizan lo que hace Josh, sigue acostado en su cama.

—Hola, Josh —digo al entrar.

Se asusta, y aunque lucha internamente por no demostrarlo, sus ojos lo delatan.

—Ainara, ¿qué haces aquí?

—Visitando a un amigo. ¿No somos amigos?

«Águila uno. El objetivo está de pie».

—¿Vienes a matarme?

—Después de que respondas unas preguntas que llevo semanas haciéndome.

—Eso no te va a salvar de una vida en prisión, Ainara.

—¿Por qué me dejaste viva en esa cabaña en Somerset?

—¿Por qué tuviste que meterte en nuestras vidas? Todo marchaba bien para Donovan y para mí.

«Líder Alfa. Ainara, él tiene que afirmar los hechos».

—¿¡Por qué no me mataste como a Donovan o a mi madre!?

—No quise matar a ninguno de ellos, en especial a mi amado Donovan, pero tú no me dejaste alternativa.

«Águila uno. Obús, no dejes que se acerque tanto. Retrocede».

«Que especifique cómo asesinó o no valdrá nada en un juicio», demanda el asistente del fiscal.

—¿Por qué mataste a mi madre? Ella no tenía nada que ver en esto.

«Águila uno. El objetivo está ganando tiempo mientras busca con sus manos la tijera en el armario. Obús, alerta».

—No estaba en mis planes, pero tuve que cortarle el cuello y meter su cuerpo en tu maletero. Quería que no hubiera manera de que salieras libre.

—¿Y a todas esas mujeres? Sophie Miller, Vanessa Hope, Wynona Martin, Maya Allen…

«Sigue así, Ainara», dice Bennett.

—Te lo dije en esa cabaña. Las odiaba por el simple hecho de que tenían lo que yo no podía. Matarlas fue tan fácil. ¿Por qué me lo vuelves a preguntar? —Me mira fija y detalladamente con los ojos bien abiertos—. Estás bien vestida, no luces nerviosa, tu camisa te queda más ancha de lo normal. ¡Maldita!

«Águila uno. El objetivo se prepara para atacar. Tiene la tijera».

«Equipo Alfa entrando».

Josh se abalanza sobre mí lleno de furia. Lo veo en cámara lenta, puedo simplemente correr o hacerlo caer, pero ~~esquivo~~ su ataque y le entierro el cuchillo en el pecho.

Caemos al piso.

—Por mi madre y por todas esas mujeres, maldito infeliz.

Giro la hoja dentro de su pecho y él da su último aliento.

∼

Días después
Green-Wood Cemetery

Mi madre y hermana yacen bajo mis pies, juntas hacia la eternidad. Es extraño, y todavía no me acostumbro a que toda mi familia se encuentre entre estos cinco metros cuadrados. Les traje flores, limpié y acomodé un poco. El asesino de Merlina ya pagó, solo falta el de Rachel.

—¿Necesitas ayuda? ¿Qué es lo que quemas? —pregunta Amy al acercárseme por detrás.

—Ya terminé. Una carta que me envió a la prisión un viejo amigo. Me dijo que tendría noticias suyas pronto. Gracias por esperarme.

—¿Qué harás ahora? ¿Volverás al FBI o probarás en Seguridad Nacional?

—Aún no me decido.

—Vi la entrevista de la secretaria Leonore. Te dio el crédito de todo: el caso Walker, por la ayuda clave en la captura del Bombardero y el descubrimiento de los asesinatos de Josh Cook en todo el país.

—Es una gran mujer y le debo mucho. Pero el FBI es mi familia, tengo que pensarlo mucho. ¿Sabes qué quiero hacer?

—¿Trabajar?

Por primera vez en muchos años la respuesta es:

—No.

—¿Ainara Pons no quiere trabajar? —pregunta casi riendo.

—Quiero tomar unas vacaciones primero.

Phillip me odiaría al escucharme.

—¿Con ese apuesto y joven agente, el que irrumpió en medio de un juicio en la Corte Suprema de Nueva York para intentar salvar a su amada?

Amy pone un tono de voz realmente molesto, como si fuéramos unas colegialas hablando del chico que nos gusta. Pero me hace sonreír.

—¿Quién sabe? —respondo.

Estos últimos meses, me dieron poco y me quitaron todo. Estuvieron a punto de matarme, me enjuiciaron y me encerraron, fui una fugitiva y maté a un hombre. De alguna manera, volví a nacer, y quiero empezar a vivir un poco.

JURO CAZARTE

AGENTE ESPECIAL AINARA PONS Nº 2

PRÓLOGO

AL PRINCIPIO, después de los eventos del año pasado, todo parecía ir bien, pero una noche desperté y no pude volver a dormir más, no por decisión, no sin alcohol. El desgarrador recuerdo de ver el cuerpo sin vida de mi madre en el maletero de mi auto comenzó a carcomerme. Las pesadillas aparecieron sin control; con Josh Cook volviendo a la vida para vengarse, de Donovan White culpándome por su muerte, por la reaparición del asesino en serie Jerry Hawk, quien violó y asesinó a mi hermana Rachel hace diez años. Pensé que podría controlarlo, pero comencé a volverme histérica, paranoica, a soñar despierta y a beber más de lo normal. Para no enloquecer, dejé de darle más vueltas y tomé las vacaciones que había eludido durante mis cinco años trabajando en el FBI.

Solo serían unas semanas, sin embargo, ya son más de seis meses desde que salí de Nueva York, desde que hablé con alguno de mis amigos, desde que dejaron de llamarme Ainara Pons.

~

Eureka, Nevada
Jueves, 9:00 p. m.

Me apoyo en mi camioneta unos instantes para tomar aire e intentar recomponerme. Fueron más cervezas de las que debía tomar si pensaba volver a casa manejando, pero como todo es cerca en este pueblo, no debería tener problemas. Solo hay que manejar derecho por la avenida principal, doblar un par de veces y listo, además Bob me mantendrá alerta.

—¿No es así Bob? —pregunto mientras apapacho a mi perro y le abro la puerta para que suba de un salto.

También me monto, bajo los vidrios, coloco una buena pieza de música clásica y arrancamos en dirección a casa.

Conduzco lento y sin apuros, muy relajada. Bob se sienta derecho y levanta la barbilla para observar el camino, como siempre. La brisa nos refresca las caras. Ha sido un día largo y no imagino otra cosa que no sea mi cama, solo quiero llegar y lanzarme en ella hasta mañana.

Sin embargo, al avanzar un poco, mi calma desaparece cuando comienzo a ver las luces de unas sirenas policiales brillando entre la oscuridad de la noche. Dudo entre mantenerme a raya, obviarlo y tomar otra calle o satisfacer mi necesidad de saber de qué se trata aquello. Gana lo último y continúo avanzando. Reduzco la velocidad al acercarme, bajo el volumen del equipo. El bullicio de la gente y los gritos desgarradores de una mujer inquietan a Bob, trato de serenarlo hablándole y con caricias, no funciona mucho. Hay un gran número de personas presenciando lo que ocurre, al mismo tiempo que se van sumando otras. Unos oficiales acordonan un área en la esquina de una intersección mientras

140

intentan contener a una mujer que lucha desesperada por pasar las cintas amarillas. En el medio de estas yace un cuerpo masculino tirado en la acera, tiene el rostro cubierto con una manta. Verlo me trae malos recuerdos y me provoca un nudo en el estómago.

Medito por un momento si bajarme para obtener más información con alguien, pero al ver mi semblante en el espejo retrovisor —no luzco sobria—, decido dejarlo para después. Será una noticia de la que se hablará por semanas; en Eureka se supone que no ocurren estas cosas.

Retomo mi camino a casa.

En menos de cinco minutos estoy estacionándome al frente de mi nuevo hogar. Reclino el asiento y me recuesto con los ojos cerrados para despejar la mente un momento. Hoy había sido un excelente día, encontrarme con esa escena en la calle me afectó y robó mi calma. Aunque sé que es imposible, juro que todavía puedo escuchar los gritos de dolor de esa mujer.

Al parecer, tardo mucho tiempo en la misma posición porque Bob se me echa encima a lamerme la cara. Nos bajamos y empiezo a recoger mis cosas de la parte trasera de la camioneta para ingresar a mi casa.

—¡Amanda! —dice alguien, brusca e inesperadamente detrás de mí.

Mi entrometida vecina Lucía me pega un susto, provocando que tumbe la hielera donde reposaban las truchas marrones que pesqué temprano.

—¿Lo viste, Amanda? ¡Tuviste que verlo de camino acá!

—Sí, Lucía, pero no sé más nada, no pregunté qué ocurrió.

—Siéntate, porque yo lo sé todo —dice ella.

No puedo, estoy recogiendo el desastre que provocó. Ella continúa.

—Era un alumno de la preparatoria. Deberías conocerlo o por lo menos haberlo visto.

—¿Cómo? —pregunto mientras casi vuelvo a voltear la hielera. No lo esperaba.

—Al parecer es por un problema de drogas, un negocio no salió bien. Fueron muchos disparos, aquí se escucharon las detonaciones. Se llamaba Daz Brown.

Me parece familiar, pero no me viene un rostro a la mente. Si estaba en problemas de drogas, seguramente cursaba el último año de preparatoria. Le digo a Lucía que no deseo hablar más del tema, que estoy cansada y quiero ir a descansar, sin embargo, ella no deja de parlotear y va conmigo hasta la entrada de mi casa.

—¿Cómo van las clases? Qué suerte que quedaras fija como profesora, no hay muchos trabajos en este pueblo —comenta ella.

—Sí, sí —respondo sin darle importancia.

Porque mi atención se dirige a mi bestia negra. Bob comienza a comportarse de manera extraña al llegar a la puerta. Olisquea y resopla mucho, sus orejas se paran en punta, su mirada simpática cambia; está alerta. No me gusta para nada y mi corazón se acelera. Respiro profundo antes de abrirla. Apenas lo hago nos recibe una corriente de aire frío y Bob se adentra a toda velocidad en la oscuridad. Instintivamente, me toco por un lado de la cintura buscando mi arma, pero no la llevo encima.

—¿Ocurre algo? ¿Por qué Bob se comporta así? ¿Dejaste las ventanas abiertas? —dice Lucía.

No, siempre dejo todo cerrado; algo no anda bien. Le hago seña con el dedo para silenciarla y poder escuchar cualquier sonido. Ella se sorprende, pero se calla. Enciendo la luz. Veo a Bob de pie, inmóvil en la entrada de mi cuarto, él observa algo fijamente y empieza a ladrar fuerte. Lo he amaestrado, no puede pasar a menos que le dé permiso, por eso se mantiene esperando, aunque enloquece por hacerlo.

—Bob, ven acá —le susurro angustiada.

No se mueve, aunque sé que me escucha. Mi arma está en ese cuarto, me siento indefensa sin ella.

—Me están poniendo nerviosa, Amanda. Por amor a Dios —dice Lucía impaciente.

Ella se encamina hacia mi habitación a paso acelerado. Cuando voy a detenerla, ella lo hace por sí sola luego de unos pasos. Se voltea y me mira confundida.

—La puerta trasera está abierta. Dime que fuiste tú quien la dejó así —dice ahora asustada.

Cojo el gancho de la chimenea y le indico que se coloque detrás de mí. Caminamos lentamente hacia la habitación, un paso a la vez hasta llegar bajo el umbral de la puerta.

—¡Dios mío! —grita Lucía, poniéndose la mano en el pecho y casi cayéndose para atrás por la impresión.

El corazón casi se me desprende cuando lo veo. Mi respiración se acelera mientras siento que estoy viviendo un *déjà vu*. El efecto del alcohol se me pasa por completo y comprendo que se acabaron mis vacaciones.

1

¿CUÁNDO PIENSAS REGRESAR?

OCHO HORAS atrás
Eureka, Nevada
Instituto psiquiátrico HealthUs
Jueves, 12:55 p. m.

—Por favor, deje de hacer eso. ¡Eh! ¡Por favor! ¡Señorita Amanda! —gritan.

Vuelvo a la realidad, hace tiempo que no me perdía de esa manera entre mis pensamientos y todavía no me acostumbro a ese nombre. Volteo a ver a la secretaria, que me mira con mala cara.

—Por favor, señorita Sacks, deje de darle con el tacón al piso que me está volviendo loca.

Tendría consulta gratis o al menos una gran rebaja. Le prometo controlarme y ella vuelve a lo suyo, seguramente a jugar solitario en la computadora. Estos lugares me ponen ansiosa.

Saco mi teléfono del bolsillo y me lo quedo viendo. Lo he llevado conmigo desde que salí de mi casa en Queens, pero no lo he encendido ni una vez, aunque lo tengo siempre cargado por si lo necesito. Quiero y deseo hacerlo, sin embargo, mantenerme desconectada de todo lo que me causó «estrés» es parte de la terapia de desintoxicación emocional que me recetó mi psicólogo en Nueva York. Quien es la única persona que sabe dónde me encuentro en este momento y quien me recomendó al psiquiatra de este pueblo.

Repentinamente, siento un fuerte impulso por irme y me levanto de la silla, me quedo de pie inmóvil e indecisa. Puedo ver por el rabillo del ojo a la secretaria volteando a mirarme y vuelvo a tomar asiento. Me estoy ganando un cuarto vip en este lugar.

Luego de unos silenciosos e incómodos minutos en los que lucho por controlar mis tics nerviosos, sale un paciente y me hacen pasar.

—¡Amanda! Espero que no te haya sido problema llegar. Aún nos estamos instalando. Nos será más cómodo que en el viejo edificio. Aquí tenemos más tranquilidad —dice el doctor Sam Dean cuando paso a su consultorio.

Este es mucho más grande y sofisticado que el anterior en su decorado, tiene lujos que podrían parecer excentricidades.

—Lo encontré sin problemas, el pueblo es pequeño —digo encogiéndome de hombros, tomo asiento y continúo mirando el lugar.

—Esta es nuestra… cita número veinte. Cuéntame, ¿cómo van las pesadillas? ¿Has dormido mejor? ¿Has necesitado de las pastillas que te receté?

¿Un minigolf, una cinta de correr? También veo un armario lleno de trajes por la puerta entreabierta de una habitación contigua.

—Sí, he mejorado un poco el consultorio —dice y hace movimientos con las manos para que le preste atención—. Quiero probar nuevas formas de terapias con mis pacientes. Si gustas, puedes utilizar cualquier cosa en el consultorio con la que creas que te puedas relajar para tener una mejor conversación.

Ya hago demasiado con venir acá, no seré un ratón de laboratorio.

—Gracias, doctor, pero paso. He dormido mejor, sí. No he tenido más pesadillas y no he necesitado de las pastillas.

Dos tragos me resultan mejor.

—Lo imaginé, no eres de ese tipo de pacientes. Tienes un carácter fuerte. ¿Has vuelto a soñar con tu hermana o tu madre? Los resultados de los exámenes de sangre estarán en uno o dos días, así verificaremos que todo esté bien —dice el doctor.

—No últimamente. Desde que estoy aquí he encontrado tranquilidad, todo el estrés quedó en la ciudad. De acuerdo, doctor.

—¿Cómo va el trabajo en la preparatoria?

—De maravilla. Cada día me gusta más dar clases allí —respondo.

—Me alegra saberlo. Sabes que me caes bien, Amanda. A pesar de que no me has contado la verdad de muchas cosas y me ocultas otras, has tenido un gran avance desde que llegaste, y te quebraste delante de mí. Sin embargo, ya llevas seis meses en el pueblo, y aunque sé que lo hemos hablado, ¿cuándo piensas regresar? ¿Quieres regresar? Ya no estás de vacaciones, estás huyendo.

Esas son preguntas que he evadido durante todo este tiempo. Alejarme de la ciudad, del cuartel del FBI, de las caras conocidas, de los malos recuerdos, me ha ayudado a encontrar algo de paz. Cada vez que pienso en regresar, de alguna manera aparece un recuerdo que me hace cambiar de idea. Ya no quiero pelear, no tengo ganas de perseguir a nadie, no quiero tener presiones. Cuando estuve presa, el mundo continuó girando, nada ni nadie se detuvo por mí. Solo quiero estar tranquila, darles clases a mis niños, pasear al aire libre con Bob, pescar y pasar el rato con mis entrometidos vecinos.

—A veces siento que no quiero regresar. Me produce cansancio solo pensarlo, pero también sé que es solo cuestión de tiempo para que lo necesite de manera desesperada —confieso.

—Tus alumnos en Nueva York deben de extrañarte…

Él revisa su teléfono, su cara cambia, me pide permiso y sale a hacer una llamada. Cuando vuelve, me cuenta que tiene un problema familiar que atender y que dejaremos la cita para cualquier día que yo quiera. Me retiro y tomo el ascensor.

El edificio también es antiguo, pero es más amplio y se esforzaron en remodelarlo. Albergan a más de cincuenta pacientes con problemas mentales, algunos muy graves. Como Jeffrey, que tiene treinta y cuatro años, es guapo, educado en universidades de élite y habla con increíble fluidez más de cuatro idiomas. Me saluda y me siento a jugar nuestra habitual partida de ajedrez. Ocupamos una mesita en el bonito jardín.

Mientras me derrota nuevamente, me cuenta que le agrada el lugar, que está emocionado porque le darán de alta en dos días y volverá a casa. Sufre de esquizofrenia paranoide y en un último brote casi incendia su casa, por poco mata a su esposa e hijas.

Yo también le cuento cómo me está yendo en la preparatoria, lo bien que me adapto y cuánto comienza a gustarme. En menos de diez minutos me pone en jaque mate y la partida termina. Cada vez que me derrota suele regalarme algo, esta vez es una hermosa flor de pétalos azules. Me despido y le deseo lo mejor.

Apenas doy unos pasos para irme, y cuando empezaba a pensar que de cierta manera lo iba a extrañar, me llama.

—Ainara —dice susurrando.

Los pelos se me ponen de punta. Me freno y quedo inmóvil por la impresión, hace mucho que nadie me llama así y no pensé que alguien podría reconocerme en este pequeño pueblo alejado de todo, mucho menos en este lugar.

—Los pacientes están desapareciendo de forma extraña…

Reacciono, doy media vuelta y me acerco a él rápidamente.

—No sé quién es esa tal Ainara. Me llamo Amanda. Y no pasa nada, Jeffrey. Los pacientes no están desapareciendo, no hay conspiraciones. ¡Tú! Tú estás mejorando, no lo eches a perder y concéntrate en la realidad. Tu familia te necesita.

Antes de que me diga algo más le doy un fuerte abrazo, un beso en la mejilla y le deseo lo mejor del mundo a su regreso a casa. Me marcho.

∼

Río White River
3:30 p. m.

Como todos los jueves después de dar clases en la preparatoria e ir a la consulta con mi psiquiatra, fui a buscar a mi hermoso y aterrador pitbull, a mi mejor amigo, Bob, para venirnos a pescar y a relajarnos juntos. Ahora nos gusta el aire libre.

Cuando llegué, ya estaban los dos hombres mayores más increíbles que conozco, Arthur y Benjamin, junto con otro

149

profesor de la preparatoria, intentando capturar algunos peces y compartiendo cervezas. Asenté mi puesto de pesca al lado de ellos. Arthur y Benjamin son de los pocos excombatientes de la Segunda Guerra Mundial que quedan, y lucen en buen estado de salud. El humor negro los caracteriza, por lo que me agradan bastante. El profesor Donald da clases desde hace unos tres meses, pero a alumnos de los grados superiores. Él es tan simpático como misterioso, tan inteligente como guapo. A diferencia del noventa por ciento de las personas del pueblo que han sido demasiado sociables conmigo, él nunca me ha sacado conversación.

Arthur y Benjamin nos cuentan otra de sus historias de la Segunda Guerra. En esta ocasión sobre la batalla de Iwo Jima. Pertenecían al frente estadounidense del océano Pacífico.

—Fue una masacre. Solo nos iba a tomar una semana arrebatarles la isla a esos malditos amarillos, pero nos llevó más de un mes y más de veinte mil hombres —relata Benjamin.

—Yo no creía en Dios hasta que logré salir con vida. Nadie que no tuviera la bendición del Señor podría haberlo conseguido. Cada segundo que pasabas allí podías morir —agrega Arthur.

—¡Saliste con vida porque te cubrí el trasero toda la guerra, tarado! —exclama Benjamin mientras le pasa otra cerveza.

—¿Salvar? Casi nos matas en varias ocasiones, no podías manejar ni una canoa, porque la volteabas. Cuando logremos comprar el bote para irnos a pescar al mar, no lo dirigirás ni un segundo.

Ambos se ponen a discutir y yo aprovecho para buscar una cerveza en mi hielera, pero no me quedan. Debí de olvidar las otras en la tienda.

—¡Me lleva! —suelto con rabia.

—Tengo suficientes —dice Donald con una preciosa sonrisa mientras me acerca una lata.

Solo hicieron falta esas dos palabras y un gesto para que comenzáramos a hablar y a pasarla bien. A partir de ese momento fue como si él y yo tuviéramos años de amistad. Al final de la tarde, los cuatro habíamos pescado truchas marrones y me lograron convencer de nadar en el río, algo que no hacía desde mi adolescencia. Bob también nadó a placer mientras luchó por atrapar animales dentro del agua, el pobre no tuvo suerte. Me divertí bastante y por primera vez en mucho tiempo el pasado dejaba de pesarme, solo vivía el presente, sin apuros, me sentía verdaderamente feliz.

∽

Dos horas y media atrás
6:30 p. m.

De vuelta al pueblo, hago mis compras en la tienda de la estación de servicios mientras mi camioneta carga combustible, chucherías, pan, jugos y mis botellas de *whisky* para el fin de semana. Cuando salgo del negocio, reconozco su auto.

—Profesora, ¿me está siguiendo? —pregunta Donald, mi guapo «colega».

En el río examiné su *sexy* cuerpo cuando se quitó la camisa, sus increíbles abdominales. Tiene rasgos delicados y un rostro de piel increíblemente cuidada.

—Donald… Hay una sola estación de servicio. Yo llegué primero aquí, al pueblo, a la preparatoria y al río, así que…

—Es cierto, yo te persigo —dice y sonríe—. Me hospedo en el Sundown Lodge, al frente hay un buen restaurante y cervezas frías, ¿qué te parece una cena?

Dudo por un instante, sin embargo, tengo extraños deseos de conocerlo más. Así que acepto. Manejamos dos minutos y llegamos al lugar. Entramos y tomamos una mesa, Bob se acuesta a mis pies. Pedimos un par de hamburguesas con papas fritas y cervezas.

Comenzamos a hablar y a conocernos. Resulta ser un hombre más interesante de lo que pensaba. Ha viajado por el mundo, también ama a los animales y tiene dos títulos universitarios: arquitecto y abogado. Me cuenta de su familia; yo evito hablar de la mía. Nos actualizamos brevemente hasta el presente.

—Entonces, Amanda, ¿crees que algo ocurre en ese instituto psiquiátrico?

—No hay nada extraño en el lugar, solo el comentario de un hombre muy inteligente que sufre de esquizofrenia e imagina conspiraciones en todos lados. Sin embargo, me creó una duda —respondo.

—¿Por ejemplo?

Los extraños y caros gustos de decoración del dueño, mi psiquiatra; lo alejado y aislado del lugar y lo poco que son visitados los pacientes por sus familiares, quienes los dejan allí al abandono; ningún ente gubernamental lleva un control del lugar; el personal y el ambiente me causan cierta desconfianza, pero sería lo mismo en cualquier sitio parecido, ¿no?

—No sabría decirte alguno en este momento, solo es una corazonada —digo sonriendo.

Deseaba quedarme más tiempo, sin embargo, continuamos bebiendo y conversando hasta las nueve de la noche, cuando decidí que había sido suficiente porque me estaba poniendo demasiado simpática por los tragos, y también necesitaba descansar.

Fuera del restaurante me insinúa que me quede a pasar la noche con él, o es lo que me parece. Por un instante lo pienso e imagino las cosas sucias que podríamos hacer, pero decido hacerme la difícil. Le doy mi número, el de Amanda Sacks y quedamos en volver a salir.

Me enfilo a mi camioneta, caminando con una significativa pérdida de equilibrio y bastante mareada.

2

¡NOS CAYÓ UNA MALDICIÓN EN EUREKA!

PRESENTE
Jueves, 9:20 p. m.

El cuerpo desnudo y sin vida de una estudiante de la preparatoria del pueblo yace sobre mi cama. Luce maltrecha, fue apaleada, apuñalada y probablemente violada. Hay salpicaduras de sangre por casi todo el colchón. Fue una muerte en verdad brutal. Lucía y yo la reconocemos. Mi vecina porque conoce a casi todos los menos de cuatrocientos habitantes de Eureka; yo por haberla visto numerosas veces en la escuela. La joven se llamaba Christine Smith.

Sin dudar, lo primero que creí al ver la escena es que había sido obra del psicópata de Hawk, sin embargo, no es su modo de cometer los crímenes y es imposible que sepa que estoy aquí. ¿Lo es? Pienso en buscar mi arma, pero no puedo hacerlo en presencia de una de las mujeres más chismosas del pueblo; no quiero que me haga preguntas que luego esparcirá. Tampoco imagino que el asesino siga aquí.

—¡¿Qué está pasando en este pueblo, Amanda!? —pregunta Lucía mientras respira profundo para recomponerse.

Luego de unos segundos ella logra recuperar un poco el aliento, saca su teléfono y llama a la policía. Aunque comienza a hablar con alguien, difícilmente lograrán entenderla, pues lo hace muy rápido debido al nerviosismo.

Aprovecho la oportunidad y me acerco a tomar mi pistola de la mesa de noche para evitar que la policía la encuentre cuando revise el lugar. No quiero que sepan quién soy, no todavía. Ainara Pons no está lista para regresar, me gusta ser la simple Amanda Sacks.

Tener mi Beretta en la cintura me devuelve un poco de seguridad y confianza. Aunque no siento lo mismo que con mi arma de reglamento, la Glock, que dejé en Nueva York. También las ganas de echar un mejor vistazo a la terrorífica escena en mi cuarto.

Miro con más detenimiento el cadáver de Christine. Fue golpeada y las heridas de muerte fueron hechas con un cuchillo que diviso en el piso al lado de la cama. Hawk mataba a sus víctimas estrangulándolas, nunca utilizó un cuchillo. Entender eso me da un respiro porque significa que él no está detrás de mí, aún no.

Después de que me dice que le confirmaron que unos agentes vendrán enseguida, vamos a la cocina y reparto unos tragos de *whisky* para ayudarnos a digerir la desagradable sorpresa y relajarnos un poco, estamos demasiado tensas. A pesar de que lo llamo, Bob no se mueve de la entrada del cuarto y mira fijamente hacia el interior. Lo dejo quieto porque no tengo ni ánimos ni energías de discutir con mi bestia negra, y más ahora que sé que tendré que pasar la noche en otro lugar, lejos de la escena del crimen.

El oficial Marlon llega a los cuatro minutos solo. Mis dudas acerca de su capacidad de resolver el caso y encerrar a un culpable crecen al notar su apariencia, es muy joven. Nos informa que solo será él por el momento, debido a que los demás se están encargando del caso de homicidio en la calle principal. Nos hace las preguntas de rutina antes de asomarse en la habitación.

—¿Quién encontró el cuerpo? —pregunta algo inseguro.

—Las dos —responde Lucía—. El perro se volvió loco antes de entrar, entonces sabíamos que algo no marchaba bien.

—No pudo pasar hace mucho, no antes de las tres de la tarde cuando estuve aquí —agrego.

Marlon asiente repetidas veces y lo piensa, para encaminarse a la escena. Cuando al fin lo hace, tiene que apoyarse en la pared para recomponerse. Es probable que antes de hoy nunca hubiera visto a una persona asesinada, y es la segunda del día. Rodea la cama con notable falta de confianza y ni siquiera se coloca los guantes. Por poco se lo pido, pero es mejor no llamar la atención.

—Apenas se sientan mejor, deben ir a rendir declaración en la estación para poder hacer un informe completo.

Qué emoción me da pensar en que debo ir a ese lugar que llaman estación policial. Afirmamos que lo haremos.

Marlon comienza a revisar con más detenimiento el lugar. Cuando se acerca al clóset, este se abre de golpe, sorprendiéndonos. Un sujeto encapuchado salta desde el interior en menos de un segundo y aterriza sobre el policía.

—¡Mierda! —suelta Marlon aterrado.

—¡Auxilio! —grita Lucía al mismo tiempo que sale corriendo.

Dudo en sacar mi arma, la palpo; sin embargo, prefiero reducirlo con una patada por el costado y con la colaboración de Marlon.

—Ríndete, infeliz —ordeno mientras le hago una llave en el brazo derecho.

—¡Suéltame!

Marlon me ayuda a dominarlo y lo logra esposar. Al levantarle la capucha, se queda sin palabras por un instante.

—¿Junior? —pregunta finalmente Marlon, confundido—. ¿Qué demonios hiciste, muchacho? Si la asesinaste, nunca más verás la luz del sol.

Muy rápido me doy cuenta de que Junior también estudia en la misma preparatoria que los dos muertos. Esto se pone cada vez más raro; un tiroteado, una mujer apuñalada, ahora un sospechoso oculto en el clóset.

—¡No hablaré con nadie! ¡Quiero un abogado! —solicita Junior.

Marlon conoce a su padre, por lo que lo bombardea con preguntas. A pesar de que lo hace con buen tono e intenciones, Junior se niega a decir cualquier palabra que pueda ser usada en su contra.

Esperamos media hora hasta que aparecen dos patrullas policiales más, en una de estas, el mismo *sheriff*. Llega con mala cara y pésima actitud. Trata muy mal al sospechoso. También comienzan a aglomerarse muchas personas en las afueras de la casa, buscan desesperadamente saciar su necesidad de conocer el nuevo chisme completo. Quiero acelerar el proceso e irme a un hotel, pero entiendo que no soy la única persona que está cansada y estresada.

Lucía, los policías, Bob y yo nos mantenemos en la sala mientras hablan con el sospechoso. Después se supone que lo harán con nosotras.

—¿Por qué la mataste? —interroga Williams, el *sheriff*.

—No hablaré hasta tener un abogado —dice Junior de forma categórica.

—¿También la violaste? —pregunta otro oficial.

El muchacho no responde ni levanta la cabeza para mirarlos. Williams se molesta y lo alza bruscamente por la camisa.

—Conozco a sus padres. ¡Dime!, ¿cómo voy a decirles que un malnacido violó y asesinó a su hija? —pregunta con furia.

Los otros oficiales, en especial Marlon, el más joven, intentan calmar a su enardecido jefe. Mi vecina observa todo muy callada, debe estar grabando los detalles que por meses contará. Bob duerme sobre mis piernas en uno de los muebles, el pobre está exhausto. Noto que entre Junior y Williams hay algo más, por la forma en que el primero mira al segundo; hay rabia en sus ojos. Aunque podría ser cualquier cosa.

Luego de entender que no lograrían sacarle nada al sospechoso, van por nosotras. A mí me piden que, en presencia de un agente, tome las cosas más importantes que necesite llevarme que no estén comprometidas directamente con la escena del crimen. Después me piden que pase a dar mi declaración oficial al otro día y, por último, me dejan marcharme. Ellos también lo hacen, por la puerta del frente y con Junior esposado para que todos puedan verlo.

Bob y yo nos montamos en mi magnífica camioneta Toyota modelo Tundra. Pienso por unos segundos a dónde ir, hasta que recuerdo el hotel donde Donald se hospeda y salgo para allá.

El cansancio me hace manejar con velocidad para llegar rápido. En cinco minutos estoy en el Sundown Lodge, pero necesito diez más para lograr que un lento empleado de turno me atienda.

Mientras camino a mi habitación, me entra la curiosidad de saber en cuál estará Donald y qué estará haciendo.

Si bien estaba muerta del cansancio y rogaba por una cama en donde descansar, cuando me acuesto, no logro dormir. La ansiedad que había abandonado mi cuerpo regresa. Cientos de preguntas se anidan en mi cabeza y mis pensamientos tranquilos empiezan a distorsionarse. Aunque todo parece estar resuelto a simple vista, mi intuición me sugiere que algo no encaja. No existe razón lógica para que Junior se quedara escondido en el clóset, a menos que quisiera ser capturado. Algo lo asustó. Quizá lo más sensato sería pensar que fui yo cuando llegué con Lucía y Bob. Él tampoco tenía manchas de sangre en la ropa.

Tuve que destapar una de las botellas que compré y bebérmela casi toda para poder dormir un poco. Fue la única manera de apagar mi escandaloso cerebro.

~

Eureka High School
Viernes

La resaca me está matando lentamente, no debí tomar tanto.

Mientras me estaciono, puedo notar el gran cambio en el ambiente de la preparatoria. La conmoción de la noticia es grande, el colegio está de luto. Hay muchas caras tristes, serias o confundidas. La mayoría no pueden disimular y se me quedan viendo por ser la dueña de la casa donde apareció asesinada una de las estudiantes y el principal sospechoso.

La secretaria de la directora me localiza antes de que pueda buscar dónde tomar el agua que mi cuerpo deshidratado necesita con urgencia y me hace ir con su jefa.

—¿Estás bien? —pregunta Miriam, la directora.

—La verdad no, señora Miriam.

—Es muy comprensible, Amanda. Sabes que no tienes que venir, sin embargo, que lo hagas es bueno para los estudiantes. Necesitan un ejemplo de fortaleza en estos tiempos tan oscuros.

Me repite varias veces que puedo tomarme los días que necesite, pero le insistí en que no hacía falta. Al salir de allí fui a buscar agua con desespero y bebí en demasía.

Al llegar al salón de Biología, donde doy clases, saludo a mis pequeños estudiantes de primer año de preparatoria. Unos lucen afectados; otros, emocionados por los eventos del día anterior. Intentan hacerme preguntas, pero les advierto que no puedo hablarlo con ellos. Les doy la hora libre para que conversen con tranquilidad y se desahoguen.

Escucho de Silvia, una de las alumnas más chismosas de la clase, que el muerto en la calle era estudiante del último año, amigo de Junior, y al parecer tenía una relación con Christine Smith. Lo que confirma mis sospechas de que algo más ocurrió. Solo podré averiguarlo si hablo con el muchacho.

Uso otro teléfono en Eureka; este repica. Aunque el número es desconocido, creo saber de quién se trata.

—… Sacks.

Por poco contesto diciendo Pons. La tensión está provocando que mi subconsciente busque tomar el control.

—¿Estás bien? Es Donald. Hasta ahora me vengo enterando.

Le afirmo que sí y quedamos en vernos en el receso.

Cuando toca el timbre que lo anuncia, me dirijo a la sala de descanso de los profesores. Todos me preguntan y comentan sobre lo mismo. La mayoría para tener más detalles del chisme. Por otro lado, reiteran la misma información que me dio Lucía: Daz fue tiroteado en la esquina de la calle principal del pueblo, presuntamente por problemas con el narcotráfico y un cartel mexicano. Daz no gozaba de buena fama.

—¿Se enteraron de que en el psiquiátrico hubo otro suicidio? Nos cayó una maldición en Eureka —informa de manera dramática la profesora Rebecca Sanz.

—¡Dios nos libre! —suelta Jenna Hoffman, profesora de Educación Física.

Aquella noticia me produce una punzada en la cabeza y solo espero estar equivocada. Ahora tengo más necesidad de ir a la estación policial y al psiquiátrico. El problema es que no puedo investigar como en los viejos tiempos, no puedo hacer demasiadas preguntas sin levantar sospechas.

Este pueblo perdió la tranquilidad en menos de veinticuatro horas. Si las cosas siguen así, no pasará mucho tiempo para que algunos de mis colegas del FBI hagan acto de presencia.

Comienzo a sentir ansias con más frecuencia, las manos me sudan y mi cabeza imagina demasiado.

3

¿AHORA ENTIENDES POR QUÉ QUERÍA TRAERTE?

Por un momento me mareo, las piernas me flaquean y pierdo el equilibrio. Donald, que justo llegaba a mi lado, logra tomarme por los hombros para evitar mi caída. El no haber dormido mucho, tampoco desayunado, y la deshidratación están pasándome la factura. Él amablemente me acerca una silla para que tome asiento y me trae un vaso con agua, que bebo desesperadamente. Otros profesores se me acercan a preguntarme cómo me siento. Creen que mi estado se debe a lo que ocurrió en mi casa, en parte es verdad, pero no por lo que ellos piensan.

—¿Estás bien? Aunque sé que no, debo preguntar —dice Donald al inclinarse a mi lado.

—He estado mejor, pero no te preocupes. Solo necesito un poco de tiempo para recuperarme.

—Conocía a Christine, era una buena muchacha y excelente en dibujo técnico. Daz no era una joya, pero tampoco se merecía ese final —comenta él.

—¿Sabes algo más sobre lo que les pasó? —le pregunto.

—Lo mismo que tú. Aunque a ti te tocó la peor parte: la encontraste. ¿Quieres hablarlo?

Preferiría que no, pero me gustaría tener a alguien con quien poder conversar para tener otro punto de vista, y él parece confiable. Aunque no le contaré nada que revele mi identidad.

—No lo sé. Supongo que puedo intentarlo —le contesto.

—Tienes demasiadas cosas adentro, ¿no? Pero que no son fáciles de hablar.

—Así es. No se me da muy bien eso de abrirme emocionalmente a otras personas —digo mirándolo con firmeza.

Se le dibuja una media sonrisa y me extiende su mano. La tomo y me lleva afuera de la escuela sin liberarme. Alumnos y profesores se nos quedan mirando por donde pasamos, es incómodo, pero me gusta. Le pregunto hacia dónde vamos, él solo me indica con señas que debo esperar. Al llegar al estacionamiento me abre la puerta de su carro e invita a pasar.

—En menos de media hora debemos regresar —digo con algo de seriedad. Soy muy responsable con cualquier trabajo.

—Regresaremos a tiempo. Recuerda que todo es cerca aquí. Por favor.

Me subo, sintiéndome algo escéptica.

Donald lo toma con calma, conduce sin apresurarse y en silencio. Pensaba no hablar en el camino, pero noto que estamos saliendo de Eureka.

—Dijiste que regresaríamos a tiempo, Donald. No quiero…

—Mentí, bienvenida al mundo real. Amanda, acabas de pasar un evento muy traumático, ni siquiera deberías estar en el trabajo. Solo quiero mostrarte un lugar muy cerca y tardaremos allí el tiempo que tú decidas. ¿Te parece? —pregunta sonriendo.

No me convence su argumento, lo hace su sonrisa. Le digo

que está bien y me dedico a buscar una emisora decente en la radio. Una que no transmita más música *country*, esas canciones empiezan a enloquecerme, ya que es lo que regularmente escuchan en este pueblo, y quizá sea así en todos.

No mintió, fue un viaje bastante rápido. Al pie de una empinada y gran colina, nos detenemos y bajamos. Donald toma una caja de los asientos traseros. Me es imposible no sentir desconfianza al no conocer su contenido, y también por el hecho de estar solos en un lugar poco frecuentado. Él tuvo que notarlo porque de inmediato abre la tapa y me enseña unos grandes audífonos.

—Ya entenderás. Solo debemos subir hasta la cima —dice y me extiende la mano.

—Puedo sola, no te preocupes.

—Esa es mi chica —dice asintiendo.

Me gustó como sonó y se me escapa una sonrisa.

Caminamos unos dolorosos quince minutos para lograr llegar cerca de la cima. El esfuerzo me hace dar cuenta de que mi cuerpo ha perdido notablemente su condición física; debo empezar a trotar en las mañanas y hacer algunos ejercicios. No me siento segura al no estar apta para la supervivencia.

El cansancio me agobia, pero al dar el último paso, al pararme en la cima y mirar la vista del lugar, siento un baño refrescante de energías. Es hermoso, te sientes enorme y muy pequeña al mismo tiempo. Me produce una alegría que no comprendo ni puedo contener. La visión es de trescientos sesenta grados. Eureka luce más pequeña y simple a la distancia; más montañas se alzan en cualquier dirección, los bosques son voluminosos y hacia un lado está la mina de oro.

Después de satisfacer a mis ojos con el magnífico paisaje, poso mi atención en Donald, quien me mira fijamente y en silencio, sonriendo como un tonto. Me hace sonrojar.

—¿Ahora entiendes por qué quería traerte? —me dice.

—Perfectamente, Donald. Gracias.

—Es mi lugar favorito en esta parte del país. Lo descubrí por casualidad cuando mi auto se averió cerca. Desde entonces vengo aquí cada vez que necesito despejarme y pensar.

—¿Tengo que pedirte permiso cada vez que quiera volver? —le pregunto en un tono de burla.

—No, pero me encantaría acompañarte —responde con voz apacible.

—Entonces deberás comprar una tienda porque quizá tenga que venir muy seguido.

—Siempre te estás metiendo en problemas, ¿no? —me pregunta.

—Antes los buscaba, ahora ellos me encuentran a mí. Vine a este pueblo porque quería tener paz, ¿me entiendes?

—Perfectamente. Vinimos por la misma razón.

Le pregunto para qué son los audífonos y me dice que son para él, para no escucharme. No lo entiendo al principio, pero me explica mejor.

—Yo me los pondré y tú te pararás en aquel extremo. Gritarás con todas tus fuerzas todo lo que tengas adentro. Tus dudas, tus traumas, tus rabias, lo que odias, lo que no olvidas, lo que perdiste.

Me inquieta.

—¿Por qué crees que he pasado por tanto, Donald? ¿Qué sabes de mí? —pregunto con recelo.

—Lo que saben todos, que encontraste a una alumna asesinada en tu cama y que viniste a Eureka de vacaciones, pero te quedaste porque encontraste la tranquilidad que buscabas. Lo que significa que en donde estuviste pasaron cosas no muy agradables. Quizá algún día me lo cuentes todo, Amanda.

Estoy muy a la defensiva últimamente. Le pido disculpas y,

después de negarme varias veces, logra convencerme manipulándome con quedarnos hasta que lo haga. Sin más opciones y estando totalmente segura de que no podrá escucharme por el fuerte volumen en sus audífonos, grito. Primero suave y con timidez, pero aumentando la fuerza.

—Rachel, Rachel, ¡Rachel! ¡Hermana! —grito fuerte y hasta que pierdo la voz.

Puedo sentir como crece la euforia dentro de mí y continúo soltando todo lo que llevo acumulado desde el día que se llevaron a mi hermana, las mujeres que no pude salvar, por mi madre, por el imbécil padre que me tocó, por haber estado presa, por quienes me juzgaron, por Josh Cook y por Jerry Hawk. Saco todo lo que tengo, quedo sin energías y termino llorando de rodillas ante uno de los paisajes más hermosos que he visto. Entonces siento sus manos en mis hombros. Me levanta y me da un inesperado pero reconfortante abrazo.

—Ya pasó, Amanda. Sacarlo de adentro es el primer paso para liberarte.

Me sirvió de mucho desahogarme, me sentí un poco mejor con respecto a las cosas de mi pasado. Nos quedamos conversando un rato más y descubrí que ese hombre me comenzaba a atraer más allá de lo físico.

Nos tardamos en total casi una hora y media en ir y volver a la preparatoria.

∿

Departamento de Policía
1:00 p. m.

. . .

El lugar es solo un poco más grande que una casa regular en Nueva York. Tiene unos cuantos escritorios, la mayoría desocupados; los equipos informáticos son muy antiguos; y nada más he visto a dos policías aparte del *sheriff*. No creo que puedan hacer un gran trabajo investigativo para encontrar a los verdaderos responsables de los homicidios de ayer, tampoco veo motivación.

Ya llevo un buen rato respondiendo las tontas preguntas de Williams.

—¿En dónde estuvo después de la consulta en el psiquiatra? —pregunta el *sheriff*.

—Fui a pescar al White River.

—¿Sola? ¿Hay testigos?

—Con mi perro, pero allá me encontré con varios conocidos. Entre ellos, un profesor de la preparatoria que puede dar fe de mis palabras.

—¿Donald Anderson? ¿Con quien salió tomada de la mano en su horario de clases con rumbo desconocido esta mañana? —pregunta Williams.

Me resulta interesante lo rápido que corren los chismes en el pueblo, y más interesante aún es la forma en que me lo pregunta. Me provoca gracia y sin querer sonrío, lo que hace que él cambie su mirada.

—Respóndame ahora mismo, señorita Sacks. Aproveche mientras todavía somos amigos —dice retándome.

El hombre no tiene buena apariencia, es feo. Sus actitudes a veces son desagradables, hace poco se olió las axilas frente a mí y ahora lo veo limpiarse la nariz. También me parece poco inteligente y algo tonto, por lo que en vez de sentirme amenazada con sus palabras solo me producen más ganas de reír, pero me controlo porque necesito averiguar más y salir de aquí tan pronto como hable con Junior, si me dejan.

—Así es, Williams. Me encontré con el profesor Donald en

167

el río y esta mañana salimos juntos de la preparatoria, ¿ese es algún delito?

—Eso lo decidiré yo, la ley. Usted y el señor Anderson son unos forasteros que llegaron hace unos meses, y ahora aparece una pobre muchacha a la que él le daba clases muerta en su casa. ¿No es muy sospechoso?

La verdad sí lo es, bastante, diría yo.

—Demasiado sospechoso —digo en tono de burla—. ¿Conoce a Arthur y Benjamin?

—¿Quién no conoce a esos viejos locos?

—Ellos estuvieron con nosotros pescando. Después Donald y yo cenamos en el restaurante al frente del hotel Sundown Lodge. Puede ir a preguntar para que no pierda más tiempo sospechando cosas absurdas —le digo con firmeza.

Él baja un poco la guardia; yo también a mi mal tono. Me pide disculpas por su forma de interrogar y alega sentirse presionado por las familias de las víctimas, quienes le claman por respuestas. Dice no tener dudas de la culpabilidad de Junior en el caso de Christine, a pesar de no haber hecho un peritaje exhaustivo en mi habitación. Le comento mis inquietudes acerca de aquello: Junior no tenía manchas de sangre, y quien quiera que haya asesinado a la muchacha debería tener salpicaduras. Le pregunto si la autopsia reveló violación, pero él me informa que el cuerpo apenas fue enviado a otro pueblo para realizar el procedimiento y que tardará, al menos un día más.

Acerca del joven asesinado a tiros en la calle, me confiesa no tener la más mínima idea de quién o quiénes pudieron haberlo hecho. Lo que me causa curiosidad, puesto que todo el pueblo habla de negocio de drogas. Sugiere una tonta teoría: que fue Junior quien mató a tiros a Daz porque este tenía una relación con Christine, de quien él estaba enamorado. Luego la buscó a ella, la violó y asesinó.

Le pido que me deje hablar con Junior, me lo niega porque el muchacho está siendo preparado para ir al tribunal y ser imputado por los cargos de homicidio. Así, sin pruebas contundentes. Insistir en que faltan evidencias no cambiará nada, debo yo misma encontrar al culpable o será encerrado una vida entera.

Williams me da más detalles del suicidio en el psiquiátrico y me confirma mi temor, que fue Jeffrey quien se quitó la vida. Se cortó el cuello.

No me lo creo y me lo niego. Él estaba bien, se veía lúcido. Me siento culpable por no haberle dedicado un poco más de tiempo y atención.

Voy a averiguar qué demonios ocurrió.

4

AYÚDAME

Salí furiosa de la estación manejando mi camioneta. Tengo muchas preguntas y ninguna respuesta, tampoco puedo utilizar mi placa para conseguirlas. Si trajera a mi equipo del FBI, resolveríamos todo en cuestión de días, pero si lo hago, se acaba mi tiempo en este lugar.

Cuando llego al psiquiátrico, un furgón negro parte del lugar. Llama mi atención porque luce nuevo, no tiene placas y quienes lo manejan tienen un aspecto muy diferente al de los lugareños. No son comunes los autos nuevos ni los extraños en Eureka.

Entrar al instituto me recuerda el significado de la frase «la vida sigue». Todo luce con increíble normalidad, como si no hubiera muerto nadie el día anterior, como si la existencia de Jeffrey fuese olvidada en menos de un día. Los pacientes pasean por los jardines, los enfermeros los cuidan y otros empleados continúan con la remodelación.

Investigo, intentando conseguir información sobre Jeffrey, pero me es negada por los empleados sin importar mi insistencia. Por no ser familiar ni una figura de autoridad, pueden simplemente ignorarme. Tanto hermetismo me produce inquietud y recordar el último comentario de Jeffrey hace que se me creen más dudas, aunque no estoy segura de por qué. Pero no me pienso rendir tan fácil.

Vuelvo al jardín para pensar y observar con más detenimiento el funcionamiento del lugar. Me siento en la mesa donde jugamos ajedrez la última vez. El tablero sigue en el mismo sitio con las fichas exactamente como terminó la partida, mi rey acorralado en una esquina y él haciéndome jaque mate con su reina. Puedo imaginarlo al frente de mí. Recordarlo me enfurece y vuelvo a mi misión. Mientras cuento los pisos del instituto, una mujer comienza a liberar sollozos y luego gritos escandalosos.

—¡No, no, no! ¡Jeffrey gritaba no, no, no! —Se tira al suelo y se jala los cabellos.

La piel se me eriza. Me apresuro hacia ella e intento levantarla, pero me suelta un manotazo y se aleja. Es notorio que sufre de una grave enfermedad mental, sin embargo, es todo lo que tengo. Vuelvo a tratar de detenerla para preguntarle qué sabe y esta vez me toma de la mano y busca morderme.

—¿Qué le pasa? ¿Quiere perder unos dedos gratis? —pregunta un enfermero que llega corriendo para sedar a la paciente.

—Solo quiero saber…

La mujer eleva sus gritos y lucha por zafarse del hombre que sostiene una jeringa con los dientes.

—Aléjese, por favor —pide otra enfermera que llega como refuerzo.

En ese instante, los demás pacientes mentales también empiezan a gritar, saltar y lanzar cosas. Es como un zoológico. Es escalofriante estar en el medio de aquello y vuelvo al interior del edificio, donde la locura es mejor contenida. Lo que dijo esa mujer provoca que nuevas preguntas se formen en mi cabeza. ¿Por qué gritaba Jeffrey? Aunque son muchas las posibles respuestas, la más sencilla es porque estaba enfermo.

Decido no perder más tiempo e ir a hablar con mi psiquiatra y dueño del lugar. Creo que tenemos una buena relación paciente-médico, debería darme una respuesta que aplaque mis inquietudes. Cuando entro en el ascensor y mientras espero llegar al último piso, me doy cuenta de que hay un nivel sótano al que ninguna escalera va, el único acceso es por este elevador, pero se necesita una tarjeta. Antes de siquiera poder formular un pensamiento al respecto, las puertas se abren y la odiosa secretaria del doctor Sam me saluda, preguntándome qué hago aquí.

—Hoy no tiene cita, señorita Sacks.

—Lo sé y no importa. Solo necesito unos minutos con el doctor Sam.

—¡No puede pasar! El doctor está ocupado —advierte y se coloca en el medio.

—No te conviene meterte en mi camino —digo acercándome más.

—¿Y cómo me piensas quitar? —pregunta desafiante.

Me ha caído tan mal desde el primer día que por instantes pienso en mi pistola. Afortunadamente para ella, el doctor Dean sale de su consultorio al escuchar el escándalo. Ella trata de explicarlo, pero él no le presta atención.

—¡Amanda! Menos mal viniste. Quedé muy preocupado después de escuchar la noticia de lo que ocurrió en tu casa. Vente, pasa.

Entretanto, camino hacia el consultorio, miro a la secretaria y le sonrío. Quiero preguntarle directamente a Sam, pero no debo hacerlo así, con algo de sutileza tendré más suerte. Por otro lado, le tengo respeto y cierto aprecio. Es un hombre mayor que me trató con mucho tacto desde que llegué aquí, en mi peor momento. Supo guiarme para que lograra calmar mis ansiedades, a enfocar mis energías y a utilizar mejor el tiempo. Me ayudó a cambiar y a sanar.

Sin embargo, necesito respuestas rápido o voy a enloquecer; una muchacha apareció asesinada en la cama donde dormía y quieren culpar a Junior, quien tiene más relación con Daz, el muchacho baleado en la calle. Mi amigo Jeffrey se veía bien, sobrio y lúcido, lo único que me hizo dudar de su buen estado fue su comentario antes de irme, el mismo que abre las posibilidades a un homicidio. La pregunta es por qué, por qué lo matarían a él o desaparecerían a otros pacientes. No tiene sentido. Además, la profesora Rebecca dijo: «otro suicidio». Jeffrey es solo otro nombre en, al parecer, la lista de suicidios en el instituto.

—Estás más callada de lo normal. ¿Cómo te encuentras? —pregunta él y se coloca al frente de mí, recostado en el escritorio.

—No me encuentro bien, doctor —respondo, pero no porque hayan asesinado a alguien en la que era mi cama, sino por todas las preguntas sin respuestas que se derivaron después de ese suceso y porque últimamente vuelvo a tener la sensación de que me observan, de que no estoy segura.

—Cuéntame un poco de ti, ¿cómo te sientes? Dime tus inquietudes. La otra vez no quisiste, pero puedes utilizar cualquier objeto o máquina en este consultorio. Siéntete libre.

No me importó ser un ratón de laboratorio por una vez. Me monté en la cinta caminadora y liberé un poco mi estrés. Sin darme cuenta la situación se convirtió en una consulta. Le conté las cosas que sentía como Amanda Sacks. Pero es bueno descifrando a las personas, fácilmente notó que no me espantó o asustó lo ocurrido.

—Entonces, doctor. ¿Qué ocurrió con Jeffrey?

Él toma asiento, se quita los lentes y suelta un suspiro.

173

—Qué tragedia, ¿no? Tengo entendido que ustedes dos se llevaban bien, varias veces los vi jugando ajedrez.

Mi silencio y mirada seria hacen que deje de esperar una respuesta sin importancia de mi parte.

—Solo sé lo que me dijeron los enfermeros. Logró obtener un pedazo de vidrio de un espejo y se cortó el cuello. Murió desangrado —dice el doctor.

—Él parecía estar bien. Se iba a casa mañana —le comento.

—Así son los esquizofrénicos. A veces parecen estar bien y luego ocurre una tragedia. Cada vez que pasa algo así es un duro golpe para mí. Mis esfuerzos no son suficientes.

Sam continúa lamentándose un poco más hasta que le digo que debo marcharme. Entiendo que él no me dirá algo de utilidad, debo encontrar información de otra manera. Antes de irme, me notifica que los exámenes de sangre salieron bien y me pide que no me fuera del pueblo todavía, que quería unas consultas más para asegurarse de que me iba en buen estado. Me pareció extraño, ya que ayer me preguntaba cuándo pensaba volver a Nueva York.

Cuando salgo del estacionamiento del instituto, una mujer se me atraviesa con las manos arriba. De no haber reaccionado a tiempo me la habría llevado por el medio.

—¿Quieres que te ma…?

La reconozco, es una de las enfermeras. Mi corazón se acelera al entender de que si me busca es porque quiere hablar. Sin pensarlo, le pido que se suba para ir a un lugar tranquilo.

—¿Cómo te llamas? —pregunto.

—Mary. —Iba a presentarme, pero me detiene con un gesto de su mano—. Soy relativamente nueva en el trabajo. Jeffrey era uno de mis pacientes. Desde hace unos días había comenzado a mencionar que una tal Ainara Pons lo ayudaría a descubrir qué estaba ocurriendo en el psiquiátrico. No le presté atención, ¿por qué lo haría? Entonces dijeron que se suicidó. Busqué ese nombre en Internet y salieron cientos de noticias con tu fotografía.

—Mucho gusto, soy Ainara Pons —digo y le extiendo la mano.

Me explica que está noventa por ciento segura de que Jeffrey no se suicidó. Notaba grandes mejorías a diario en él: mejor humor, más colaborativo, se tomaba sus medicinas y hasta volvía a estudiar con sus viejos libros. También me comenta lo del piso subterráneo, al que solo un pequeño grupo tiene acceso, los empleados de más confianza y por lo general los del turno nocturno. Casualmente, las horas en que ocurrió el supuesto suicidio. Todo lo que me dijo me confirmó dos cosas; la primera, algo oscuro está pasando en ese instituto; y la segunda, que voy a averiguarlo.

Le agradecí su valentía y quedamos en que sería mi agente interna en el lugar, mis ojos y oídos.

Después de dejarla en su casa, salí en dirección al hotel.

Estoy cansada y tengo demasiadas ideas en la cabeza que necesito organizar con una buena ducha. Espero que Sam no tenga nada que ver con lo que sea que esté ocurriendo en su instituto, porque lo haré caer a él o a los responsables.

Mientras medito mis posibles acciones en la parada de un semáforo, veo en el cruce del frente a una patrulla que viene en sentido contrario. La maneja Marlon y en la parte trasera está Junior. Lo deben estar llevando al tribunal. La luz se les pone en verde y cruzan hacia su izquierda pasando al frente de mí. El muchacho se ve mal. Nos quedamos mirando y puedo leer en sus labios cuando me dice «ayúdame». Trago saliva con impotencia, y en ese instante pasa una camioneta a gran velocidad que choca la patrulla. El sonido del impacto me hace pegar un brinco en el asiento. Me quedo inmóvil hasta que observo a dos sujetos armados con fusiles de asalto bajarse del vehículo agresor.

Por suerte saqué mi arma del cuarto ayer en la noche. No dudo, en dos segundos la tomo y me apeo, de inmediato ya estoy gritando mientras apunto.

—¡FBI! ¡No se muevan!

Mis impulsos suelen meterme en aprietos, cada vez me supero en grande. Los encapuchados comienzan a disparar antes de haberse girado completamente hacia mí. No tengo chaleco ni más de dos cartuchos. Vuelvo al interior de mi camioneta y me cubro detrás del asiento. La intensidad de los disparos es impresionante, pero muy pocos dan en la carrocería; no buscan matarme, solo quieren que no les estorbe. Al pasar unos segundos se escuchan disparos de revólver y los de fusiles se detienen por un instante. Vuelven a iniciar, pero ya no impactan contra mi Tundra. Veo por el parabrisas agujereado que atacan a la patrulla. Acelero y el poderoso motor me ayuda a atropellar a uno de los hombres, que no tiene oportunidad de esquivarme. Quedo cerca de la patrulla.

Me bajo y ayudo a Junior a salir de la parte trasera, entretanto, Marlon nos cubre valientemente. Del vehículo agresor se bajan dos hombres más.

—¿Están heridos? —pregunto mientras disparo a los agresores para repelerlos.

—¡Eso no importa! ¡Vámonos, que vendrán más y nos van a matar a todos! —grita Junior con denotado pánico en su rostro.

Marlon se me queda mirando extrañado, intentando comprender quién soy realmente, pero la situación no le permite indagar.

—Suban en la camioneta. Los cubro y los sigo —ordena él.

No lo pienso. Mientras los disparos nos pasan cerca, silbándonos, Junior y yo corremos hacia la Tundra. Lo lanzo en los puestos traseros y me apresuro al volante. Las balas impactan en todos lados, los pedazos de vidrio no paran de saltar por los aires.

—¡Marlon, ya! —suelto.

—¡Apúrense! —grita Junior con desespero.

Marlon corre hacia nosotros, pero le logran dar en una pierna y cae. Cuando voy a bajar por él, más balas le dan y queda tendido. Otras camionetas se acercan por la avenida principal. Un copiloto saca medio cuerpo por la ventana y nos dispara. Me agacho en el asiento para cubrirme y contar hasta tres. Cierro los ojos, respiro profundo y pienso.

estorbar
get in the way

177

5

¿FUISTE MILITAR, POLICÍA O ERES DE LA CIA?

—¡Arranca, vámonos! —grita Junior desesperado y con pánico.

—… Tres. —Abro los ojos.

Me levanto del asiento apuntando hacia la ventana de mi puerta. Uno de los hombres se acerca, le disparo en la cabeza antes de que logre reaccionar. Vuelvo a respirar profundo, apunto al vehículo que viene de frente y disparo tres veces hasta que le doy al piloto y pierden el control. Choca contra un poste de luz. Escucho sirenas policiales aproximándose. Yo arranco con el pedal hasta el fondo, llevándome un auto y quitándolo del medio. Gracias al poderoso motor de la camioneta, mi velocidad no baja de los ciento veinte kilómetros por hora, en las rectas llego a doscientos. Continúo así hasta sentir que no existe posibilidad de que me estén siguiendo, hasta que logro tranquilizarme un poco.

Me meto por un camino de tierra y avanzo por una zona boscosa. Solo me detengo porque el espacio no me lo permite más. Tapo la camioneta con ramas y corro con Junior hasta que las piernas no nos dan más, sin hablarnos por el camino.

Le ordeno que tome asiento.

—¿Quién eres? —pregunta.

—Yo haré las preguntas, pero te regalaré esa. Soy la agente especial del FBI Ainara Pons.

—¿Estabas investigando el caso?

Me quedo callada, él baja la mirada. Es solo un muchacho, así que no debo ser tan dura, él está bastante asustado, su futuro y vida corren peligro.

—Estaba de vacaciones hasta que apareció Christine Smith asesinada en mi cama y tú saltaste de mi clóset sobre Marlon. Acaba de morir un hombre inocente, se acabaron los juegos, solo escucharé tus explicaciones. Comenzarás desde el principio, no te saltarás nada, yo decidiré qué es importante y qué no. Pero primero dime qué ocurrió en mi cuarto.

Junior traga saliva y respira hondo.

—Fue la peor hora de mi vida. Daz, mi amigo, vendía drogas para unos narcotraficantes que trabajan en las minas, conectados con un cartel mexicano de Tijuana. En los últimos meses comenzó a consumirse la mercancía y les pagaba incompleto. Ellos le daban más para que lograra reponer, pero sucedía lo contrario, aspiraba más cocaína. Aunque sé que llegó a guardar cinco kilos, a pesar de todo. Intenté muchas veces advertirle del peligro; esos tipos siempre me dieron miedo. Ayer estábamos fumando dentro del carro, afortunadamente yo me encontraba orinando cuando vi que llegaron en una camioneta; escuché los gritos, vi cuando lo bajaron y luego los disparos. Sin querer solté un grito, ellos me vieron y yo salí corriendo. Me escondí en una casa, la tuya. Media hora después escucho que están abriendo la puerta y solo pensé en esconderme, el armario fue lo único que se me ocurrió, no sabía quién vivía ahí.

—¿Escuchaste llaves o forzaron la puerta? —le pregunto.

—Tenía llaves.

Siento escalofríos al escucharlo. Ahora tengo ochenta por ciento de seguridad de que es Hawk. ¿Quién más se tomaría tanto trabajo para planear y ejecutar algo de esa manera? ¿Cómo no lo he visto en el pueblo? Él es grande y llamativo. Todo se está complicando demasiado.

—¿Quién tenía llaves? —pregunto y la piel se me pone de gallina.

—Aunque estaba oscuro, podía ver toda la habitación por las rendijas del clóset. Entonces él llegó con un enorme saco al hombro. Yo solo pensaba en cómo huir de allí hasta que él abrió el saco y vi a Christine amarrada, golpeada, llorando y semidesnuda. Yo quería ayudarla. Deseaba ser valiente. Pero el hombre era muy grande, todo en él me daba miedo...

Junior comienza a quebrarse y a llorar, liberando la adrenalina. Ha pasado por mucho en menos de veinticuatro horas. Lo calmo con palabras de consuelo y le pido que continúe.

—Ella no dejó de llorar mientras la violaba, y aunque sé que era imposible por la oscuridad, en un momento sentí que pudo verme a los ojos a través de las rendijas cuando su cara quedó mirando en mi dirección, luego de que él le enterrara el cuchillo varias veces —describe Junior.

—¿Viste algo más del sujeto, algún detalle? ¿Por qué no dijiste eso en vez de saltar sobre Marlon?

—Estaba oscuro, todo lo que pude ver fue gracias a la poca luz que entraba por la ventana del cuarto; no me iban a creer y tontamente pensé que, si no podía escapar, al menos en la estación de Policía estaría a salvo de los narcotraficantes mientras se me ocurría algo más —confiesa el muchacho.

Si es Hawk, debió haberme dejado alguna nota o algo para que no tuviera ninguna duda de que fue él. Tengo que buscar a Bob y regresar a la casa para encontrar lo que me haya dejado.

—¿Cuál es el plan? —pregunta.

—No puedes volver al pueblo en estos momentos. Te busca la Policía y unos narcotraficantes armados hasta los dientes.

—¿Llamarás a tus amigos del FBI?

—No todavía. ¿Vives solo? —le pregunto.

—Sí, paso nueve meses al año solo. Bueno, antes Daz era quien me hacía más compañía.

Conversamos por un par de horas hasta que el anochecer comenzó a hacerse notar y le digo que tengo que marcharme. Vamos a mi camioneta. Le entrego algunas provisiones para pasar la noche y le dejo mi teléfono, el que no he encendido en meses, y le pido que solo lo utilice si no he vuelto antes del mediodía de mañana. Lo tomo por los hombros y le digo lo más seria posible:

—Junior, sé que tienes diecisiete años, que crees que eres un adulto y que puedes resolver ciertas cosas por tu cuenta, pero entiende algo, esta no es una de ellas. Si te vas de aquí y no me esperas, estarás solo y no terminará bien.

El muchacho respira profundo mientras me mira fijamente, analizando sus opciones, o si es inteligente, entendiendo que no tiene ninguna otra.

—Te esperaré hasta el mediodía de mañana, Ainara.

Me dice que le gusta la camioneta y que es una pena el estado en el que la dejaron los narcotraficantes. Me hace recordar a mi viejo Fusion, como quedó después de que le prendiera fuego. Le advierto que cuando salgamos de los problemas me ayudará a repararla y me subo en ella para irme.

No tarda mucho en irse mi buena suerte, una de las llantas se desinfla por completo, por suerte cuando estoy llegando a la carretera. Aunque no tengo herramientas.

Luego de veinte minutos de zozobra y como si Dios me los pusiera en el camino, los viejos locos Arthur y Benjamin, que trabajan como camioneros, pasan y se detienen para ayudarme.

—¡Amanda! ¡La profesora más guapa de Eureka! —exclama Benjamin.

—Debes tener menos de un minuto aquí, porque de lo contrario no entiendo cómo ningún otro hombre se detuvo antes para ayudarte —dice Arthur.

Cuando se acercan más y notan el estado de mi vehículo, se miran entre ellos perplejos y confundidos.

—Preciosa, ¿qué demonios? ¿Fuiste a la guerra sin nosotros? —pregunta Arthur.

—Y parece que ganaste —suelta Benjamin.

Les resumo brevemente lo ocurrido con Junior, pero contándoles la versión que le daré a la policía; Junior saltó de la camioneta y escapó. Mientras Benjamin desmonta la llanta, Arthur saca unas cervezas que llevan escondidas en uno de los compartimientos secretos del camión. Me pregunta cómo estoy, lo hace de forma muy curiosa, evaluándome.

—Todavía nerviosa, con miedo. No puedo creer por lo que pasé —digo intentando parecer nerviosa.

El viejo zorro me mira y sonríe descaradamente, no me cree.

—¿Fuiste militar, policía o eres de la CIA? —pregunta y me pasa una cerveza—. Cualquier otra profesora de cualquier parte del mundo estaría muerta del miedo después de pasar por algo así, tú luces como si acabaras de salir del cine, y nadie corriente se hubiera metido en un tiroteo semejante para ayudar a alguien —dice Arthur.

—Puedes confiar en nosotros, Amanda. Estamos del mismo lado —asegura Benjamin, ya empezando a colocar la llanta de repuesto.

Tomo de la cerveza mientras pienso qué responder. Ellos saben de lo que hablan. Atravesaron y sobrevivieron en los campos de guerra más crueles, reconocen a otro guerrero fácilmente. No puedo engañarlos, pero tampoco debo decirles la verdad exacta.

—Fui policía en Nueva York. Cuando vi que atacaban la patrulla del oficial Marlon no pude evitar intentar ayudar a un excolega…

Arthur me interrumpe.

—¿Policía? Esas marcas de bala son de rifle de asalto, ningún policía se le mide a eso…

—Viejo loco. Déjala en paz, después nos lo contará. Seguro ahora tiene cosas más importantes que hacer que hablar con un par de vejestorios. Princesa, está listo, pero tienes fugas en el radiador, en la liga de frenos y de aceite. Todavía rueda porque es una bestia de camioneta, otro vehículo no hubiese soportado.

Arthur me insiste en que le cuente la verdad y, al no conseguirlo, me da su número de teléfono para que lo localice si necesito algún tipo de «auxilio». Lo que me podría ser de ayuda si las cosas se complican demasiado, algo que veo muy probable dada la situación que se está desarrollando. Me marcho derecho al pueblo.

Cuando llego a la estación de servicio, solo estaba un hombre encargado dentro de la tienda. Le comento la situación, y como no tiene clientes ni nada mejor que hacer, acepta echarle un ojo a la camioneta para ver qué puede hacer.

—¡Eres tú la mujer de la que todos hablan! —exclama sorprendido al ver la Tundra llena de orificios de balas.

Ya no me extraña, aquí los chismes corren rápido y no debe de ser común ver una mujer de estatura promedio en una situación parecida. Él se queda pensativo e intenta tocarse los bolsillos disimuladamente.

—No necesitas llamarlos, me dirijo a la estación de Policía.

Solo quiero saber si podrás y en cuánto tiempo. Necesito que esté perfecta para rodar.

Pasamos casi medio minuto en silencio, yo viéndolo fijamente y él, inmóvil, intercalando sus miradas entre la camioneta y la tienda. Lo que me pone más nerviosa. Estar en la única estación de servicios me convierte en un blanco fácil y llamativo.

—Dame una hora y doscientos dólares —dice al fin, aunque nada seguro.

Le entrego cien.

Camino hacia la sede policial. Ya es de noche. Las calles están completamente desiertas, no se ve ningún otro auto o alguna persona circulando, excepto por un par de vagabundos que beben de una botella alrededor de una fogata improvisada en un tambor de aceite, y a los perros callejeros que deambulan. Es bueno, ya que podré identificar fácilmente cualquier amenaza.

Cuatro oficiales que fumaban afuera de la estación se me quedaron viendo fijamente mientras me dirigía a la entrada, al pasar, me siguieron. Cuando entro, dos oficiales más paran lo que hacen.

—¿¡Dónde demonios están!? —pregunta el *sheriff* antes de notar el silencio de su equipo y mi presencia—. A la mierda.

Me siento al frente de él, quien me estudia por completo.

—Vengo a dar mi declaración oficial sobre lo que pasó —le digo.

Todos los uniformados intercambian miradas sin hablar, están tensos por haber perdido a uno de los suyos. Williams bebe un poco de café y enciende un cigarrillo muy calmado.

—Has venido dos veces en un día —dice, esta vez ya me

tutea—. Mataron a una estudiante en tu casa y a un oficial de esta estación mientras ayudabas a un fugitivo a escapar. Estás en serios problemas, señorita Sacks.

Creo que fue por la manera en que lo dijo o por su tonta intención de asustarme que no pude evitarlo, de verdad que lo intenté, pero comencé a reírme sin control hasta el punto de que se me escapó una lágrima. Reí tanto que contagié a los demás, excepto al *sheriff*, quien me miraba con ojos asesinos. Sus hombres empezaron a reír mientras se miraban unos a otros para intentar entender qué me pasaba y por qué ellos también se carcajeaban.

—¡Cállense! —grita el jefe de la comisaría y le da un manotazo al escritorio.

—Lo siento, *sheriff*. No pude evitarlo. Debe ser por la adrenalina y los nervios que aún tengo —digo ingeniosamente.

—¿Dónde está Junior? ¡Y no te atrevas a decir que no se fue contigo, porque mis hombres lo vieron!

—Entonces también vieron a los sujetos que asesinaron al oficial Marlon. Hace horas parecía que no sabías nada del negocio de las drogas en el pueblo, ahora tienes la calle principal repleta de casquillos, autos destrozados y un hombre asesinado. ¿A cuántos narcotraficantes atraparon? —pregunto.

Está furioso.

—Yo soy quien lidiará con eso. Tú solo responde, ¿quién eres y en dónde está Junior? —pregunta Williams con tono de autoridad.

—Junior se tiró de mi vehículo cuando huíamos aterrados, no lo vi más ni lo busqué, solo quería ponerme a salvo, y yo soy…

6

COMIENZA EL JUEGO

—… la profesora Amanda Sacks —respondo al *sheriff*.

—¿Una profesora que puede ▒atinar▒e al chofer de un vehículo en movimiento a más de veinte metros? ¿Tienes permiso para portar armas, señorita Sacks?

No me esperaba esa pregunta y todos me observan fijamente. De no responder bien podrían encerrarme por unos días, y no puedo perder tiempo. La opción de intentar huir no es posible porque tendría que matarlos a todos. Así que improviso.

—¿Le di a alguien? Un momento, ¿maté a una persona? ¡Yo solo apreté el gatillo con los ojos cerrados! Tuvo que ser suerte, la adrenalina. Eran muchos disparos por todos lados. La verdad, no recuerdo mucho, solo intenté sobrevivir con lo que tenía a mano. El arma la encontré en el suelo, creo. No estoy segura de nada, no sé qué pasó… —finalizo tapándome los ojos y fingiendo que entro en pánico.

Es patético, pero necesito irme de aquí rápido y por fin sacarme esta duda que me está volviendo loca: ¿fue Hawk?

Uno de los oficiales trata de consolarme y yo aumento el drama.

—Señorita Sacks… hace unos minutos reía a carcajadas y ahora llora, no la entiendo —suelta el *sheriff*.

—Jefe, dele un momento. Ella pasó por mucho. Debería estar en el hospital siendo revisada —dice uno de sus hombres mientras me busca un vaso con agua.

Me meto en el papel y permito que el drama aflore, no les dejo que me pregunten demasiado. Williams se harta de mí rápidamente y me deja ir, advirtiéndome que debo volver mañana cuando me encuentre mejor.

De todo lo que he hecho en el día, que incluye controlar un salón con más de veinte adolescentes curiosos y afectados por la muerte de dos alumnos del colegio, y enfrentarme a tiros contra una banda de narcotraficantes bien armados, fingir delante de esos idiotas ha sido lo más extenuante, por mucho.

Uno de los oficiales me lleva hasta el hotel.

El recepcionista de este me detiene al verme ingresar.

—¡Señorita! —exclama con cierto temor en la mirada.

Aunque no quiero perder el tiempo, me acerco a él porque quizá tiene que ver con mi bestia negra.

—¿Pasó algo con Bob? —pregunto

—No quiero molestarla, pero sí. El animal le ladra a todo a quien pasa por al frente de la puerta. Empieza a molestar a los huéspedes…

Le doy veinte dólares más y deja de quejarse. Me apresuro a la habitación, y apenas me aproximo a la puerta Bob se abalanza sobre ella, sin ladrar. Lo escucho gemir por la emoción. Abro y me salta encima. Me siento en el suelo y nos damos cariño un par de minutos; me hacía falta.

Con las energías recargadas, salgo junto con Bob hacia la estación de servicio. Necesito mi Tundra, me siento indefensa sin ella. El trayecto me sirve para meditar y a mi fiel amigo para estirar las patas. El silencio y la soledad de las calles me producen el efecto de estar en un pueblo fantasma; me gusta.

Cuando llegamos, el hombre se ve más nervioso por la presencia de Bob, quien lo mira con detenimiento. Debo ser la maestra de secundaria más extraña del mundo. Temeroso, me dice que pudo reparar lo necesario para que la Tundra esté operativa. Le pago los otros cien dólares.

Entro a la tienda por provisiones para nosotros y para Junior; comida, linternas, baterías y agua. Noto el viejo mapa de los Estados Unidos que siempre ha colgado en la pared y antes ignoraba. Muchos recuerdos de mi vida en Nueva York se me cruzan por la cabeza, y aunque no está a la venta, negocio para comprarlo. Luego nos vamos hacia la casa en la que había estado viviendo estos meses.

A medida que nos acercamos, comienzo a sentirme más y más tensa. Los malos momentos del pasado cruzan como *flashes* en mi mente, tengo el presentimiento de que volveré a abrir una puerta peligrosa. ¿Tengo opción? Irme de Eureka, pero no puedo porque Junior me necesita y tampoco pienso permitir que la muerte de Jeffrey quede impune; además, dejé de huir hace mucho. Tomo mi pistola y la aprieto con fuerza, es lo único que me da seguridad. Me estaciono una calle antes para que mis entrometidos vecinos no me noten, y me bajo con una de las linternas que compré.

Mientras rodeo la casa, me doy cuenta de que por la parte delantera era imposible que el asesino entrase sin llamar la atención: desde dos casas de mis vecinos hay clara visión desde las ventanas de sus salas. Al llegar a la parte trasera, entiendo que mi intención de tener privacidad, razón por la que escogí esa casa, hizo que todo fuera favorable a la situación que ocurrió; el patio da hacia una zona boscosa a la que ninguna otra casa tiene acceso visual y desde donde se puede acceder a la puerta trasera de mi cocina.

Entro por ella. La casa está oscura, enciendo la linterna. Hace calor, el aire se siente pesado. Bob camina delante de mí. Me calma verlo tranquilo, no hay amenazas, no todavía. Como imaginé, el interior luce idéntico. Esos inútiles de la Policía del pueblo no se molestaron en buscar más evidencias. No pierdo tiempo y voy al cuarto, en donde las sábanas siguen con la sangre, ahora seca. Me quedo un momento contemplando la escena, pero rápidamente inicio mi inspección minuciosa.

No tardo más de veinte minutos en encontrar el único objeto que antes no estaba en el cuarto, en una de las gavetas de las mesas de noche. Mientras contemplo la pequeña caja de regalo negra, más recuerdos despiertan en mi cabeza. Mi respiración se acelera, entonces decido actuar y dejar de pensar. La abro.

—Hijo de puta —suelto en voz alta y me dejo caer de rodillas.

Sostengo en mi mano el collar de rubí con el que fue vista por última vez mi hermana Rachel. No puedo creerlo, es demasiado fuerte. Es un golpe directo en la herida abierta. Si bien por un instante tengo ganas de llorar, muy rápido se transforma en rabia y odio. Me guardo la joya y prosigo con la lectura de la carta doblada que estaba debajo:

Querida Ainara:

Primero que nada, debo disculparme por haberme tardado tanto en encontrarte. Fue realmente difícil y en un momento pensé que no me sería posi-

ble, lo que me estaba volviendo loco. Puesto que tú te esforzaste durante años para dar conmigo.

Por lo que decidí esmerarme más y así conocí a tu psicólogo en Nueva York, el amable señor Lucas. Aunque las cosas no terminaron bien para él porque no me quería dar tu ubicación, me cayó muy bien el valiente hombre.

Ya eres toda una mujer. Has cambiado mucho desde la última vez que nos vimos hace más de diez años, ¿lo recuerdas? Me saludaste desde el auto de un amigo, llevabas ropa de noche, te ibas de fiesta. ¿Qué tal la pasaste?

Llevo meses observándote, al parecer, has comenzado a sanar, y me enorgullece. Sé que vas todas las mañanas a la preparatoria para enseñarles a esas pequeñas criaturas, tus citas con el psiquiatra, las idas a pescar y hasta sé de esa sopa instantánea que compras regularmente. Te sienta bien la vida tranquila lejos de todos esos problemas en la ciudad.

Es un buen lugar para que por fin descanses en paz después que juguemos un poco. Dos mujeres más morirán antes de que te toque unirte a Rachel. Debes encontrarme o aceptar tu destino.

Gracias por haberme hecho volver. Te volveré a dejar recuerdos de Rachel. Te veo pronto.

JH

—Maldito, maldito, maldito…

Estoy temblando de la rabia, de la impotencia y el dolor. Ese malnacido no se conformó con arrebatarme a Rachel, de asesinar a decenas de mujeres y a la pobre estudiante de la preparatoria, también mató al doctor Lucas, quien no tenía nada que ver con esto.

Quiero destrozar todo, pero no puedo perder el tiempo

con arrebatos. Respiro profundo y me enfoco en lo que tengo que hacer. Debo encontrarlo primero, antes de que él me mate a mí, y hacerlo pagar. Si quiere jugar, jugaremos. Me lleva ventaja por haberme estudiado por un gran tiempo, sin embargo, él solo es un psicópata, yo soy Ainara Pons.

Las cosas seguirán como van, no involucraré a nadie de mis amigos o del FBI. Esta es mi guerra personal y aquí en Eureka libraré la última batalla; comienza el juego de la muerte.

Tomo todo lo que necesito de mi cuarto; cajas viejas de archivos, algo de ropa, y lo llevo a la camioneta. Luego voy a las casas de mis vecinos. Cuando salen a la puerta, me miran sorprendidos o nerviosos porque ya saben del tiroteo. Les cuento brevemente que solo quedé en medio de aquello por accidente y que era un milagro estar viva. Después de una pequeña chachara, voy al grano; les pregunto si en las últimas semanas no vieron a algún hombre de gran tamaño merodeando por la zona o cualquier cosa sospechosa. Como esperaba, dijeron que no. Debía intentarlo.

Me marcho al hotel, me espera una larga noche de investigación. Debo volver a estudiar todos los casos de Hawk y esperar que esta vez logre encontrar algo del pasado que me ayude en el presente.

~

Hotel Sundown Lodge
9:20 p. m.

Cuando voy a entrar a la habitación, me detengo a meditar mis acciones. Mi bestia negra se sienta a esperar y se me queda mirando, le hago cariño. No es conveniente estar en un lugar donde cualquiera puede encontrarme, y este será el primero adonde los narcotraficantes vendrán a buscarme. Llamo a Donald.

—¿Estás ocupado?

—¿Estás bien? Me enteré de que una camioneta negra estuvo en medio de la balacera que hubo durante el traslado de Junior.

—Estoy bien, ¿qué haces? —le pregunto.

—Leía un rato una vieja novela, ahora quiero verte. ¿Puedo?

—¿Cuál es tu habitación?

—La ochenta y seis. ¿Por qué? —pregunta algo nervioso.

No respondo mientras camino, buscándola.

—¿Vendrás? —Toco su puerta—. Ya estás afuera...

Sale colocándose la camisa, no puedo evitar admirar su cuerpo. Por el contrario, él ve un cuadro nada provocativo: Bob sentado con la lengua afuera, mi bolso con un mapa sobresaliendo por el cierre, y yo desarreglada completamente. Me saluda con un beso en la mejilla y luego se agacha para hacerle cariño a mi bestia; ambos se caen bien. Nos invita a pasar.

Me ofrece un vaso de jugo, yo le pido algo más fuerte y me da una copa de *brandy*. De inmediato comienza a hacerme preguntas.

—Necesito tomar una ducha... —digo para detenerlo y porque es cierto, debo oler mal.

—Sabes dónde está el baño, es todo tuyo —me dice.

Aprovecho la deliciosa agua tibia para pensar bien mi siguiente paso. Aparte de un extraño deseo, Donald me inspira confianza, por lo que decido que al salir de la ducha le contaré toda la verdad, además de explicarle los riesgos de prestarnos posada. Quizá él pueda darme otro punto de vista.

Me siento en su cama y lo invito a que haga lo mismo al

lado mío. Me sincero, le hago un breve pero detallado resumen de lo más actual e importante. Él solo se queda en silencio, escuchando hasta que termino, revisa su teléfono por un momento y por fin habla.

—Tendré a una agente del FBI toda una noche, creo que no podría estar más seguro —dice sonriente.

—Quizá exagente porque debí haberme presentado hace cuatro meses atrás.

—Por lo que he leído nada más en un minuto en Internet, eres una especie de leyenda. Estoy seguro de que te esperarán, y cuando lleves a ese tal Hawk, recibirás otra medalla.

Conversamos un poco más hasta que le digo que necesito ponerme a trabajar. A Bob le damos una esquina del cuarto y se enrolla para dormir. Yo tomo un escritorio y una pared, coloco mi *laptop* y pego el mapa. Comienzo abriendo mis viejos archivos y reconstruyendo una línea de tiempo. Jerry Hawk nació en 1962, tiene cincuenta y seis años. Su principal característica es que tiene las iris de diferente color: azul y verde. Esto es algo que nunca olvidaré. Se graduó como abogado en Stanford a los veinte, era un joven prodigio. Su carrera fue en rápido ascenso, llegó a ser un hombre muy bien acomodado. Se casó dos veces y tuvo una hija que ahora debería tener unos cinco años más que yo, treinta y tres. Para cuando tuve la desgracia de conocerlo ya había dejado de ejercer Derecho, se dedicaba a la docencia y estaba divorciado. El caso de Rachel tuvo gran cobertura mediática y por ello fue que se descubrió la relación directa de Hawk con al menos una docena de estudiantes asesinadas en los lugares que trabajó como profesor. Desapareció por completo. Esporádicamente aparecieron casos de otras estudiantes violadas y asesinadas por el país a las que no se le encontró un culpable, en ocasiones hablaron de un conserje, profesor o cocinero sospechoso de estatura alta. Sin embargo, nunca se dio alguna confirmación sólida de que fue este psicópata.

El año pasado ya no tenía esperanzas de que algún día podría capturarlo, pensaba que probablemente había muerto sin pagar sus culpas, hasta que él me envió una carta a prisión cuando fui encerrada por los crímenes del asesino en serie Josh Cook.

—¡Me lleva! —suelto por la frustración.

Golpeo el mapa y lo arranco de la pared con furia. No me funcionó antes, ahora menos. Trazar las mismas rayas no me acercará.

—Está bien. No pasa nada, solo estás fuera de forma. Relájate, piensa y busca otro enfoque —dice Donald mientras me sujeta por el rostro.

—¿Cómo lo encuentro? Podría estar en cualquier lugar. Tengo que hacer algo por Junior, está solo y desamparado en un bosque, lo quieren asesinar. Jeffrey me dijo que estaba pasando algo extraño en el psiquiátrico, pero era un esquizofrénico paranoico, ¿por qué tomarlo en serio? Ahora está muerto.

—Calma, Ainara… Me gusta más ese nombre. Intenta resolver una cosa a la vez. Busca otro ángulo, pon de cabeza la imagen que tienes en la mente. Invierte los papeles.

Es muy guapo, su rostro es precioso. Es solo un poco más alto que yo.

Se me acerca aun más, mirándome a los ojos y luego a la boca. No puedo evitar ver la suya, lo que debió ser la señal porque me besa.

7

GREAT FALLS

Mientras cierro los ojos y me dejo llevar, inevitablemente pienso en mis compañeros Danny y Peter; los extraño. Abro los párpados, veo a Donald y me siento confundida por un instante, pero qué demonios, necesito desestresarme. Me le lanzo encima y caemos sobre la cama. Bob se despierta y nos mira.

Nos besamos y empezamos a desvestirnos como fieras, liberándonos de los pensamientos, olvidando el presente. Desciendo mi mano por su tallado abdomen hasta casi llegar a su miembro, él me detiene y me gira para yo quedar acostada bocarriba. Empieza a besarme los pechos y entonces, cuando lucho por desabotonarme el sostén, me llega un recuerdo que había dormido por años en mi subconsciente, algo tremendamente importante que antes no tomé en cuenta. Hawk tuvo una hija que vivía con su exesposa en algún estado del país. Creo que ya no eran cercanos. Debo encontrarlas y usarlas en su contra, es mi mejor oportunidad. Esta vez no hay margen para error, lo atrapo o él me mata.

—¿Qué sucede? —pregunta exaltado al notar que me quedé inmóvil.

—Lo siento, Donald. ~~Lo deseo tanto o más que tú,~~ pero acabo de recordar algo que puede salvarme el cuello.

Se sienta en la cama y respira profundo para poder calmar su apetito sexual. Le busco un vaso de agua y empiezo a vestirme.

—¿Qué recordaste? —me pregunta.

—Jerry Hawk tuvo una hija que ahora debe de ser unos pocos años mayor que yo. Necesito encontrarla y usarla a mi favor. Es mi mejor o la única oportunidad que tengo.

—Si es hija de ese enfermo, ¿cómo piensas convencerla de que te ayude? No creo que quiera volver a tener algo que ver con ese tal Hawk —dice Donald.

Tiene razón. No puedo obligarla, sin embargo, primero tengo que encontrarla y luego resolveré lo demás.

—Me encargaré de que funcione, solo debo hallarla. ¿Me ayudas? Es mucho trabajo y no tengo demasiado tiempo.

Al principio lo noté poco convencido de mi idea, pero terminó ayudándome. Durante el resto de la madrugada nos dedicamos a investigar y llamar a los registros civiles de los estados en donde es de día. No logramos nada. Por lo que decidí hacer lo que no quería, ponerme en contacto con Nueva York.

Saco mi celular y llamo.

—Habla Jonas... ¿aló? Voy a colgar...

Escuchar la voz de mi viejo colega y quien colaboró conmigo en momentos difíciles e importantes, me deja sin habla por unos segundos mientras también veo a Donald tomar unas pastillas de un ~~llamativo frasco amarillo~~o.

—Es Ainara... —digo al fin.

—¿Ainara? Dios mío. Pensábamos que te había tragado la tierra. El jefe Phillip siempre te nombra, en la oficina todos se preguntan por ti casi a diario. Danny por poco pone una alerta nacional sobre tu desaparición. Bennett se ha vuelto más odioso que nunca. Nada ha sido lo mismo desde que te fuiste.

Por la emoción, los ojos se me humedecen un poco al escuchar sus palabras y siento una gran nostalgia por los sentimientos encontrados. Puedo imaginarlos a todos claramente en mi cabeza con solo cerrar los párpados.

—Jonas, muy pronto volveré…

—¿Cuándo? —pregunta él.

—Después de resolver unos asuntos personales. Necesito un favor…

—Lo que sea, solo pídelo.

Le pedí dos cosas, lo que necesitaba y que no le comentara a nadie sobre mi llamada. Ni siquiera me preguntó los motivos y en menos de media hora me localizó la última dirección registrada de la hija de Jerry Hawk, en donde vivía con su madre; Great Falls, Montana. También me informó que desde hacía más de cuatro años no movía un centavo en sus cuentas bancarias ni volvió a pagar impuestos o algún servicio básico. Desapareció completamente del mapa.

No fue la información más alentadora, pero al menos era un punto de partida.

∼

Hotel Sundown Lodge
Sábado, 7:00 a. m.

No hemos dormido nada y ahora discutimos por el viaje que me dispongo a hacer.

—No te puedo permitir ir sola, Ainara —repite Donald por tercera vez.

—No iré sola. Me llevo a Bob y a Junior…

—No sabes si el muchacho te sigue esperando, y, ¿cómo harás para pasarlo por los controles? Ya deben haber emitido una orden de búsqueda por toda la región —dice con preocupación.

Le enseño la placa que no había levantado en meses y le afirmo que no habrá problemas. Sin embargo, Donald no da su brazo a torcer, por lo que termino aceptando su agradable compañía. Solo quería evitar ponerlo en un riesgo innecesario, soy un imán de problemas y no tengo la más mínima idea de qué nos podemos encontrar.

Donald, Bob y yo nos subimos en la camioneta. Mi bestia negra no cede su puesto de copiloto y el profesor tiene que sentarse en los puestos traseros. Primero vamos a la estación de servicios para llenar el tanque completo y aprovechamos para comprar más provisiones.

—Ve el modo como nos observa ese sujeto. ¿Te conoce? —pregunta Donald.

El encargado del local se nos queda mirando de forma inusual.

—Sí. Es un completo cobarde, pero al parecer, buen mecánico. Paguemos para marcharnos. Quiero estar en Great Falls antes del anochecer.

Nos vamos en dirección al bosque para recoger a Junior, quien espero que sea inteligente y se haya quedado a esperarme, si no, estará por su cuenta. Donald se encarga de vigilar constantemente de que nadie nos siga, Bob de mantenerme relajada y yo de conducir.

Llegamos en menos de media hora. Los tres nos bajamos y emprendemos el trayecto hacia el campamento improvisado de Junior. Lo encontramos abandonado, sin nada.

Buscamos al muchacho por más de media hora con la esperanza de que estuviera cerca, gritamos su nombre y recorrimos un área considerable, sin embargo, no logramos localizarlo.

—Se fue. Es un idiota —digo, entendiendo que no puedo hacer más nada.

—¿Y si le pasó algo? —pregunta Donald.

Aunque es una posibilidad, es mínima.

—No lo creo, no hay rastros de pelea, y es más probable que su juventud haya sido la responsable de su mala decisión. Larguémonos de aquí.

Volvemos a la Tundra con el peso de la frustración y la decepción. Cuando abro la puerta para que Bob entre, ambos nos asustamos y tengo que sostener a mi bestia negra para que no se le lance encima.

—¡Agárralo fuerte, por favor! —grita Junior aterrado mientras ve los filosos dientes de mi hijo.

—¿Qué ocurre? —pregunta Donald exaltado.

—¿Profesor Donald? —suelta asombrado el muchacho.

—¡Quieto! —grito y Bob deja de gruñir.

—Junior, pensamos que te habías ido por tu cuenta —dice Donald.

—¿Lo sabe todo, profesor?

—¿Quieres que te mate accidentalmente, Junior? Sí, Donald lo sabe todo.

Junior se baja y me apunta con su dedo índice, como si fuera un arma.

—Podría matarte. No me esperabas aquí, ¿verdad? ¿Por qué tardaste tanto en regresar? ¿Profesor, qué hace aquí?

—Tenía trabajo que hacer. Nos vamos de aquí —notifico.

—Los acompañaré al viaje —dice Donald.

—¿Irnos a dónde? ¿Viaje? —pregunta Junior.

Le informo lo que haremos y, aunque no se muestra muy

animado con la idea, termina aceptando por no tener más opciones.

Ahora salimos los cuatro. Sorprendentemente, Bob acepta ir en las piernas del muchacho en el asiento del copiloto, y a Donald no le queda más remedio que ir atrás. Mientras manejo por la carretera con dirección al estado de Montana, no puedo evitar notar lo extraña de mi situación al hacerlo junto con ellos tres y recordar mi último viaje de investigación, cuando le seguía la pista a los asesinatos de Josh Cook, creyendo que eran de Donovan White. Es la primera vez que viajo acompañada, me resulta incómodo y agradable al mismo tiempo.

El viaje de casi doce horas transcurrió con normalidad, hablamos mucho y bromeamos más, hicimos paradas para ir al baño, recargar combustible y almorzar. Lo más notable fueron las numerosas veces que nos detuvieron en cuanto control policial o de peaje nos encontramos en el trayecto. Al parecer lucíamos como un grupo peligroso; una mujer delgada, un hombre guapo de estatura baja para el promedio americano, un muchacho flacucho de piel blanca y mi hermoso Bob; o quizá los agujeros de balas en mi Tundra influyeron. Tuve que mostrar mi placa del FBI y ellos verificar en el sistema para que me dejaran avanzar e ignoraran la orden de búsqueda de Junior.

~

Great Falls, Montana
7:40 p. m.

Encuentro la dirección que me dio Jonas sin problemas gracias al GPS de mi camioneta. Me detengo al frente de la vivienda. Ha sido un largo viaje y estamos cansados, queremos terminar e ir a descansar.

Siento algo de nervios de ir a entrevistar a una completa extraña, supongo que es por el tiempo fuera de servicio.

—¿Vamos? —pregunto.

Junior se recuesta en el asiento, abrazando a Bob —se han hecho cercanos—, y dice que está cansado para salir, que nos esperará. Le repito la pregunta a Donald.

—Prefiero quedarme a vigilarlo, no vaya a ser que por estar lejos le den ganas de aventurarse. Así tampoco entorpezco tu trabajo, solo soy un profesor —responde luego de meditarlo.

Por mí está bien, y que le eche un ojo a Junior es de gran ayuda. Desciendo y cierro la puerta. La temperatura en la ciudad es baja, la brisa me realza la sensación de frío. Mientras camino hacia la entrada de la casa, puedo ver a dos personas comiendo en la mesa de la sala, lo que me hace entender cuán incómoda va a ser mi visita. Sin embargo, no tengo tiempo que perder, mi vida está en juego, y si algo me pasa, Junior también se verá afectado al quedarse solo.

Toco el timbre y al poco tiempo sale la mujer. Aunque ha cambiado mucho por la edad, la reconozco de las fotos que alguna vez vi mientras le seguía la pista a Hawk.

—¿Se le ofrece algo? —pregunta al verme callada.

—Sí, lo siento. ¿Señora Lana?

—Es correcto, ¿y usted quién es? ¿Qué quiere, por qué me busca? —pregunta y su tono cambia un poco.

—Me llamo Amanda Sacks. Quiero hacerle unas pre…

—¿No se cansan verdad? Ya pasó más de una década. Me volví a casar y nunca más supe de él. ¡Quiero que la maldita prensa me deje en paz! —exclama Lana.

—No soy de la prensa.

—Todos dicen lo mismo para sacarme información —dice.

Le enseño mi placa y ella se inmuta. Al parecer, ningún periodista había intentado hacerse pasar por un agente del FBI.

—Soy del FBI…

—¿Mataron a ese desgraciado? —me pregunta.

—No, señora Lana. Lamentablemente, él todavía sigue prófugo de la justicia y no vengo por información de su exesposo Jerry Hawk, si no de su hija Jessica.

Ahora luce más confundida que cuando le enseñé mi placa, piensa por unos segundos antes de responder.

—¿Le pasó algo a ella? —pregunta preocupada.

—Es lo que quiero averiguar.

—¿Por qué? ¿Qué tiene ella que ver con todo esto? Déjenla que viva en paz su vida.

—Está desaparecida desde hace cuatro años. ¿Cuándo fue la última vez que la vio? —le pregunto.

—No está desaparecida. Ella se marchó de aquí porque no soportaba vivir bajo la sombra de un asesino en serie. Una noche hablamos como de costumbre en la cena, al otro día se había ido, vació su cuarto y se llevó sus cosas. ¿Por qué la busca? —pregunta Lana.

—Hace cuatro años que no mueve un centavo en sus cuentas bancarias ni ha dado señales de vida. Temo que algo le haya podido pasar, que haya sido otra víctima…

—No es posible —afirma.

—¿Por qué?

—Se podría decir que Jerry la quería. Solo sé que Jessica estuvo con una de mis hermanas, Tina, en Nueva York, y al tiempo se fue de allí.

Espero que no del mismo tipo de cariño que les daba a las demás muchachas. Ella voltea y nota que su esposo nos mira desde la ventana, lo que la pone un poco nerviosa o ansiosa, no estoy segura.

—Podría darme un número, dirección... o preguntarle a su hermana y avisarme. Se lo agradecería —le digo.

—Haré lo que pueda, no le prometo nada. Deme su número de teléfono.

Le entrego una de mis viejas tarjetas que usaba en el FBI, con el nombre y número de Ainara Pons tachado y sustituido por el de Amanda Sacks. Ella lo toma y entra a la casa.

Vuelvo a la camioneta.

8

JUNIOR, ¿ESTÁS TOTALMENTE SEGURO DE ESO?

—¿Cómo te fue? ¿Qué te dijo la señora? —pregunta Donald apenas entro, ansioso.

—Por favor, que doce horas en carretera hayan valido la pena —suplica Junior.

Bob se me lanza encima para darme cariño. Yo elijo bien mis palabras para no desanimar a mis compañeros de viaje.

—Tenemos una pequeña posibilidad de encontrar el rastro de Jessica Hawk.

—¿Vinimos desde tan lejos por una pequeña posibilidad? —replica el muchacho.

—Suficiente, Junior. Todos estamos igual de cansados e involucrados que tú. Ainara, ¿cuál es esa pequeña posibilidad? —pregunta Donald con más interés y madurez.

Respiro profundo antes de hablar. La verdad, estoy demasiado cansada y no puedo pensar bien así. No hemos dormido casi nada en las últimas cuarenta y ocho horas. Necesitamos descansar.

—En este momento no estoy segura de nada. Lo único que sé es que necesitamos comer algo y dormir mucho.

Iremos a un hotel, después de hacer lo primero, decidiremos el siguiente paso. ¿Les parece?

Ellos asienten, Bob ladra y yo arranco.

~

Central Motel
8:20 p. m.

Tomé la habitación más grande del complejo para que los cuatro estuviéramos lo más cómodos posible. Pedimos demasiada comida y la devoramos toda gracias a mi bestia negra, quien quedó rendido después de semejante banquete; restos de *pizza*, pollo frito, arroz chino y hamburguesas. Nos tomamos turnos de veinte minutos para ducharnos. Yo agarré el primero y aproveché el tiempo de ellos para cerrar los ojos y dormir cuarenta minutos. Lo que contrarrestó mi cansancio como una curita cubriría la herida hecha por una escopeta. Sin embargo, fue de provecho. Por otro lado, Lana me envió por mensajes los números y la dirección de su hermana Tina, en Brooklyn. Me dijo que no ha tenido contacto con ella desde hace casi un año y que es posible que haya cambiado de número o dirección. Un gran y profundo deseo de volver a mi ciudad crece poco a poco, la excusa de encontrar a Jessica Hawk lo alimenta.

Una vez que todos estábamos llenos y duchados, nos reunimos en las camas para decidir qué hacer. Pregunto si alguno de ellos tiene sugerencias que dar, se miran entre sí y se quedan callados. Primero le cuento breve pero detalladamente mi situación con Hawk a Junior y le explico que resolver ese asunto influirá en el resultado del suyo.

—¿Entonces el lunático que asesinó a Christine podría

entrar por esa puerta mientras estamos dormidos y...? —pregunta Junior.

—No creo que sepa en dónde estamos, por ahora llevamos la ventaja —contesto

—Es imposible que nos haya seguido por carretera sin que nos diéramos cuenta —agrega Donald.

Junior se levanta de la cama y comienza a caminar en círculos.

—¿Qué haremos, Ainara? ¿Cuál es el siguiente paso?

—Dependiendo de qué logre conseguir con el número que me dieron, tendré que ir a Nueva York. Estoy segura de que —dice y señala al muchacho— mientras tú y yo estemos lejos de Eureka, nadie morirá allá.

—¿Nueva York? Es muy lejos... nos va a tomar días ir y volver —dice Donald.

—No tienes que ir con nosotros. Entiendo que tienes tu vida y cosas que hacer —le digo.

—Sí, profesor. No tiene que ir. Yo sí que quiero. Me encantaría ir a Nueva York, «la ciudad que nunca duerme». Tengo amigos allá que quisiera volver a ver.

—No llegarás antes del lunes, y las personas comenzarán a hacer preguntas, Ainara.

—¿Quién?, ¿el *sheriff*? Ese desgraciado trabaja con los narcotraficantes y ya me culpó por la muerte de Christine, no deberíamos preocuparnos por él —dice el muchacho.

Siento el cosquilleo en la nuca al escucharlo y un mundo de posibilidades se abre en mi mente. Nueva York y mis ganas de ver a mis amigos tendrán que esperar.

—Junior, ¿estás totalmente seguro de eso? —pregunto mirándolo detalladamente para evaluar sus gestos.

Él sonríe.

—Personalmente lo llegué a ver varias veces hablando con

los sujetos en el lugar al que Daz y yo íbamos a buscar la mercancía.

—Debiste haber mencionado eso antes, muchacho —dice Donald.

—Desde el preciso momento que llegamos al bosque —agrego—. Ahora las cosas cambian radicalmente. No estamos lidiando con un hombre honesto, sino con un pobre diablo que rompió el juramento a su placa.

—¿Qué piensas hacer? —pregunta Donald.

—Tengo tres problemas; Hawk, el instituto psiquiátrico y los narcotraficantes. Necesito solucionar alguno antes de perder la cordura. Volveremos a Eureka y le revelaré mi identidad a ese hijo de puta, lo obligaré a que nos ayude a negociar el problema de Junior.

Junior se me sienta al lado y me mira con ojos de niño ilusionado, sintiendo algo de esperanzas.

—¿Crees que acepte?

—Tendrá que aceptar —digo con total confianza.

Donald ahora es quien se levanta de la cama, luce tenso.

—Es muy arriesgado, Ainara.

—No te preocupes. He estado en peores situaciones y sé cómo tratar a idiotas como ese. Se la dan de hombres, pero son los más cobardes. Suplicará negociar cuando le diga quién soy.

Conversamos durante un rato hasta que a Junior le da sueño y decide ir a acostarse. Antes de hacerlo, despierta a Bob para que lo acompañe en la cama y mi bestia negra no lo duda. Duermen abrazados. Donald y yo no hemos podido descansar casi nada, sin embargo, no tenemos sueño. Él llama a recepción y pide unas cervezas.

Cuando llegan, nos dedicamos a beberlas y a charlar sentados en una cama mientras los niños duermen a placer en la de al lado. Necesito relajar mi mente, y entonces quizá logre conciliar el sueño.

—¿Por qué estás aquí? —pregunto y sujeto su mano.

—Necesitas apoyo. —Mira a Junior y a Bob—. No es fácil lidiar con un niño y un adolescente.

—¿En serio? ¡Mira dónde estamos, Montana! Con un prófugo de Eureka y conmigo, el blanco de un asesino en serie. Solo un demente querría estar con nosotros por su propia voluntad. Y no eres un demente, ¿por qué estás aquí?

Él sonríe, bebe de su cerveza y se me acerca con movimientos toscos. Nuestras caras quedan a centímetros.

—¿Y si te digo que no tengo idea? Que solo sé una cosa, y es que cuando te veo a los ojos me pierdo en ellos, son mágicos para mí. Solo quiero verlos mientras sonríes como ahora.

Y lo hago no solo por sus lindas palabras, sino porque también me doy cuenta de que todas mis «relaciones» con los hombres que me gustan inician en medio de algunas de mis dramáticas situaciones. Lo que me gusta, ya que en los tiempos fáciles no se conoce verdaderamente a la persona que tienes al lado; es en los difíciles que se ve de qué estamos hechos, de lo que somos capaces y si de verdad queremos algo o a alguien. Donald vino con nosotros porque así lo quiso, a pesar de todos los riesgos, y sé que se quedaría hasta el final sin que se lo pidiera.

—Te diría que me ha encantado tu respuesta. Y que…

Me besa. Lo hace delicadamente, como si tuviera miedo de romperme. Me toca con sutileza mientras nuestras respiraciones comienzan a descontrolarse de a poco. De la nada aparecen muchos recuerdos y sentimientos encontrados que intentan robarme el momento, por lo que me adelanto y suelto mi cerveza para montarme encima de Donald.

Cuando me voy a quitar la camisa, veo a Junior dormido

al lado de Bob, a quienes habíamos olvidado completamente. Un ataque de risa me invade al entender lo que estaba a punto de pasar.

—Sí, mejor nos calmamos —dice Donald. / over due

—Seguro que a la tercera es la vencida —le digo para consolarlo y le doy un beso en la boca.

Nos sentamos en la cama y me pide que lo acompañe afuera de la habitación. Recargamos nuestras cervezas y salimos. Si bien al principio no entiendo para qué, al salir, lo hago.

—Es un viejo hábito. Lo estoy dejando —asegura luego de liberar el humo de su cigarrillo.

—No tienes que explicarme. Todos tenemos nuestros propios problemas y vicios. —Levanto mi cerveza—. He tenido malas épocas, y generalmente las atravieso con esto.

—Somos dos… Ainara, ¿cómo eras? Ya sabes, antes de todo.

Fue hace tanto tiempo y todo es tan diferente que se me hace difícil recordar con precisión, y hasta me parece una vida ajena, distante. Ya no me queda nada de aquella época en la que una vez fui plenamente feliz.

—¿Qué quieres saber? —pregunto.

—Todo. Tenemos tiempo, ¿no?

—Soy neoyorquina de nacimiento. La familia de mi madre pertenecía a la alta sociedad desde el siglo antepasado. Ella fue hija única del matrimonio de mis abuelos, un par de viejos estirados. Debido a eso, Merlina era una amargada de primera, aunque no siempre fue así. En los mejores recuerdos que guardo de mi infancia…

Trago saliva al recordarla y no puedo continuar hablando, me duele el pecho. Me es difícil aceptar que en nuestra última conversación prácticamente le deseé la muerte; la que después le llegaría.

Donald bota el cigarrillo y me abraza sin decir nada, puede entender lo que siento.

Continúo hablando, pero más rápido y aumentando de forma descontrolada la velocidad mientras me sumerjo en recuerdos profundos.

—Cuando estaba Rachel con nosotros, todo era bueno. Teníamos una buena vida, ¿sabes? Tenía a mi hermosa hermana y a dos padres que se querían. Aunque ellos tenían sus discusiones de vez en cuando, no era problema. Yo estudiaba Medicina, amaba esa carrera. Tenía muchos amigos, salía de fiesta algunas veces. Me gustaba mi vida, era feliz. Ahora eso parece que fue una especie de sueño. Los viajes a la playa, los paseos en los parques, Rachel y yo patinando en el lago de hielo del Central Park…

—Los recuerdos son todo lo que nos llevamos a la hora de morir. Guárdalos, y en los peores momentos, aférrate a ellos.

Hago todo lo contrario, intento nunca hablar de mi pasado para olvidarlo y no sufrir recordando lo que nunca volveré a tener, sentir o vivir. Detesto el pasado que no puedo repetir y odio el presente que tengo que aguantar.

Entramos a la habitación y terminé de contarle muchos más detalles sobre mi pasado. Luego fue su turno. Me relató gran parte de su complicada infancia con un padre alcohólico y abusador, quien los golpeaba a su madre, a su hermano y a él. Me confesó que por culpa de su padre creció reprimido y se volvió un asocial. No hizo amigos ni tuvo novias durante toda su época en la secundaria. Conversamos hasta quedarnos en estado de somnolencia. Él vuelve a tomar unas pastillas de aquel llamativo frasco, del que tengo que preguntar, cuando tenga fuerzas.

Quedándome dormida, escucho el sonido lejano de un golpe, decido obviarlo y por fin descansar.

—¿Pidieron algo? —pregunta Junior mientras me zarandea para que reaccione.

Abro los ojos con dificultad por el agotamiento. Él me está mirando confundido y con algo de temor. Se prenden mis alarmas y me siento en la cama de golpe. Toco debajo de la almohada y tomo mi arma.

—¿Qué pasó, Junior? ¿Qué dijiste?

Me repite la pregunta y me enseña un sobre que arrojaron por debajo de la puerta de la habitación. Mi corazón se acelera por los nervios y lo que implicaría que se tratase de Hawk.

9

BIENVENIDOS AL PARAÍSO

CENTRAL MOTEL
Domingo, 4:00 a. m.

Las manos me tiemblan mientras sujeto el sobre. Donald y Junior me observan a la expectativa de lo que tengo que hacer, abrirlo.

Al momento de sacar el contenido del sobre, siento un doloroso pálpito en el corazón y, sin poder evitarlo, todo se me cae de las manos. Las fotos de mi hermana Rachel en el tiempo que ese malnacido la tuvo en cautiverio son demasiado fuertes para mí. En estas se ve golpeada, maltratada, llorando, desnuda, aterrada, confundida. Me quería descontrolar, lo logró; quería demostrarme que sabe todos mis movimientos y que no tengo oportunidad, lo hizo bien. No puedo evitarlo, lloro, lloro mucho, de rabia, de dolor e impotencia. Quiero matar con mis propias manos a ese maldito enfermo. Lanzo lo que tengo cerca, golpeo la pared y grito en silencio.

Bob se altera al verme así y corre hacia mí, logrando

calmarme un poco con su inocencia y cariño. Donald también se me acerca e intenta consolarme, parece a punto de llorar. A medida que me voy relajando, comienza mi cerebro a maquinar opciones.

—No quiero interrumpir, pero ¿quién es ella? —pregunta Junior acercándonos la foto de una muchacha que jamás habíamos visto.

La voltea y nos damos cuenta de que en la parte trasera hay una dirección junto a la palabra «apúrate». Sé lo que significa, y aunque no creo que ella siga con vida, merece el intento. Respiro profundo para serenarme y poder pensar como la agente del FBI que soy, evaluando opciones.

—No pensarás ir —suelta Junior.

—No, Ainara no es tonta. Llamaremos a la policía y…

—Si ella sigue con vida y él ve que van policías, la asesinará. Junior, espéranos aquí y cuida a Bob, es mi mejor amigo y todo lo que tengo.

—Por favor, no vayan. No nos dejen tirados aquí…

—Aún conservas el teléfono que te di, ¿no? —Él asiente —. Si no volvemos antes del amanecer, úsalo. Pídeles en mi nombre, que quieres hablar con Peter Bennett o Danny Reed. Cuéntales toda la verdad y te ayudarán.

Llegamos al sitio luego de quince minutos de manejar. Es un antiguo Blockbuster abandonado. Aunque no creo que haga falta, desenfundo mi arma. Rodeamos el viejo local y entramos por la parte trasera. El lugar es tétrico por la oscuridad en donde descansan sus ruinas cubiertas de telarañas y polvo, abundan los fuertes olores a orín y excremento.

Caminamos con cuidado y la encontramos de inmediato. La muchacha de la foto que Junior nos mostró yace desnuda sobre un charco rojizo en el sucio suelo. Tiene grotescos cortes en diferentes partes del cuerpo y rostro, fue una muerte espantosa y sus ojos dilatados lo confirman. Quisiera decir que me sorprende o impacta, pero ya no es así. Lo único que siento es rabia y deseos incontrolables de asesinar a Jerry Hawk. No pierdo el tiempo y tomo la carta al lado del cadáver, la segunda. Esta dice:

Querida Ainara:

Espero que te hayan gustado las fotos de nuestra amada Rachel, se las tomé para recordarla cuando se me olvidara su hermoso rostro.

¿Crees que hurgar en mi pasado te va a dar alguna ventaja en este juego? Si es lo que crees, entonces deberías intentar huir, porque estás más perdida que nunca y no hay manera de que encuentres una forma de ganar.

Ya van dos nuevas almas enviadas al descanso eterno, solo falta una más y será tu turno.

JH

P. D.: Te dije que te tengo vigilada.

Donald está conmocionado, no puede hablar por la impresión del cadáver que tiene al frente. Tengo que tomarlo de la mano para salir. Enciende un cigarrillo y fuma para calmarse.

—¿Por qué lo hace, Ainara? —pregunta aterrado y confundido.

—Porque es un maldito enfermo, pero lo sigue haciendo porque nadie ha podido detenerlo. Lo haré, así me cueste la vida —digo.

—Si alguien puede, esa eres tú, y le harías un gran favor a la humanidad. Volvamos al hotel, Ainara.

—Primero necesito saber cómo está siguiendo mis pasos de forma tan precisa.

Luego de hacer una llamada anónima a la policía avisando de la existencia del cadáver de la chica, volvemos al hotel en silencio, cada uno sumergido en sus propios pensamientos y preocupaciones. Las mías son tres, que pronto serán solo dos si logro encargarme del asunto de Junior, a quien le contamos lo sucedido en el Blockbuster. Veo a Junior y a Donald por un instante, conversan. ¿Alguno de ellos estará con Hawk?, ¿sería posible?, me pregunto sin querer. El primero estuvo en mi habitación cuando ocurrió todo, y al segundo no lo conozco demasiado, solo sé lo que me ha contado.

—¿Estás bien? —pregunta Donald.

—¿Ainara? —dice Junior.

—Estoy bien, muchachos. Terminemos de empacar.

No quiero esperar más, si lo hago, comenzaré a ver cosas donde no las hay. Decidimos emprender el camino hacia Eureka apenas inicie el amanecer.

Estado de Idaho
_8:30 a. m._

El trayecto de regreso es completamente diferente. El ambiente dentro de la camioneta es de seriedad y sin lugar para juegos, conversaciones cotidianas o chistes innecesarios. Junior esta vez se sentó atrás junto con Bob, ahora son inseparables. Donald va a mi lado, callado y pensativo. Me enloquece no entender cómo Hawk logra seguir de cerca mis movimientos, por lo que reviso constantemente el retrovisor mientras hago cálculos sobre las posibles situaciones con las que me puedo encontrar al intentar negociar con el *sheriff* y los narcos: ninguna es buena o demasiado realista. Por lo que una idea ronda con fuerzas en mi cabeza, y es tomarles la palabra a los viejos locos de Benjamin y Arthur; necesito refuerzos.

Una llamativa tienda por la avenida en la que vamos transitando me refuerza el plan que se me empieza a armar en la cabeza, y también me ayudará a sosegar mi creciente paranoia. Me estaciono en Tech Assault.

—¿No íbamos a negociar, Ainara? ¿Qué hacemos aquí?

—Este es el plan y lo intentaré —digo y respiro profundo antes de continuar—. En el FBI me enseñaron a esperar lo mejor en cada misión, pero que siempre estuviera preparada para lo peor. Y es lo que haremos. Esos infelices no volverán a agarrarme desprevenida.

—Siempre quise aprender a disparar —comenta Junior.

Descendemos de la camioneta e ingresamos a la tienda.

—Bienvenidos al paraíso —digo algo excitada.

Es impresionante el número de armas que están en exhibición; desde revólveres a rifles para francotiradores. Junior enloquece mirando y preguntando por cada tipo de arma que ve. Donald observa en silencio, no le gusta la idea. Agarro un carrito de compras y empiezo. Tomo dos fusiles de asalto AR-15 con miras variadas, veinte cartuchos y cajas de balas; dos fusiles de francotirador Dragunov, veinte cartuchos y suficientes balas; tres Beretta, veinte cartuchos más balas extras; por último, cinco chalecos antibalas, bolsos, tiendas para acampar y artículos para la montaña.

Donald, Junior y dos vendedores me miran alertados, sorprendidos. A los extraños les enseño mi placa y les explico que es para fines de entrenamiento.

—Esas armas no deben de ser baratas, Ainara, ¿cómo vas a pagar eso? —pregunta Donald.

—Llévatelas, Ainara. Podemos practicar con ellas en el campo de mi tía. Vive en las afueras de esta ciudad —dice Junior emocionado.

—Te mencioné que mi madre era de una familia adinerada. Todo lo que era de ella lo heredé y también he ganado dinero en el FBI.

—¿Necesitas todo eso? —pregunta Donald con asombro.

—Sí.

El cajero de la tienda se sorprende al entender que la interesada en comprar ese pequeño arsenal de guerra soy yo.

—Son 5 546 dólares, señorita.

Todos se quedan en silencio y me miran entretanto saco la tarjeta para pagar. Nadie dice nada hasta que vuelve a intervenir el cajero.

—Listo, puede llevarse las armas. Le deseo una excelente… caza.

No sé si llamarlo caza, pero es parecido. Salimos de ahí antes de llamar más la atención y continuamos el viaje de regreso. Tener esas armas cerca me regala un poco de tranquilidad, aunque sé que me falta mucho para terminar esto. Recuerdo a Mary, la enfermera del psiquiátrico que prometió ser mis ojos y oídos dentro del lugar. Quiero llamarla, sin embargo, lo más prudente sería esperar a que ella se comunique.

Me detengo en una estación de servicio para llenar el tanque y aprovecho para llamar a la tía de Jessica Hawk. Lo intento dos veces a los dos números que me dio su mamá. El del celular está fuera de servicio y el de casa repica sin parar;

nadie atiende. No creo que Lana me engañara, no tendría sentido. Ahora solo me queda una dirección que está a cientos de kilómetros y muy poco tiempo para ir a averiguar, a menos que no vaya a Eureka en este momento. Mientras lucho por tomar la elección correcta, siento que cada segundo que pasa es uno menos para mí, que me queda muy poco tiempo.

La vida, la suerte, el universo o Dios, quien sea o lo que sea, tiene maneras extrañas de dar señales. Cuando intento encender mi Tundra después de cargar el combustible, no hace nada, parece haber muerto. Nos bajamos y la empujamos hacia un lugar en donde no estorbe. Un amable trabajador de la estación me recomienda el taller que está al otro lado de la calle. Dejo a Donald vigilando a Junior, quien cuida a Bob y a la camioneta.

Converso y negocio con el administrador del taller. Con una grúa remolcan mi Tundra y la preparan para revisarla luego de que desocupen un puesto. Ven los agujeros de balas y se miran entre ellos, no comentan nada. Esperamos en total aburrimiento un par de horas hasta que comienzan a chequearla. Al poco tiempo se me acerca uno de los mecánicos.

—Una buena y una mala noticia…

—La mala —pido.

—El motor de arranque está frito, tenemos que repararlo y también hay que corregir las fugas que todavía tiene. Lo que sea que le hayan hecho, no va a aguantar mucho.

—¿Cuánto tiempo? —pregunto ya perdiendo la paciencia.

—Es domingo y no tenemos casi personal trabajando. Lo más rápido, mañana en la mañana.

Cierro los ojos, respiro profundo y le pido la buena noticia.

—Cambiamos la ubicación del GPS externo que le colocaron. En donde estaba era muy visible —dice el mecánico.

No le pregunto cuál GPS externo porque ya entiendo

cómo el desgraciado de Hawk me estaba siguiendo, no comprendo cómo no se me ocurrió antes. Le doy las gracias.

Le pido a los muchachos que me ayuden a sacar los bolsos que contienen las armas y dejamos lo demás.

—¿Qué te dijeron? —pregunta Donald.

—Nada importante. Solo que se demorarán hasta mañana para reparar los daños que tiene.

—Iremos a otro hotel, ¿no?

—Sé dónde queda la casa de mi tía. Podemos pasar la noche gratis allí y practicar con las armas. Es un campo enorme.

Sería una buena opción para enseñarles a ambos a disparar, no sabemos qué situación se nos pueda presentar en Eureka y necesito prepararlos lo mejor posible. Al mismo tiempo, nos servirá para descansar una noche completa. Le digo que sí a Junior.

Mientras esperamos detener a un taxi que nos lleve, decido que mañana iré a Nueva York. Y nadie lo sabrá hasta que esté en el aeropuerto. Debo improvisar, no puedo seguir siendo predecible.

～

Afueras de Idaho, campo de los tíos de Junior
Sábado, 12:20 p. m.

Desde el momento en que llegamos fuimos muy bien recibidos. Nos brindaron meriendas, comidas y bebidas. Luego de explicarles la difícil situación de Junior, y sobre todo de que no dijeran nada de su paradero, ni a sus padres, nos cedieron amablemente un extenso terreno para que practicáramos los tiros. Junior se mostró emocionado y eufórico por tener las armas en sus manos, aunque su destreza para utilizarlas dejó mucho que desear. Por otro lado, Donald prestó mucha atención a mis indicaciones y logró desenvolverse mucho mejor de lo que esperaba. Fue bueno con la pistola e incluso dominó el retroceso de los fusiles de asalto.

Yo practiqué con los rifles francotiradores y los de asalto. Si bien tenía mucho tiempo sin usar armas de esos calibres, fue como volver a andar en bicicleta después de años. Bob correteó sin parar por los inmensos terrenos, jugó y olisqueó a cuanto animal o planta se encontró. Esa noche nos acostamos temprano. Aunque con demasiados pensamientos y asuntos pendientes, logré descansar más de doce horas por el enorme agotamiento que acumulaba. Sabía que el día siguiente era muy importante y necesitaba estar lo más fresca posible.

RECUPERANDO EL CONTROL

CAR LUXURE, alquiler de vehículos
Lunes, 8:30 a. m.

Después de buscar mi Tundra en el taller, decidí que era el momento ideal para iniciar otra fase de mi guerra con Hawk. En la que lamentablemente Donald no podía participar, no por ahora.

—¿Qué hacemos aquí? —pregunta Donald cuando me estaciono.

—Tengo que pedirte un favor.

—¿Vamos a Nueva…?

—¡Junior! Por favor, déjame terminar de hablar con Donald.

El muchacho se recuesta en el asiento. Donald me mira, esperando una respuesta.

—Necesito que vuelvas a Eureka con Bob y lo cuides. Nosotros nos quedamos…

—No. ¿Por qué? ¿Qué harán?

No quiero decirle a nadie, y no es que desconfíe de él, solo no quiero que haya espacio para los errores. Es hora de quitarle el control a Hawk.

—Volveremos a Montana.

—¿¡Qué!? No, no quiero —interrumpe el muchacho.

—¡Junior! —soltamos Donald y yo al mismo tiempo. Junior vuelve a callarse.

—Necesito investigar más a fondo. Creo que Lana me mintió y necesito toda la verdad.

—Puedo y quiero quedarme, Ainara. No me excluyas.

—Debes volver al trabajo. Comenzarán a hacer preguntas si faltamos los dos. Necesito que seas mis ojos y oídos en el pueblo —le digo a Donald.

—Ainara, tengo miedo de dejarte sola.

—Sé cuidarme, Donald. Si no me crees, pregúntale a Junior. Estaremos en contacto continuo.

—La vi eliminar a dos bastardos con una pistola, ellos tenían ametralladoras y eran muchos.

—¿Y si aparece el tal Hawk? —me pregunta.

—Ya lo tengo cubierto, no me volverá a encontrar. No si yo no lo deseo.

—Pero…

No me importa lo que pueda pensar el muchacho, tomo a Donald por el rostro y lo beso por varios segundos. No quiero alejarlo, sin embargo, trabajaré mejor en Nueva York sin él. Le ruego que cuide a mi bestia negra, que espere por nosotros, y le prometo que volveremos pronto.

Me entristeció un poco haberlo prácticamente obligado a irse, pero fue lo mejor. Hay muchas vidas en juego y necesitaba volver a ser Ainara Pons, la agente especial del FBI, enfocada y decidida. Lo primero que hice fue colocarle el GPS a un vehículo estacionado en la calle, para despistar. De ahí fuimos al aeropuerto. Junior casi enloqueció de emoción al entender que al fin conocería Nueva York. Dejé mi Tundra en el estacionamiento, llena de armas y balas. Compramos dos pasajes en la aerolínea que salía más pronto hacia mi ciudad y en media hora nos llamaron a embarcar el avión. Aproveché la espera para llamar a Benjamin, contarle la verdad y explicarle la situación; Junior me dio dos nombres que conocía de los narcotraficantes y se los proporcioné a Benjamin, este prometió investigarlos a fondo y preparar todo para la «guerra».

De nuevo tuve que interceder con mi placa cuando Junior encendió las alarmas por estar solicitado por homicidio. Afortunadamente, todo salió bien.

∼

Nueva York
10:15 a. m.

Ver los enormes edificios alzándose en el horizonte me eriza la piel. Ya puedo imaginármelos a todos sorprendiéndose en la oficina cuando me vean llegar. Quiero ver a Danny, a Peter, a Amy, a Phillip y a mis vecinos. Me provoca un café malo de la ciudad, hacer cola en el pesado tráfico. Los humanos somos seres tan maravillosos como raros, soy un vivo ejemplo.

—¿Toda tu vida has vivido aquí? Es increíble —comenta Junior con emoción.

—Sí, toda mi vida. Es la mejor ciudad del mundo hasta que te cansas de ella — le digo.

—Nunca me cansaría, hay tanto que explorar y conocer. Están las mejores discotecas…

El capitán informa por el altavoz de la nave que debemos asegurar nuestros cinturones porque estamos por aterrizar en el Aeropuerto Internacional John F. Kennedy. Mi corazón se agita un poco y las ansias por descender aumentan. Cuando bajamos del avión y me recibe el aire fresco de Nueva York, me siento en casa. Es una sensación acogedora e indescriptible que me recarga de energías y algo de optimismo.

Solo llevamos equipaje de mano, por lo que salimos rápidamente y tomamos un taxi hacia mi hogar en Queens. Junior observa muy animado la colorida ciudad, con ganas de conocerla. Llegando al punto de pedirme que nos bajemos y caminemos. Me pregunta por casi todo lo que observa por la ventanilla del vehículo; le respondo para saciar su curiosidad hasta que nos acercamos al destino.

Recibo un mensaje de Donald, informándome que llegó a Eureka y que el *sheriff* lo estaba buscando para saber de mi paradero. Me tranquiliza que llegara bien y me agrada la idea de que el imbécil del *sheriff* quiera encontrarme, porque pronto lo hará.

Ver la calle en donde viví y sobrepasé tantas situaciones difíciles el año pasado me produce raras sensaciones. Todo sigue exactamente igual —el viejo Jeep de un vecino continúa sin neumáticos y encima de unos bloques, los mismos pandilleros fuman reunidos al frente de la misma casa—, yo fui quien cambió, no soy la misma que se fue hace poco más de seis meses. Le pago al taxi y nos bajamos.

—¿Esta es tu casa?

Asiento y le pido que vaya adelante. No estaba en mis planes volver a Nueva York, no tengo llaves de mi propia casa, así que me valgo de lo que haya a mano para abrir la cerradura.

—¿Quién eres? —pregunta el muchacho, sorprendido, al ver que la abro.

Debo haber tardado mucho en reaccionar, ya que él me

toca por el hombro y pasa al interior. Si ver la calle me produjo bastantes emociones, entrar a casa lo hace el doble. Está llena de polvo, pero los recuerdos siguen intactos. Voy encendiendo las luces mientras la recorro. Todo luce tal como lo dejé, solo falta Bob, no es lo mismo sin él. Al momento en que llego al estudio es que entiendo que alguien más estuvo aquí. Dejaron la puerta abierta y un desorden sobre mi habitual desorden. Me enfurece que el malnacido de Hawk haya violado mi privacidad y espacio, pero me alegra que no me hubiera agarrado desprevenida; aunque como veo las cosas, si él hubiera querido asesinarme, hace rato que yo estaría muerta.

Mi teléfono repica, en la pantalla aparece un número desconocido. ¿Lo invoqué con el pensamiento? Puede ser Hawk, se dio cuenta de que desaparecí. Tengo que quitarle el control. Atiendo.

—¡Maldi…!

Cuelgo y comienzo a reírme, por haber acertado o por los nervios de escuchar su voz después de tanto tiempo. Respiro profundo. Junior me ve con curiosidad. Inician los repiques y atiendo al décimo.

—¡Si me vuelves…!

Le corto. Quiero que se desespere, que pierda la cordura y se desestabilice. Los psicópatas como él no pueden sentirse bien si no están seguros de que tienen el control absoluto. Continúa llamándome incesantemente, pongo el celular en silencio y lo olvido.

Junior me pregunta qué haremos ahora. Para su mala suerte, ya tengo planes para él y no le agradarán. Le pido que me acompañe a la casa de mis vecinos, los Wong. Quiero pedirle un favor a Liu y saber cómo sigue Kim, ya debe de haberse recuperado en la rehabilitación. Al llegar, toco la puerta.

—¡Liu! —digo. Es extraño, pero de verdad me alegra verlo.

—¡Ainara! —dice y me da un gran abrazo—. ¿Por qué tardaste tanto en regresar?

—He estado algo ocupada, Liu. Me alegra mucho verte.

—Te hemos echado de menos. Mi hermana no recuerda cuando la visitaste después de haberla salvado. Pero ha deseado agradecerte en persona por meses. Logró recuperarse, debes verla.

Liu, muy emocionado, grita y llama a Kim. Ella sale de su cuarto bostezando y limpiándose la cara. Luce increíblemente bien y saludable, recuperó peso. Cuando me ve, se tapa la boca y se paraliza. De sus ojos comienzan a salir lágrimas y corre hacia mí con los brazos abiertos. Nos abrazamos. Llora en mi oído mientras intenta pronunciar palabras que no logran salir de su boca. Estas cosas no me pasan a mí, pero provoca que mis ojos se humedezcan un poco. Verla bien me recuerda por qué soy agente del FBI.

—No pasa nada, todo está bien —susurro mientras intento respirar para calmar mis emociones.

—He esperado por meses para agradecértelo. Me salvaste la vida y a muchas más. Eres la mujer más increíble, determinada, fuerte y especial que puede existir. Volví a nacer gracias a ti, Ainara. ¿Puedo decirte así?

Le digo que puede llamarme como quiera y que es para mí un honor haber contribuido a que ella se salvara. Todos conversamos amenamente durante un rato y aprovecho un momento en privado con Liu para pedirle que me ayude con Junior. Al momento que aviso que tengo que irme por asuntos importantes, Junior se levanta para acompañarme, sin embargo, le informo que se quedará con los Wong. Debo trabajar y no quiero distracciones, iré a la dirección de la hermana de Lana.

~

E 42nd St. Brooklyn
12:20 p. m.

Le pago al taxista y bajo. Es curioso que la calle y la casa queden al borde de un cementerio —el Holy Cross—. Al sacar mi celular, veo que tengo treinta y seis llamadas pérdidas del número que utilizó Hawk, lo ignoro. Aunque espero que ningún inocente pague la furia demencial que estoy despertando en él.

Llamo a los teléfonos que Lana me proporcionó de su hermana y nada ha cambiado. Está muerta la línea del celular y nadie atiende el fijo. Me acerco a la entrada de la pequeña casa, toco la puerta, y al no escuchar nada en el interior, la rodeo entrando en el terreno de la propiedad. Miro por las ventanas. Todo luce normal, incluso hay platos en la mesa de la cocina.

Continúo hasta la puerta trasera, la fuerzo y entro.

Nadie ha estado viviendo aquí, a pesar de que la casa tiene todo completo; en la refrigeradora hay alimentos descompuestos y los clósets están llenos de ropa. Salieron pensando que iban a volver o salieron obligados y no los dejaron regresar. Algo le pasó a la tía de Jessica Hawk, quizá a ella también. Reviso más a fondo en un intento de encontrar alguna pista. Al no hallar nada, me marcho.

—¿Eres familiar de Tina? ¿Por qué no ha vuelto? ¿Le pasó algo? —pregunta un hombre que al parecer es un vecino y se presenta como Albert.

—Sí, soy su sobrina. Vine porque tengo meses sin saber de ella y quería saber si se encuentra bien. Ahora estoy preocupada —digo fingiendo el sentimiento.

Si bien trato de sacarle todo lo que puedo, solo me da una curiosa información. Según él, Tina había estado actuando raro desde que metió a un hombre mucho más joven que ella a vivir en su casa. Albert cree que Tina era amante de este misterioso sujeto y se fue con él. Cuando le pregunto cómo era el hombre, no sabe describirlo.

—Solo recuerdo que era guapo —dice.

Necesito pensar y hacer que este viaje valga la pena. Tomo un taxi a mi bar favorito, The Astorian.

Al llegar me siento como en casa, extrañaba el lugar. El barman y dos meseros me saludan al reconocerme y me invitan a tomar asiento en uno de los muebles en la esquina en donde está la chimenea. Sin que les diga qué quiero, me llevan un vaso de *whisky* y un plato de papas fritas por cortesía de la casa. Mi celular suena, es la enfermera.

—¡Ainara!

—Mary, ¿qué ocurre?

—Logré robar una tarjeta, estoy bajando por el ascensor. Tengo miedo…

—Vuelve, no vayas, Mary. Estoy muy lejos. No sabemos qué te puedes encontrar. Si eres una amenaza para lo que sea que están haciendo allí, te eliminarán.

Hay mala señal, se escucha interferencia y no escucho si responde. Esta mujer me va a matar de un susto.

—Hay un pasillo largo, está bien iluminado. Estoy caminando. Hay muchas puertas… que dan hacia habitaciones con… camas. ¿Qué es esto? —pregunta ella extrañada.

—Sal de allí, Mary —le ordeno.

La comunicación se cae. No puedo llamarla porque podría exponerla. Decido pasar el tiempo aquí mientras espero a que llame, por lo que ordeno un almuerzo sencillo y otro trago.

～

Apenas Mary volvió a llamarme para informarme que casi la descubren, pero que logró escapar, me vine a las oficinas del FBI. Le ordené que no lo intentara de nuevo, que me esperase. De Hawk tenía veinte llamadas más, está enloqueciendo.

∽

Oficinas del FBI
5:20 p. m.

Los tragos y el tiempo a solas me hicieron entender que quizá necesite ayuda, así que aquí estoy para pedirla. Espero que, por la hora, las oficinas estén despejadas.

Al entrar recibo la primera buena señal, mi tarjeta de seguridad aún está activa. Pasar al recibidor, recorrer los pasillos y tomar el elevador me resulta tan reconfortante, siento que no me fui por más de unos días y que mi tiempo en Eureka solo ha sido un paseo catastrófico.

Las puertas del ascensor se abren y camino ansiosa. Espero que Peter o Danny estén, quiero verlos, abrazarlos y contarles todo, con suerte me entenderán. Y los encuentro al avanzar un poco, los diviso a través de una pared de vidrio. Mi Danny y Peter están sentados sobre un escritorio mientras conversan muy animadamente con dos asistentes o novatas. Son muy jóvenes y hermosas. Ese par de idiotas ahora parecen ser los mejores amigos, se ríen y coquetean con ellas.

—Desgraciados..., se nota que me extrañan —murmuro con rabia, aunque sé que no tengo derecho a molestarme. Fui yo quien se largó y desapareció.

Quiero ir hacia ellos y correr a esas ~~mujerzuelas~~ sluts. Respiro profundo porque sé que no soy así, deben ser los tragos que están nublando mi juicio o es culpa de las terapias, que me

229

han convertido en una mujer emocional. Lucho con mis sentimientos hasta que Peter voltea hacia donde estoy y me ve. Se
queda paralizado, yo tampoco puedo moverme mientras
siento que el corazón me va a estallar por la emoción. Danny
nota que a su compañero le pasa algo y también me encuentra
con su mirada, queda tan sorprendido como Peter. No sé qué
hacer, pero cuando Peter y Danny se ponen de pie, salgo
corriendo al ascensor.

11

ENTRE COPAS

Toco el botón del ascensor varias veces, sin parar. No quiero hablar con esos idiotas, que se queden con esas mujerzuelas.

—¡Ainara! —grita Peter desde lejos.

—¡Ainara, por favor, espera! —suelta Danny.

Las puertas se abren, entro y presiono rápidamente para que se cierren. Los dos logran llegar y verme a la distancia durante los dos segundos que tardan en cerrarse.

Salgo del edificio a toda velocidad y me escondo detrás de un vehículo estacionado al otro lado de la calle. Desde donde logro verlos salir a los pocos segundos. Me buscan con desesperación hasta que entienden que no me encontrarán, y vuelven al interior. Esta situación me avergüenza y recuerda mi época en la secundaria, lo que me enoja. Aunque ya no pediré ayuda al FBI, puedo usar sus recursos. Si mi tarjeta de identificación sigue activa, mi cuenta para entrar en la base de datos debe de estar igual.

Si bien no quiero hacerlo y lo he evitado desde que escapé de prisión, necesito un vehículo para moverme en la ciudad.

~

280 Washington Ave, Brooklyn
6:00 p. m.

Apenas bajo del taxi, camino directo y sin miramientos a la casa que era de mi madre, en donde viví toda mi bonita infancia y que ahora me pertenece. Como tampoco traje llaves, la rodeo, fuerzo la entrada trasera e ingreso. Avanzo sin mirar a los lados, tomo las llaves de su Mercedes-Benz y salgo. Estando afuera puedo volver a respirar. Entonces entiendo una cosa, no puedo volver a entrar allí, no hay más que bonitas memorias que me recuerdan lo desgraciada que soy hoy. Debo vender esa casa y olvidarme de ella para siempre.

Entro en el Mercedes y arranco a casa, tengo trabajo por hacer. Para encontrar a Jessica Hawk, primero debo hallar a su tía. Si Tina fue asesinada, encontraré registros de ello; si desapareció, quedaré en blanco y nada de esto habrá valido para algo.

Al llegar a Queens, compro alimentos en un pequeño negocio y luego busco a Junior en casa de los Wong. Desde el momento en que él sale, comienza a mirarme diferente y se comporta más recatado, ni siquiera enloquece con el Mercedes que era de Merlina.

—¿Todo bien, Junior?

—Sí, Ainara. La pasé muy bien con Liu y Kim. Me enseñaron muchas cosas y me divertí con ellos, son personas increíbles, como tú.

Me detengo al no entender su actitud. Él no es así y estoy de mal humor.

—¿Qué haces? No tengo tiempo para actitudes extrañas de adolescentes.

—Kim me contó por todo lo que pasó. No tenía esperanzas de escapar. Trató de suicidarse dos veces y está segura de que a la tercera lo habría logrado. Pero no hubo un tercer intento porque tú, contra todo pronóstico, hiciste caer a la agencia de modelos y red de prostitución más grande del país. Y ahora lo recuerdo, vi aquella noticia en los periódicos del pueblo, pero primero hablaron de un agente. Después se descubriría que fuiste tú quien ideó todo.

Asiento y le pido que entremos a mi casa. Preparo una cena rápida para ambos, comemos y yo me dirijo al estudio. Enciendo mi vieja *laptop* de trabajo, no la utilizo desde hace mucho tiempo. Cuando voy a ingresar el nombre de Tina en la base de datos, suena el timbre.

Aunque no creo que sea algún peligro, le susurro a Junior que se quede detrás de mí y me acerco a la puerta con cautela.

—¡Ainara! Sé que estás ahí, me dijeron que te vieron. ¡Traigo unas botellas! —grita Amy Evans.

Abro la puerta emocionada, la extrañaba.

—¡Amiga!

Nos abrazamos por al menos veinte segundos y el excesivo contacto no me incomodó; no soy la misma persona, me he vuelto blanda.

—Hace diez minutos llegué al The Astorian y Richard, el camarero, me dijo que estuviste tomando unos tragos allí temprano. ¿¡Cuándo llegaste!? ¿Por qué no me avisaste? ¿Dónde has estado? ¿Por qué nunca respondiste mis correos? ¿En qué andas, Ainara Pons?

—Calma, Amy. Pasa, tengo mucho que contarte.

—Más te vale que me lo cuentes todo y que quede conforme. —Se detiene y lo queda mirando a Junior—. Hola, guapo. Amy Evans, mucho gusto.

La belleza y la presencia de mi amiga lo enmudecen, tarda varios segundos en responderle el saludo.

Sirvo dos copas de vino y nos instalamos a hablar en la cocina. Me cuenta que luego de ser recontratada en el periódico fue ascendida a editora en jefe. Que le ha ido muy bien y que conoció a un hombre especial. Me enseña su sortija de compromiso que tenía guardada en la cartera.

—Amy, felicidades. Espero conocerlo pronto, cuando tenga todo en orden —digo al abrazarla.

—Ainara, discúlpame. Solo he hablado de mí. Cuéntame todo de ti. ¿Estás en un nuevo caso? ¿En problemas? —pregunta tomándome de las manos.

—Tengo tres grandes problemas, amiga.

Entre copas, y por al menos una hora, le narro el porqué y todo lo sucedido desde que me fui a Eureka. Al principio escucha con entusiasmo cómo era mi vida en Eureka, el ambiente pueblerino, yo dándoles clases a unos niños, yendo a pescar y a pasear por la naturaleza, mis amigos Benjamin y Arthur, y Donald. Cuando sigo por la parte en que todo este desastre comenzó —el cadáver del estudiante Daz tendido en la calle y luego el de Christine en mi cama—, Amy cambia de mirada al comprender que lo de Hawk es un asunto muy serio y peligroso, incluso para ella, por estar ahora sentada al frente de mí; sin dejar a un lado la existencia de unos temerarios narcotraficantes que no piensan dos veces para asesinar a un oficial de la ley.

—Esto es malo y peligroso, pero no es peor que todo lo que viviste el año pasado. Puedes con esto y con mucho más. Cuentas con mi apoyo y tienes a todo el FBI de respaldo. Solo los llevas y volteas a ese pueblo patas arriba —dice ella.

—No puedo contar con el FBI, solo en último recurso. Si Hawk los ve o siente su presencia, volverá a desaparecer y nunca podré vivir en paz…

—O quizá no sobrevivas.

—Quizá no, pero no perderé sin dar la pelea, Amy. Ahora que estás aquí, tengo un plan para todo.

—¿Qué planeas hacer? Y lo que sea que esté en mis manos, lo haré —responde ella.

—He estado evadiendo las llamadas de Hawk para que entienda que perdió el control, quiero desequilibrarlo para que se equivoque, y al volver a Eureka dejaré que me encuentre cuando ya tenga lista su trampa; para los narcotraficantes tengo la intención de negociar, pero si no sale bien, tengo refuerzos que velarán por mí; para lo último necesito de ti.

—Lo que sea…

—Ya tenemos experiencia y ahora que eres jefa, será más fácil —digo y ella sonríe porque sabe a dónde voy—. Necesito que hagas un artículo sobre el instituto psiquiátrico HealthUs, que los expongas e implantes dudas razonables de lo que pueden estar haciendo allí: tráfico de órganos, experimentos de medicamentos no regulados o tratamientos ilegales; lo que se te ocurra.

—De acuerdo, hagámoslo. Solo recárgame la copa y tráeme una *laptop* —dice Amy.

—Eres la mejor, amiga —digo y voy por lo pedido.

Al ver mi computadora, recuerdo que buscaba información sobre Tina. Vuelvo a sentarme al lado de Amy y termino de teclear el nombre: Valentina Alexandra Odreman.

—¿Quién es ella? —pregunta Amy.

—¿Quién es quién? —inquiere Junior al volver de mi habitación—. Estoy aburrido, extraño a Bob. ¿Puedo ir con los Wong?

Le digo que es un poco tarde, pero al ver su cara de decepción y porque ahora soy blanda, lo intento. Llamo a Liu para preguntarle. Este me dice que, si Junior quiere, se puede quedar a dormir y que jugarán con la PlayStation toda la noche. No termino de darle la noticia cuando el muchacho ya camina hacia la puerta.

—¡Gracias! —suelta antes de perderse de vista.

Me hace sonreír, es lo más parecido a un hermano menor, supongo.

—¿Te estás encariñando? —pregunta Amy.

—Son los tragos. Volvamos a lo nuestro. Es la tía de la hija de Hawk, está desaparecida o quiso desaparecer —le comento.

Solo sale la información básica, su «estatus» es normal, ni desaparecida ni difunta. Valentina Alexandra Odreman, mujer de cincuenta y tres años. Trabaja de forma independiente como administradora. No hay nada útil.

—¿Qué encontraste? —pregunta Amy.

—Nada, pero tengo una idea.

Saco el teléfono para llamar a Lana.

—Pensé que lo tenías apagado, porque te llamé varias veces y se iba a la contestadora —dice ella.

—Este es el teléfono de Amanda Sacks —digo y ella se ríe.

La pantalla se enciende, una llamada entrante. Amy me pregunta y le digo que es Hawk. Me tomo un sorbo de la copa y atiendo para colgarle.

—Queens...

Corto con el corazón acelerado. ¿Sabe que estoy aquí? No es posible.

—¿Qué sucede, Ainara? Me estás asustando.

—Dijo: Queens. No puede saberlo, solo quiere intentar ponerme paranoica. —Lo que está logrando—. No es posible, es imposible.

—Quiere asustarte, amiga. Cálmate —dice Amy.

—Pudo decir cualquier lugar y sabía que solo tenía una oportunidad para afectarme. ¡Malnacido! Tienes que irte, Amy. Es peligroso que estés conmigo.

—Al contrario, Ainara. Si estoy sola, puede hacerme daño a mí también, a tu lado, no. Me quedaré contigo, ambas estaremos más seguras y podremos cuidarnos.

Le digo que sí, y después de terminar mi copa, llamo a Lana. Le pido detalles físicos de su hermana, marcas de nacimiento, tatuajes, fracturas o cualquier cosa que me sirva para identificarla. Aunque al principio no entiende para qué, rápidamente su tono de voz cambia al comenzar a preocuparse. Le pido que se calme y le explico que es solo rutina, a pesar de que temo lo peor.

Amy sale a buscar la *laptop* que tiene en su vehículo para comenzar a redactar el artículo contra el instituto mientras yo busco en la base de datos del FBI cadáveres de mujeres entre cincuenta y sesenta años sin identificar en los últimos doce meses. Consigo cuarenta y tres. Reviso uno a uno, foto por foto, hasta que la encuentro. Es inconfundible por el tatuaje de una rosa en un costado del torso. Según el informe, murió decapitada, borraron sus huellas digitales y nunca encontraron la cabeza; Hawk no quería que la reconocieran. Siento pesar por Lana, pero decido informarle después.

Tocan el timbre. Me levanto de un salto y cojo mi arma.

—¡Ainara! Sé que estás allí. Por favor, hablemos —dice Danny.

Cierro los ojos y recuesto la frente en la puerta, dudando si abrirle. Quiero verlo y abrazarlo. Mientras lo veo por la mirilla de la puerta, mi mano se dirige a la manilla.

—¿Qué haces aquí, Danny? —pregunta Peter al aparecer—. Dijiste que no vendrías…

—Tú también lo hiciste, ¿por qué viniste? —replica Danny.

—Te seguí —responde Peter luego de varios segundos.

—¿Esos dos hermosos hombres vinieron por ti? ¡Qué éxito, amiga! —susurra Amy.

Me encanta que hayan venido, sin embargo, no tengo tiempo para lidiar con ellos. Le suplico a Amy que les diga que me encuentro indispuesta y que los recibiré mañana temprano. Ella lo hace, y después de suplicar un par de minutos se marchan mientras discuten entre ellos. Aunque se ven adorables, no olvido que andaban coqueteando con unas mujerzuelas.

Volvemos a lo de vital importancia. Entendiendo que llegué a ~~un callejón sin salida~~ con lo de la hija de Hawk, Jessica, no me queda más que seguir con el plan B; desequilibrar al psicópata. Amy y yo pasamos el resto de la noche redactando el artículo, conversando y bebiendo. Recordamos los eventos del año pasado y hablamos del amor que al parecer me sonríe desde tres corazones diferentes.

Amy mandó el artículo listo para la impresión, saldrá entre los titulares del New York Post de mañana.

～

Martes, 6:20 a. m.

Apenas despierto, llamo y reservo pasajes para Junior y para mí hacia Idaho; el avión sale a las nueve. Despierto a Amy y al muchacho para desayunar.

Mientras comíamos, mi teléfono repicó, Donald me avisó que el *sheriff* lo tenía retenido en la comisaría bajo investigaciones y que no lo soltará a menos que yo vaya. Le aseguré que estaría antes del mediodía.

A las ocho, Amy nos llevó al aeropuerto, en donde aprovechamos y compramos el periódico. El artículo salía en la contraparte de la portada, que enloquecerá a mi psiquiatra porque lo pusimos en el ojo del huracán. Le pedí a mi amiga que no le contara a nadie lo que conversamos, le di las gracias por todo y le prometí avisarle cómo se iban dando las cosas. Luego de un gran abrazo, Junior y yo nos dirigimos a la sala de espera.

Mi celular suena, reviso y es Mary, la enfermera.

—Mary, espero que…

—Todos andan como locos por lo del artículo, fuiste tú, ¿verdad? Aproveché para meterme en el ascensor, volví al nivel sótano. Creo que sé lo que están haciendo aquí…

—¡Mary, sal de inmediato! ¡Llego al mediodía y podremos hacerlo juntas! ¡Por favor, sal de ahí! —pido con vehemencia.

—Tiene un cuarto que es una espe…

—¿Mary? ¡Mary!

La llamada termina.

12

LEONA

Idaho
11:10 a. m.

Apenas bajamos del avión, continúo llamando a Mary, pero su teléfono ahora está apagado y me hace temer lo peor. Caminamos a toda velocidad hacia el estacionamiento, por la Tundra. Junior conoce la situación y entiende, no pregunta nada ni me hace perder el tiempo.

Manejo con rapidez y directo a Car Luxure.

—¿Qué hacemos aquí? —pregunta Junior.

—Alquilaré un auto y tú me ayudarás a manejar hasta Eureka. Será el vehículo con el que me moveré allá sin llamar demasiado la atención, necesito ser invisible, ¿me entiendes?

—A la perfección, Ainara. No te defraudaré.

Cogemos un auto que pueda pasar desapercibido, una Jeep Cherokee del 98 cumple los requisitos. Al muchacho le encanta el viejo todoterreno y me ruega que le regale una parecida.

—A la placa le pondré tu nombre: AP-007 o A-Pons y un corazón —dice riéndose.

—Si todo sale bien, no haces ninguna estupidez y sobrevivimos, te la regalaré —respondo. Me he vuelto demasiado blanda y comienzo a agarrarle cariño al muchacho.

Salimos a Eureka. Llamo a Benjamin a mitad de camino para pedirle que nos encontremos a las afueras del pueblo, en donde me ayudaron a cambiar la llanta días atrás. Allí planearemos mejor cómo haremos las cosas y les entregaré el armamento que compré especialmente para ellos.

∼

Eureka, Nevada
12:20 p. m.

Desde lejos los puedo ver en el punto de encuentro acordado. Adoro a esos viejos, son los mejores. Al pasar a su lado, les indico que nos sigan hacia el bosque para no llamar la atención.

Unos doscientos metros adentro, nos detenemos cuando la maleza nos cubre completamente. Todos bajamos, Arthur y Benjamin con cervezas en mano y gran entusiasmo. Al parecer, la idea de volver a entrar en acción los emociona.

—Entonces, ¿Ainara Pons? —pregunta Arthur y me da un abrazo.

—Yo sabía que esta muchachita no era una simple maestra de secundaria o una policía de ciudad. ¿Qué persona luce tranquila después de una balacera que dejó su vehículo como un colador? —pregunta Benjamin.

—Discúlpenme por no haber sido sincera desde el principio, señores. Les presento a Junior.

El muchacho los saluda con respeto y comenzamos a bajar las armas de los asientos traseros. Los viejos agrandan los ojos al ver todo el material bélico que sacamos.

—La cosa es muy seria entonces. ¿Hace cuánto no disparas uno de estos, Benjamin? —pregunta Arthur al tomar uno de los rifles de precisión, el Dragunov.

—¿Acaso es mi cumpleaños? —Toma el otro a su turno—. Es bellísimo, ya quiero probarlo.

—Lo harán —aseguro sonriente—. Son suyos, es mi regalo por ayudarme.

Los viejos se emocionan más y terminan de coger el combo completo: dos rifles, dos pistolas, dos chalecos y muchas balas. A cambio, me dan un radio.

—Es viejo y no es como los que tienen en el FBI, pero tienen veinte kilómetros de alcance y puedes conectarle estos auriculares para escuchar al oído. Necesitamos mantener comunicación en vivo si las cosas se calientan —dice Benjamin.

—Esto es algo así como una operación clandestina, ¿no? Necesitamos saber hasta dónde podemos llegar, es decir...

—Si tienen que disparar a matar, no lo duden, pero que sea como último recurso —digo y luego pregunto—: ¿Qué averiguaron sobre los narcotraficantes? Les di dos nombres, ¿recuerdan?

Se miran entre sí, chocan sus cervezas y Arthur es quien habla.

—No solo averiguamos quiénes y cuántos son. Nos escabullimos en los tráileres de algunos de ellos y saboteamos sus armas, atoramos los martillos, sellamos las cámaras. Cuando se den cuenta, será muy tarde —dice él.

—No saben cuánto los amo —confieso asombrada—. Debo ir al psiquiátrico por una amiga que está en peligro.

Estén pendientes, después de eso iré a negociar y los necesitaré cubriéndome. Son muchos y todos están en mi contra.

Definimos otros pequeños detalles y ellos se marchan. Junto a Junior, adentramos más la Tundra y montamos las tiendas de acampar. Le dejo alimentos, un arma, un chaleco e instrucciones no negociables; debe quedarse ahí y no moverse, si no aparezco para el día siguiente, usará mi viejo teléfono para pedir ayuda.

Arranco en la Cherokee hacia el psiquiátrico, luego iré por Donald y le daré una lección al *sheriff*.

Cerca de la estación de servicio, me sorprende un punto de control de los policías del pueblo. Aunque estoy a suficiente distancia para alejarme sin levantar sospechas, retrasaría todo mi plan, así que debo cambiar el orden de los factores esperando que no se altere el producto y que Mary pueda aguantar. Me coloco el auricular del viejo radio.

—Benjamin, los planes se adelantaron. Iré a la comisaría en este momento. Cubran las entradas y salidas desde lejos. Den tiros de advertencia si alguien intenta entrar o salir sin que yo salga primero, caminando y con los pulgares arriba.

—Copiado, Leona. Llegamos en cinco. Viejo Zorro, fuera —responde.

Espero tres minutos, luego me acerco al punto de control y bajo el vidrio.

—Me dijeron que el *sheriff* quiere verme.

Me miran sorprendidos y arranco antes de que puedan reaccionar. Sueltan gritos e intentan desenfundar sus armas, no les da tiempo. Llego rápidamente a la comisaría, me bajo y entro de forma brusca, como había querido hacer desde hacía mucho.

—¿Cómo te atreves a entrar así a mi comisaría? —pregunta Williams y se levanta de su escritorio.

Cuatro de sus hombres lo imitan.

—¿Dónde está Donald? Espero que lo hayan tratado bien, si no, el castigo será peor para ustedes —digo.

Williams camina hacia mí, confundido.

—¿Estás desquiciada, Amanda?

—Ainara Pons, agente especial del FBI —digo mientras le enseño mi placa y saco mi arma.

Se quedan boquiabiertos, más confundidos que al principio. El *sheriff* da unos pasos hacia atrás y mira a sus hombres; reconozco esa mirada. Se rasca la cabeza y toca su arma. Yo levanto la mía primero y le apunto a la cabeza. Los cuatro policías que lo acompañan hacen lo mismo contra mí.

—Pueden matarme, pero primero te llevaré conmigo, Williams. Y media hora después, este pueblo estará lleno de agentes del FBI. Los que queden vivos irán a prisión de por vida. ¿Quieren tomar el riesgo? Vivo tiempo prestado, no me importa que termine aquí y ahora.

Les miento porque son unos cobardes y estoy noventa y nueve por ciento segura de que no harán nada. Jalo el martillo de mi arma para meter más presión mientras los agentes del *sheriff* intercambian miradas nerviosas.

—Yo me largo, el salario no lo vale —suelta uno y enfila hacia la salida.

—Yo que tú no haría eso. Ninguno debería salir de aquí sin que yo lo haga primero —advierto.

—¿Por qué? —pregunta temeroso.

—Confía en mí. Solo quiero que llegues en una pieza a casa. ¡Williams!, vengo por tres razones; para que liberes a Donald, negociemos lo de Junior y vayas conmigo al psiquiátrico para detener lo que ocurre allí.

—La cosa es con el *sheriff*, vámonos —dice otro de sus hombres.

—Si se van, se pueden olvidar de…

Lo ignoran. Me adelanto, salgo junto con ellos con los

pulgares arriba y regreso al interior. Williams enciende un cigarrillo, las manos le tiemblan. No se esperaba nada de esto.

—Antes de hablar, primero libera a Donald —le digo.

No dice nada y me lanza las llaves. Las tomo y voy al sótano, en donde está mi querido Donald.

—¡Ainara, por fin estás aquí! Me alegra verte sana y salva.

Le abro, lo abrazo, me besa y le cuento brevemente los detalles de lo que hice y lo que planeo hacer. Se preocupa, pero no le doy tiempo a hablarlo porque tengo que ir por Mary apenas resuelva lo de Junior. Le indico en dónde está Junior y le pido que vaya en la noche junto con Bob, amparados por la oscuridad. Acepta y me hace prometerle que lo llamaré en cada etapa que vaya superando. Se marcha de la comisaría y vuelvo a quedarme a solas con Williams.

—Llama a tus amigos narcos y pídeles una reunión de inmediato. Vamos a negociar la situación de Junior por las buenas antes de irnos a las malas —le digo al *sheriff*.

Williams aprieta los puños. Está en verdad alterado.

—¡No es tan fácil! ¿No estuviste allí cuando asesinaron a Marlon? Estos tipos están apoyados por carteles mexicanos, no andan con juegos. Para hacerles frente necesitamos al Ejército —exclama él.

—Lo traeré si es necesario, pero primero intentaremos hacerlo por las buenas.

Discutimos unos minutos hasta que por fin hace la llamada telefónica. Después de gritos, súplicas y lamentos, logra convencerlos. Williams me dice que tendremos que ir a las minas, en donde se encuentra el líder junto con varios de sus hombres. Me advierte que es posible que nos maten allí mismo si se sienten amenazados o no tenemos algo bueno que ofrecerles.

—Pienso ofrecerles que sigan libres y con vida. Si no es suficiente, será a las malas —digo con firmeza.

Mientras lo piensa, hablo con Benjamin para que vayan buscando posiciones. Al no tener más opción, Williams acepta que vayamos.

Partimos en la Cherokee hacia el lugar. Manejo lento para esperar la confirmación de mis viejos, quienes a los diez minutos me avisan que están ubicados en las cimas de unas colinas desde donde tienen campo visual completo de las minas. Acelero.

∼

Mina de oro, Goldstrike
1:30 p. m.

Tengo un auricular del radio en mi oreja, cubierto por mi cabello. Estamos en una de las zonas de mayor tránsito de camiones gigantes que cargan toneladas de arena. La bulla es impresionante.

—Son esos —susurra el *sheriff* a mi oído.

Doce hombres se acercan hacia nosotros. Llevan sus armas en manos: pistolas, escopetas y fusiles. ¿Para qué esconderlas si la mayor autoridad del pueblo los conoce?

—¿¡Por qué demonios piensas que puedes negociar algo, cabrona!? —me pregunta uno de ellos y luego se dirige a Williams—. ¿Por qué me traes a esta perra, *sheriff*? ¿Qué significa esto? Ya perdí buenos hombres, más te vale que vengas con algo bueno que ofrecer.

—No tuve opción, César. Es del FBI…

—¿FBI? —pregunta y se me acerca más—. ¿No serás esa mujer que gritó FBI y mató a tres de mis hombres?

—Entonces no hace falta presentarnos. Lo mejor para todos es negociar. A menos que quieras que traiga a mis amigos y se les acabe el negocio y la vida. —Lo veo en sus ojos, sé que intentará algo—. No lo hagas, no levantes esa arma.

—¡Maldita, perra!

Lo hace y, un segundo después, su mano y el arma se desprenden y caen al suelo, inmediatamente se escucha el eco del disparo que lo ocasionó y los gritos de dolor de César. Sus hombres se alteran, se agachan, buscan en dónde cubrirse.

«—Te tenemos cubierta, Leona. Halcón, fuera», dice Arthur por el radio.

«—Pero no te confíes, Arthur tiene párkinson», agrega Benjamin y se echa a reír.

—¿Qué demonios? —grita César mientras se revuelca de dolor.

—¿Qué has hecho? —pregunta el *sheriff* y se coloca las manos sobre la cabeza.

—No levanten sus armas y nadie más resultará herido.

De soslayo veo a otro subiendo la mira de su escopeta hacia mí. Intento apuntarlo, pero él tira del gatillo. Aprieto todos mis músculos y cierro los ojos por la impresión; no pasó nada. Menos de un segundo después, a este bastardo le ocurre lo mismo que a César y cae al suelo. Mis viejos son unos duros, aunque casi permiten que me maten. Le disparo a otro, me lanzo a la tierra y continúo defendiéndome.

«—Sabíamos que esa era una de las escopetas que saboteamos, Leona. Tenemos todo bajo control», asegura Arthur.

«—Deja de mentir y concéntrate, viejo», le reclama Benjamin.

—¡Paren, paren, paren! —ordena César—. Nadie haga nada. ¡Carlos, ayúdame a levantarme y alguien que tome mi mano, carajo! —Se pone de pie y se me acerca—. Junior debe saber dónde están los cinco kilos de cocaína que tenía Daz. Si me los consigues, olvidaré todo esto, si no, tendrás que traer al maldito Ejército, porque no solo los mataré a ustedes, también incendiaré este pueblo.

—Los tendrás, pero luego se largarán de Eureka para siempre, de lo contrario pasarán sus últimos días en prisión o sus últimos segundos enfrentándose a la ley —le digo.

Le estiro la mano derecha para sellar el trato. Al darme cuenta de que él ya no puede usar su derecha porque la sostiene uno de sus colegas, cambio a la zurda y cerramos el acuerdo. Se marchan heridos y muy molestos. Espero que Junior sepa algo al respecto de esa mercancía.

—No tienes idea de lo que acabas de hacer. Ellos no se quedarán tranquilos hasta exterminarnos a todos…

Dejo de escuchar la cháchara de Williams cuando veo a lo lejos a un hombre alto, sin camisa y de cabello largo, aunque tiene lentes oscuros, puedo jurar que me mira fijamente. Me hace sentir escalofríos al pensar en la pequeña posibilidad de que sea Hawk. No puedo evitarlo y comienzo a caminar hacia él, aumentando mi velocidad a cada paso hasta que me encuentro corriendo.

«—¿A dónde vas, Leona? Te vamos a perder de vista», dice Arthur por el radio.

Les digo a mis viejos que terminamos por ahora y que pueden volver. Mi campo de visión y toda mi atención se reducen a él. Terminaré esto de una vez.

—¡Cuidado! —gritan.

13

ME CONFIÉ DEMASIADO

Me detengo en seco y me pasa por el frente, a centímetros, un enorme camión cargado con arena. El copiloto me grita un par de groserías que ignoro mientras intento con desespero rodear al inmenso vehículo. El sujeto ya no está en aquel lugar. Lo busco rápidamente por todos lados, pregunto si alguien lo ha visto y doy su descripción, pero los imbéciles que trabajan aquí no mueven sus labios para otra cosa que no sea lanzar insultos.

Luego de varios minutos, me rindo al no conseguir nada y vuelvo muy cabreada a la Cherokee. Para cabrearme más porque le pincharon las llantas y gotea líquidos por la parte delantera. El imbécil del *sheriff* también se largó, no lo veo por ninguna parte. Necesito irme de inmediato de aquí, no puedo perder tiempo, Mary cuenta conmigo.

Un trabajador va pasando en un auto a baja velocidad, me paro en su camino y lo apunto con mi arma.

—¡FBI! ¡Necesito tu vehículo! —grito y me acerco a él.

El hombre se detiene muy confundido y me queda observando con las manos arriba.

—¡Por favor, no me lo quite! —exclama preocupado.

—Te lo dejaré intacto en algún lugar del pueblo. Solo necesito llegar…

—Te puedo llevar —dice temeroso.

Lo miro detenidamente por unos segundos, evaluándolo, y acepto su oferta.

—¡Manejarás como si tu vida dependiera de ello! —advierto con frialdad para que esté en la misma sintonía de mi urgencia.

Arranca con gran velocidad, le exige todo al motor de su viejo auto y maniobra con destreza. Reorganizo mis planes. Luego de buscar a Mary, debo ir con Junior y planear la búsqueda de la droga. Si ese extraño sujeto era Hawk, ya sabe que estoy aquí, reanudará su cacería. Puede que hoy termine todo, espero que bien para mí, para Mary y para Junior.

—Llega…

Me bajo antes de que termine de hablar y camino a paso veloz hacia la entrada del instituto, esta vez con mi verdadera identidad. Seré implacable, nadie me detendrá.

—Por hoy están prohibidas las visitas, señorita Amanda —dice un enfermero que me reconoce y hace de portero.

—No vengo de visita y mi nombre es Ainara Pons. ¡FBI! ¡Muévete de mi camino o te arrestaré por complicidad! —Le enseño mi placa.

Él se me queda mirando, sin pestañar o moverse, analizando la información.

—¡No lo repetiré! —le grito.

—Tengo órdenes, de verdad lo sien…

Lo tomo por el brazo, lo giro, lo tumbo contra el suelo, y cuando lo voy a esposar, recuerdo que no cargo con qué hacerlo. Sin embargo, todavía puedo dar un mensaje, y lo hago mientras coloco mi rodilla sobre su espalda y saco mi arma.

—¡Quien se atreva a entrometerse en mi camino va a ser apresado! ¿¡Dónde está la enfermera Mary!? —pregunto a quien tengo debajo y los presentes.

—No lo sé, no lo sé. Su turno era hasta las diez de la mañana. Por favor, no he hecho nada. Solo soy un enfermero.

—Eso lo determinaré yo. ¿Colaborarás conmigo o te arresto de una vez? —pregunto.

—Haré todo lo que me diga, pero cuidado con mi brazo. Me lo va a partir.

—¡Tu nombre!

—Jonathan —responde.

Libero a Jonathan y le ordeno que me acompañe al ascensor mientras también lo obligo a preguntar por radio acerca del paradero de Mary. Casi todos los demás trabajadores se esfumaron al ver lo que pasaba. Le informarán al jefe, a quien pienso confrontar dentro de poco.

—¡Apúrate, Jonathan! —le ordeno.

—Estamos llegando —dice y acerca su radio a la boca—: ¡Alguien que me diga en dónde está la enfermera Mary Ortega! ¡La solicitan con urgencia!

Llama al ascensor. Lo tomo por el brazo.

—Dime todo lo que sepas sobre lo que ocurre en el piso de abajo. No intentes mentirme, sé cuando alguien lo hace.

Traga saliva y piensa bien sus siguientes palabras.

—No sé nada…

—¡No me mientas, Jonathan, o te juro que pagarás con la cárcel! Esto no es un juego, hay vidas en riesgo —digo.

Estoy harta de que nadie me diga lo que quiero saber.

—No pertenezco al grupo que tiene acceso al «inframundo», pero si sé sobre los rumores. Los pacientes que bajan casi nunca se vuelven a ver, por lo menos no vivos. Era lo mismo en el viejo edificio —comenta Jonathan.

El ascensor abre las puertas y entramos. Apenas cierra, lo

paro para que nadie pueda interferir. No confío en él y le ordeno que me muestre sus llaves. Las pruebo todas, ninguna sirve para acceder. Por radio responden que Mary se fue temprano, lo que obviamente es mentira.

—Dime la verdad, ¿qué sabes? Cualquier cosa que sospeches, no importa lo tonta que parezca. Es el momento de hablar o callar —le digo con seriedad.

—Algunos de mis colegas y yo creemos que hacen prácticas ilegales, ritos satánicos o…

—¡Dilo, Jonathan!

—Venden los órganos. La mayoría de los pacientes son sanos físicamente, los familiares los olvidan y nadie pregunta por ellos. También se han visto a otras personas ingresar que nunca se ven salir. Y semanalmente, todos los viernes, sin falta y como lo hacían antes de mudarnos aquí, unos hombres vienen en un furgón negro con ~~maletines~~ y salen cargando bolsas oscuras. *briefcases*

—¿¡Por qué demonios nadie habla de esto!? ¿Qué sabes sobre Jeffrey? —pregunto.

—Lo mismo que todos, la versión oficial, se suicidó. No estuve de guardia esa noche. Nadie habla sobre las extrañas cosas que ocurren porque no está permitido y, además, los salarios que recibimos son los más altos del pueblo; nadie quiere arriesgarse a perderlo —afirma.

—¿Qué dijeron los familiares de él?

Me dice que no lo sabe y esta vez le creo. Le pregunto si tiene idea de a dónde ir a buscar a Mary, pero me dice que ella es de un pueblo vecino y no hablaba mucho de sí o interactuaba con los demás trabajadores. Solo me queda un sitio que visitar antes de ir a enfrentar al dueño de este maldito lugar.

—Llévame a la habitación que ocupaba Jeffrey —le pido.

Al abrirse las puertas del elevador, seis enfermeros nos esperaban. Me miran como si fuera una presa. ¿Planean algo? Muestro mi arma, no se mueven. Comienzan a ponerme algo nerviosa. Les advierto una vez, dos veces.

—No lo volveré a decir. ¡Lárguense!

Apunto al que parece ser el líder, veo como traga saliva. Sin embargo, se mantiene en su posición. Disparo y la bala le pasa muy cerca, él da un brinco. Jonathan está aterrado a mi lado.

—La próxima será en las piernas de quien no se aparte de mi camino.

Tres se retiran sin pensarlo.

—Tenemos orden de…

Le doy en la pierna y cae al suelo. Gime de dolor.

—¡Maldita loca! —exclama.

—Llévenselo. ¡Ahora!

Los dos restantes lo ayudan a levantarse y se van. Jonathan está alterado. Debo cachetearlo para que reaccione y retomemos lo nuestro. Lo apresuro en todo momento para que lleguemos rápido. No me gusta como está cambiando la situación.

En la habitación de Jeffrey está otro paciente, lo corro amablemente y de inmediato comienzo a revisarla. Mi estimado amigo era un esquizofrénico paranoico, seguramente tenía un lugar en donde escondía sus cosas, las que creía importantes. Quizá haya algo de valor. Paso más de diez minutos en esa tarea.

—¿Qué buscas? —pregunta Jonathan—. Van a volver más hombres y quizá con la policía.

—No estoy segura, cuando lo encuentre lo sabré. No me preocupa la policía, no se meterán conmigo —le digo.

Después de una búsqueda fallida y casi dándome por

vencida, noto en el techo de yeso una imperfección. Me subo en la cama y levanto un cuadro de yeso flojo. Palpo por los alrededores hasta que encuentro algo rectangular. Es una libreta.

—¡Bingo!

Jonathan se me acerca con curiosidad. Es una especie de diario en el que Jeffrey anotaba todo. Lo que comía, cuánto pesaban los alimentos, las medicinas que tomaba, cuántas veces iba al baño, los enfermeros y sus turnos, sus compañeros y sus comportamientos. La cosa se pone interesante después de la mitad: Jeffrey me había investigado desde hacía tiempo como Ainara Pons. Él sabía mi verdadera identidad. Además, en una sección llamada «desaparecidos»; numerosos nombres de pacientes y personas, horas, fechas, comentarios, rumores. Este diario será muy útil.

—Voy a verme con el cretino de Sam Dean. Ya no tienes que acompañarme.

Me toma por la muñeca y se queda pensativo.

—Cuando estábamos en el ascensor, planeaban hacerte algo. No te confíes ni le des la espalda a ninguno. No te dejarán salir si tienen la oportunidad de atraparte —dice en último lugar.

Asiento, le doy las gracias y salgo. Reviso el pasillo para evitarme sorpresas, no hay nadie a la vista ni se escuchan sonidos, es inquietante. Mi instinto me dice que me vaya de una vez, pero necesito confrontar a mi expsiquiatra y conseguir una llave de ese maldito elevador. Tomo las escaleras y subo hacia el consultorio. Cuando voy por el cuarto piso, noto que unos hombres también comienzan a subir desde la planta inferior, por lo que me apresuro aún más.

Al entrar en el pasillo del consultorio, veo a más de diez hombres esperando cerca de la puerta del ascensor. Voltean hacia mí mientras escucho las pisadas en los escalones cada vez más cerca. Me quito la correa y la uso como candado para la puerta que da hacia las escaleras, sin dejar de ver a los hombres que tengo al frente. Me comprará un minuto. Me mantengo en el fondo del pasillo. Detrás de mí hay una ventana.

—¡Sam! —grito varias veces.

Los sujetos se miran y caminan hacia mí. Suelto dos tiros al suelo en dirección a ellos para frenarlos, le doy a uno en la pierna.

—¿¡Qué demonios!? —Se queda en silencio por un instante al verme—. ¿Amanda, Ainara? ¿Tú fuiste la responsable de lo que salió en el periódico? —pregunta Sam.

—Fue un placer ayudar a redactar el artículo —admito—. ¿Dónde está Mary? Ya sé todo lo que ocurre aquí. Pagarás muy caro…

—¿Quién más lo sabe? Apuesto a que no muchos y nadie podrá probar nada. Para el final del día no quedará ninguna evidencia en este edificio y tú no vivirás mucho —asegura el doctor.

—Soy una agente del FBI. ¿Tienen una idea de lo que eso significa?

Empiezan a golpear la puerta que aseguré con mi correa.

—Una agente que pronto estará muerta. Usaré tu corazón para mi hija, lo merece más que tú. Quien la capture se ganará cien mil dólares —ofrece.

Sus hombres intentan avanzar, los freno momentáneamente con disparos y luego continúan. Me toco la cintura, dejé los demás cartuchos en la Cherokee y me deben quedar cinco disparos. Ellos son demasiados.

—¡Para atrás, el próximo disparo le dará en la cabeza a alguno de ustedes! —amenazo.

No puedo hacer una matanza, y solo me llevaría a unos

pocos antes de que me atrapen. Uno de ellos me lanza una taza e intenta correr hacia mí. Le disparo en el pecho y cae.

—¡Atrápenla, no tiene balas para todos! —grita Sam.

La puerta a mi lado se abre y tres hombres entran a toda prisa. Uno se me abalanza encima. Dos disparos, pierna y abdomen, cae. Retrocedo y se me viene el otro, le doy en el hombro. Todos los demás corren en mi dirección. Me giro, veo a la ventana y tiro del gatillo. Suena el clic varias veces, está vacía; conté mal. Le tiro la pistola con todas mis fuerzas al tipo que está más cerca mientras me impulso desesperadamente para saltar por la ventana. No lo pienso…

La atravieso y vuelo por los aires a cinco pisos de altura.

Me doy un golpe en la frente con el poste de luz, me mareo pero estoy consciente. Me aferro a este con todas mis fuerzas mientras se bambolea y parece que se va a partir. Me deslizo poco a poco hasta tocar el suelo. No puedo creer lo que hice. Volteo y los veo en la ventana.

—¡Vayan por ella, que no escape! —grita el malnacido de Sam.

Corro con todo lo que tengo por un sendero boscoso hasta encontrar la calle. Me fue difícil el trayecto porque el mareo no se me pasa. Diviso un carro detenido en un semáforo y me apresuro para alcanzarlo. Un habitante del pueblo lo conduce. Le hablo, quizá con palabras difíciles de entender, le enseño mi placa, e intenta decir algo. Ante la inacción del chofer, lo golpeo en la cara, lo bajo, me subo y arranco después de tirar el teléfono que utilizaba como Amanda, ya no lo necesitaré.

Conduzco acelerada, con la adrenalina provocando que mi corazón bombee sangre al límite. Sudo mucho y mi nivel de estrés está al máximo. Estuvo cerca, casi me atrapan, y ese hubiera sido el final. Me confié demasiado. Es probable que Mary esté muerta.

—¡Maldita sea! —grito y golpeo el volante para liberar mi rabia.

No me detengo hasta llegar cerca de la entrada al bosque en donde está Junior. Me bajo y troto. Mientras lo hago, entiendo que no podré resolver esto sola, me supera y necesito a mi equipo del FBI. Aunque por un momento pienso en volver a solicitar la ayuda de Arthur y Benjamin, con ellos podría incendiar ese maldito lugar.

14

LOS IRIS DE DOS COLORES

CAMPAMENTO seguro
6:30 p. m.

—¿Llamarás a tus amigos del FBI? —pregunta Junior.

—Sí...

—¿Y el tal Hawk aparecerá?

—Es lo más seguro. No tengo otra opción. Los narcotraficantes quieren asesinarnos, los del instituto también lo desean, Hawk igual, y los policías de Eureka podrían estar incluidos en ese combo. No puedo contra todos —le digo.

—¿Llamamos de una vez? Quiero que esto acabe. Estoy harto de vivir como un animal. Necesito recuperar mi vida —dice el muchacho con preocupación.

Lo entiendo y asiento. Él me entrega el celular que le di hace días. Miro el aparato por unos segundos antes de pulsar el botón de encendido. Recuerdo algo.

—Junior, ¿sabes en dónde están los cinco kilos de cocaína que Daz guardaba?

El muchacho baja la mirada, lo que me lo confirma. Si la consigo, podría negociar con los desgraciados esos y me quitaría un peso de encima, por el momento, mientras mañana intento atraer a Hawk a mí. Es mi mejor oportunidad de matar a dos pájaros de un solo tiro. Luego lidiaré con Sam y sus lunáticos. La muerte de Jeffrey y lo que le haya pasado a Mary no quedará impune, se enfrentarán a la ley y seré yo quien los lleve ante ella.

—¿En dónde está? —pregunto.

—Detrás de uno de los arcos de la cancha de fútbol americano. No podemos ir de día —advierte Junior.

—Lo haremos en la madrugada, nadie puede vernos. Tenemos enemigos en todos lados.

Le devuelvo el teléfono, aún no es el momento. Encendemos una fogata y continuamos armando nuestro plan. Me pregunta primero por Bob y luego por Donald. Le comento que deberían estar por aparecer porque le di instrucciones precisas al profesor de que lo hiciera de noche. Aunque ahora siento una pequeña preocupación al pensar que alguien lo tome como rehén para llegar a mí.

El hambre nos ataca. Nos dedicamos a cocinar. Mientras yo aso carne, Junior se encarga de preparar los panes y hacer café.

≈

8:10 p. m.

Escucho el ladrido de mi bestia negra y lo veo meneando su cola al lado de Donald, corre a mí. Me siento en el césped para poder abrazarlo, lo hago con fuerza.

259

—¿Quién es el mejor perro del mundo? —pregunto mientras recibo sus lamidas de amor y lo acaricio con entusiasmo.

—¿Para mí no hay nada? Traje algo para beber. —Levanta dos botellas de *whisky*—. Es tu favorito, ¿no?

Justo lo que necesito, un jodido trago. No soy dramática, sin embargo, por momentos pienso que esta podría ser mi última noche. Supongo que si logro salirme de todo esto, podré al fin avanzar y dejar el pasado atrás.

—¿Piensa embriagarme, profesor Donald? ¿Tiene malas intenciones?

—¡Vamos! ¡Por favor, hay un menor presente! —exclama Junior y luego va por mi hijo—. ¡Bob!

Donald y yo nos reímos mientras contemplamos la escena, el modo en que los niños se revuelcan en la tierra, uno se carcajea y el otro ladra de alegría. Donald se coloca a mi lado y me rodea con un brazo. Entonces, ahí, en el bosque de un pueblo remoto, al borde de una situación que promete desencadenarse de manera caótica mañana, con dos personas que eran completos extraños hace menos de una semana, tengo una sensación rara, de felicidad, confío en ellos y los aprecio mucho.

Donald y yo nos sentamos sobre un tronco al lado de la fogata. Junior se nos acerca al finalizar su jugueteo con Bob.

—¿Me invitan un trago? Ya casi soy mayor de edad.

—Para tomar necesitas veintiuno —dice el profesor.

—Solo uno, no habrá más. ¿De acuerdo? —pregunto.

Sé que ha pasado por mucho, y un poco de *whisky* no le hará daño. Le sirvo en un vaso y lo mando a su tienda para que nos deje conversar en privado.

—¿Cómo te fue en el instituto? ¿Lograste algo? —me pregunta.

Le cuento el horroroso susto que pasé por mi exceso de confianza.

—Cuando escuché el sonido del clic del cargador vacío, pensé que sería mi final. Uno realmente estúpido, sin sentido y por culpa de mi imprudencia. Menos mal que no entré en pánico y logré improvisar, que estaba ese poste ahí y que no se partió. Tuve mucha suerte —confieso

—Solo tu valentía supera tu belleza. Eres la mujer más increíble que conozco —dice y me besa.

Las orejas comienzan a ponérseme calientes, quizá por el beso, quizá por el *whisky*, a lo mejor por ambos.

—¡Bob y yo podemos escucharlos! ¡Váyanse para otro lado! —dice el muchacho.

—¿Quieres? —pregunta Donald.

—¿Un lugar más privado en donde nadie pueda interrumpirnos? —asiento—. Por favor.

look

Tomamos las botellas y caminamos hasta alejarnos unos cien metros. Nos sentamos a la orilla de un riachuelo. Él se me queda viendo fijamente, en silencio. Es una de las miradas más bonitas que alguien me ha regalado. La noche es perfecta, el cielo despejado permite admirar un sinfín de estrellas brillantes.

—¿Conversamos un rato primero? —sugiero con picardía.

—O por toda la noche, o la vida —responde él.

Es algo acerca de él, no solo lo físico; es lo comprensivo, su sensibilidad, su lealtad sin importar las circunstancias. Podría estar con cualquier otra mujer del pueblo, en un mejor lugar, sin complicaciones o riesgos tan letales. Esta vez no necesito saber por qué.

—Gracias, Donald.

—¿Por qué?

—Por estar aquí, por todo.

—No hace falta que me lo agradezcas. Contigo he aprendido mucho y la he pasado increíble. Me has enseñado que siempre se puede hacer lo correcto, lo único que se necesita es valentía. Solo no me alejes cuando todo acabe.

—¿Por qué lo haría?

—Solo prométemelo, Ainara.

—Con mi vida —le respondo—. Cuando todo esto termine, nada cambiará entre nosotros.

Recarga los tragos y me pide brindar por ello. Chocamos los cristales y bebemos hasta el fondo. Continuamos, acabando el *whisky* con determinación, conversando con ánimos adolescentes y besándonos con hambre cuando ya no queda nada más por decir.

Estamos muy ebrios.

—Tengo que ir con Junior a buscar la cocaína en la madrugada —digo mientras me besa el cuello.

Aún no me desconecto por completo, la parte de mi cerebro que almacena los deberes y las inquietudes siempre es mi último muro de contención contra los efectos del alcohol.

—Yo te despierto si te quedas… dormida —asegura mientras sus labios y manos recorren libremente mi cuerpo.

De repente se detiene y se separa. Tiene la cara roja. Le pregunto qué sucede y me confiesa que tiene mucho tiempo sin tener relaciones, le da miedo que no esté a la «altura». Recargo los vasos y le pido que se lo tome completo, de golpe y conmigo.

—Esto no es un trabajo, una competencia o una prueba. Solo disfrutémoslo, disfruta conmigo —susurro a su oído—. Esta podría ser mi última noche. Hagamos que sea memorable.

Bastó decirlo para que continuáramos con lo que comenzamos, pero ahora con más ganas y más pasión. Casi rompemos nuestras ropas y nos olvidamos del mundo exterior, de los problemas, de Junior. Hicimos el amor al lado de aquel riachuelo una vez. Bebimos más y volvimos a hacerlo en la tienda de acampar hasta quedarnos dormidos, rendidos, satisfechos.

∼

4:20 a. m.

Me duele la cabeza y me siento horriblemente pesada. A mi lado está Donald semidesnudo, solo lleva ropa interior. Nada más recuerdo algunas partes. Curiosamente, más sobre su pene, era extraño en forma, textura. Veo la hora en mi reloj.

—¡Junior! —se me escapa.

Me levanto muy rápido, me visto para ir por el muchacho. Debemos buscar la droga antes de que amanezca. Salgo de la tienda y voy a prisa a la de él. Mi corazón comienza a latir desbocadamente cuando no lo veo en el interior y un mal presentimiento se apodera de mí. Corro hacia la Tundra, imaginando lo peor. No está.

—¡Idiota!

Vuelvo a mi tienda a gran velocidad para prepararme. Enciendo las lámparas y comienzo a revisar las armas.

—¡Donald, despierta! Junior se ha ido.

—¡La cabeza me está matando! ¿Qué sucede? —pregunta desorientado.

Le explico la situación mientras cargo las armas y me coloco un chaleco antibalas, le paso el otro a Donald. Somnoliento, lo coloca a un lado. Si encontramos vivo a Junior, seguro habrá problemas.

—Fue a buscar la droga —le digo.

—¿Cómo lo sabes?

—Porque se llevó a Bob con él.

—¿No será mejor esperarlo? —pregunta mientras se coloca el pantalón.

—¡Es un niño! ¡No tiene idea de la maldad de esos hombres! No tienes que venir conmigo, solo dame las llaves de tu auto —digo con premura.

Donald se voltea y me toma de los hombros, mirándome con firmeza. Me quedo paralizada por la impresión. Mi cerebro comienza a recapitular y a unir cabos.

—¡Tus ojos! —digo casi tartamudeando.

Él los ensancha al comprender que no lleva los lentes de contacto. Se gira y me da la espalda.

—Uso lentes de contacto para ver…

—¡Cállate, déjame pensar! —exclamo confundida.

Sus ojos son de color diferente, azul y verde; como Hawk. La heterocromía es hereditaria. Pero Hawk solo tuvo una hija. Miro detalladamente a Donald. Su estatura, su cutis de porcelana.

—No, no puede ser —pienso en voz alta.

—¿Qué estás pensando, Ainara? Debemos ir por Junior.

Las pastillas que toma todas las noches, la caja amarilla llamativa; su sensibilidad poco masculina; y su extraño pene. Mierda.

—¿Ainara? —pregunta.

—Jessica, ¿Hawk? —digo conmovida.

Su cara cambia de forma drástica y las lágrimas escapan de sus ojos por montones. Lo que me confirma lo que jamás se hubiese pasado antes por mi cabeza. No hacía falta un GPS en mi camioneta, él, o mejor dicho, ella, era el topo. Siento que voy a enloquecer, esto es demasiado. No puede ser real, debo estar en una pesadilla. Tomo el fusil de asalto y lucho por no apuntarlo.

—¡Di algo antes de que te vuele la maldita cabeza!

—¡Puedo explicarlo todo! ¡Por favor, perdóname! —suplica.

Se arrodilla y sujeta mi pierna. Levanto a la persona que tengo a mis pies mientras intento controlarme y no entrar en estado de locura.

—Tienes treinta segundos.

—Mi única culpa es ser hijo de ese enfermo, por favor…

—¿Despertaron par de tórtolos? —pregunta Junior fuera de la tienda.

Al escucharlo, salgo iracunda y lo sujeto por los hombros.

—¿En qué demonios estabas pensando? ¿¡Quieres hacer que nos maten!? —le recrimino.

—Aquí la tengo —dice sonriente y saca de su bolso cinco bolsas blancas.

—¿Cómo sabes que no te siguieron? Nos pones en riesgo a todos —reclamo, entro a su tienda y le saco el otro chaleco—. ¡Póntelo!

Intenta decirme algo más, pero lo callo. Estoy más molesta conmigo por confiarme y no estar pendiente de un adolescente, y por lo que acabo de descubrir. Me cuelgo el fusil de asalto al hombro y me tomo unos segundos para intentar recuperar la calma, necesito pensar. Ya no me siento segura aquí, no puedo confiar en nadie. Debemos irnos, y es una prioridad inmediata.

—Junior, empaca solo lo importante. Nos vamos.

—¡Ainara! —grita él—. Te llamé, pero estabas profundamente dormida. Estoy harto de ocultarme, ¡solo quiero que todo termine y recuperar mi vida!

—La vida no se trata únicamente de lo que queremos, ¿crees que no deseo todos los días regresar el tiempo y salvar a mi hermana, a mi madre, a todos? Las estupideces como estas se pueden pagar caro, Junior. Toma lo importante, salimos en dos minutos.

—Pero…

Escuchamos la detonación. La primera bala me pega en el pecho y me hace caer para atrás, golpeándome la cabeza en un tronco, casi perdiendo la consciencia.

15

INQUEBRANTABLE

—¡Ainara, Ainara! ¡Levántate! —grita Donald mientras se cubre con un árbol y dispara al aire.

Volteo, buscando al muchacho, este dispara hacia los enemigos y sostiene a Bob por el collar. Levanto mi arma, apunto y abro fuego desde el suelo. Le doy a uno.

—¡Maldita sea! —grita Junior.

—¡Junior, retrocede!

—¡Donald! ¡Ayúdame a cubrirlo! —le ordeno.

—¡Bob no quiere retroceder! —grita el muchacho.

Por un momento dejo de escuchar los disparos y me concentro en Bob, ladra enérgicamente y lucha por soltarse de Junior, quiere atacar. Están a más de veinte metros de distancia, no podré llegar. Le grito varias veces, pero no me hace caso, por la bulla, por el estrés, porque es un alfa. Entonces, entiendo que no los puedo salvar a ambos, no con facilidad, no sin suerte.

Y tomo la decisión más difícil de toda mi vida.

—¡Junior! —Disparo y le doy a otro que intentaba acercarse por el lado de Donald.

—¿Qué hago? —pregunta Junior desesperado.

Me cuesta pronunciar las palabras.

—¡Déjalo ir! —suelto por fin mientras siento como el corazón se me parte y veo fijamente a mi Bob, a mi bestia negra, a mi mejor amigo, a mi hijo, a lo único verdadero que tengo.

Junior se queda paralizado, con los ojos anegados. Con lágrimas en los míos, asiento, y él lo libera. Observo entonces a la criatura que más he querido en mi vida correr hacia el peligro con valentía.

—¡Corre! ¡Escapa! —le grito a Junior y me levanto llena de rabia y dolor.

Escucho los ladridos alejarse, alaridos de hombres y más disparos. Comienzo a disparar y a avanzar por donde se fue mi bestia. Ya no me importa nada, lo he perdido todo. Me impactan en la zona del abdomen y me tengo que cubrir. Son demasiados.

—¡Ainara! —grita a quien llamaba Donald.

Volteo hacia él y observo cuando la bala le da en el pecho, cae. Corro en su dirección, sintiendo las balas pasar muy cerca. Llego a su lado.

—¿Tu chaleco? —le pregunto. No lo tiene—. Maldición, maldición.

Bota sangre por la boca y tiembla. Escucho el chillido de Bob a lo lejos. Es el fin.

—Huye, aléjate de todo y salva tu vida, por favor… —Tose sangre.

—Ahorra las energías —pido y disparo al aire al mismo tiempo.

—Léela, por favor. La escribí para ti —dice entre lágrimas.

Mete un papel en mi bolsillo.

—Nunca le di información importante y no tuve más opción…

Siento un hierro caliente en la nunca que me quema la piel.

—Suelta el arma —dice un hombre.

Lo hago y levanto las manos. Velozmente sujeto la punta de su rifle y me giro. Comienzan a salir los tiros en todas direcciones mientras luchamos. Pateo sus testículos y le pego con la culata en el rostro, le arranco el arma. La apunto en su dirección y termino de vaciar el cargador en su cuerpo. Busco a Donald con la mirada, está muerto.

—¡Agente del FBI! ¿Me recuerdas, puta? —pregunta César al salir de atrás de unos árboles junto a más de una docena de sus hombres—. Revisen todo el lugar, maten a quien sea y encuentren la cocaína.

—Gracias a mí te falta una mano, ¿cómo olvidarlo? —replico.

Suelto el rifle, se acabó. Espero que por lo menos Junior haya logrado escapar. Me rodean deprisa. César ordena que me quiten el chaleco y me golpea en la cara y el abdomen, y cuando caigo al piso comienzo a sentir sus patadas por todo el cuerpo.

—¡Perra! ¡Todavía me queda una mano y dos piernas!

Casi no puedo respirar, me rompió una o varias costillas. Todo me duele. Lucho para levantarme porque no moriré tirada en la tierra.

—A que no puedes volver a jugar béisbol —digo al ponerme de rodillas, sonriendo.

—Nos salió chistosa. ¿Qué opinan, muchachos? ¿Una muerte lenta y dolorosa?

—Disfrutémosla hasta que consigan la cocaína —dice otro de ellos.

El infeliz de César se rasca la cabeza antes de hablar.

—No, la mataré lentamente mientras encuentran mi droga. Tráiganme…

—¡Tengo la cocaína! ¡Está completa! —avisan.

Abuchean y se ríen mientras verifican la mercancía. César no se alegra, en verdad quería matarme despacio.

—¿Últimas palabras? —pregunta al apuntarme a la cara.

Me levanto, sonrío y lo escupo. *Spit*

—Espero que aprendas a limpiarte el trasero con esa mano, pendejo —digo.

Mantengo mi mirada fija en él para no demostrar miedo, aunque por dentro estoy aterrada y decepcionada por la forma en que moriré.

Varios disparos al aire los alertan y pronto se dan cuenta de que están rodeados. Sam Dean, mi «querido» psiquiatra, hace acto de presencia junto con un gran número de hombres.

—La trama se complica —suelto con ironía.

—¿¡Quién carajos eres y qué quieres!? —pregunta el líder de los narcos al mismo tiempo que le indica a sus hombres que no bajen las armas.

—No sé qué sucede aquí, pero no puedo dejar que la maten —dice Sam.

Él quiere el placer de matarme y mi corazón.

—Si no muere ella, moriremos todos —asegura César, quien todavía me apunta.

—No me malentiendas. Ella va a morir, pero no aquí. Esa mujer tiene un corazón sano y perfecto para mi hija.

Ya entiendo, para eso eran los exámenes de sangre y otros que me mandó. Quería estar seguro de que fuéramos compatibles.

—Tienes que pagar para llevártela, cabrón.

—El dinero no es problema. ¿Qué les parece si lo discutimos en mi clínica?

Es lo último que escucho antes de sentir un golpe.

∽

Despierto en los puestos traseros de un vehículo, atada por completo y con un hombre a cada lado. Ya empieza a amanecer. El *sheriff* habla con los que van en el auto de adelante. Carcajea enérgicamente junto con ellos y sus hombres. Se acerca hacia nosotros, me mira y me guiña el ojo con alegría. Arrancamos.

Al llegar al instituto, noto que son casi diez vehículos y más de treinta hombres los que fueron por mí, entre los narcos y los de Sam. El lugar está vacío, no sé si por la hora o porque lo desalojaron gracias a que los expuse. Hay gran tensión mientras todos subimos hacia el consultorio por las escaleras. Intento buscar una opción para escapar, pero todas terminan con mi muerte, aunque quizá lo mejor sea hacerlo a mi manera.

—Estén pendientes de esa mujer, ya se lanzó por una ventana —dice Sam, quien va liderando al grupo.

Todos pasamos al consultorio. Sam les entrega un maletín.

—Cien mil dólares, como acordamos. Es un placer hacer negocios con personas serias.

—Seguro —dice César.

—Prepárenla para el ~~quirófano~~ —ordena Sam.

—Huele a alcohol, estuvo bebiendo. Hay que esperar que le baje el nivel en la sangre —dice un enfermero.

Es irreal esta sensación de sentirme como mercancía. Negocian por mí, me ponen precio y hablan como si no pudiera escucharlos o siquiera les importara. Los lamentos no sirven de nada y nunca me ha parecido que tengan sentido, pero cómo me entristece no haber salido cuando Danny y

Peter me fueron a buscar. Y debí haber pedido ayuda a mi gente del **FBI**.

—Sédenla y átenla muy bien a una camilla, es muy peligrosa. No quiero que tenga oportunidad de nada.

Siento la aguja clavarse en mi cuello y todo se nubla.

—¿A qué hora estamos empezando?

—Doce en punto.

Veo borroso y estoy muy mareada. No puedo moverme, estoy completamente atada y casi no entiendo lo que hablan, todo se escucha lejano, confuso. Solo puedo reconocer que estoy en un quirófano, rodeada de varias personas con trajes quirúrgicos, mascarillas. Me miran y murmuran. Muevo mi cabeza con desesperación, la piel se me pone de gallina al divisar los instrumentos que pretenden usar en mí. A mi lado está otra camilla con una muchacha que me mira con tranquilidad.

—Gracias —dice entre labios y curva sus labios descaradamente.

Tengo unas patéticas y absurdas ganas de llorar casi incontrolables. Muchos recuerdos, demasiada rabia, dolor y tristeza colapsan en mi cabeza.

Uno de los hombres se me acerca con una jeringuilla en mano.

—Buen viaje hasta el otro mundo —dice y vacía el contenido de la jeringuilla en las vías que están conectadas a mis venas.

Repentinamente, todos se alarman. Escucho gritos. Alguien en verdad grande entra, comienza a golpearlos a todos, a apuñalarlos, a dispararles y lanzarlos por los aires.

Lucho por moverme, pero no puedo, y cada segundo que pasa voy perdiendo la consciencia, me desconecto.

Los gritos se detienen y ya nadie lucha. Solo queda de pie el hombre que entró. Cuando voltea hacia mí y se acerca, reconozco su terrorífico rostro por su diabólica mirada de ojos de diferente color; Hawk. Me sonríe.

—Tenemos un juego pendiente, seré yo quien tome tu vida…

Reacciono con el corazón acelerado. Estoy atada con las manos detrás de la espalda, descalza y únicamente con una bata de quirófano. El lugar está oscuro, solo se filtran pequeños rayos de luz solar que me permiten notar que no estoy sola. La misma muchacha que estaba conmigo en el quirófano ahora está desnuda, atada a una silla e inconsciente. Lo que me hace recordar todo y provoca que la desesperación quiera apoderarse de mí; Hawk, siempre él.

Respiro hondo para calmarme y me obligo a concentrarme. Estoy en un tráiler. Comienzo a escuchar sirenas policiales y helicópteros distantes, nace una pequeña esperanza. Examino con cuidado y diviso un tubo de acero roto al que puedo llegar. Me arrastro lo más veloz que puedo y empiezo a cortar la soga que ata mis muñecas. Más sonidos se oyen desde diferentes direcciones. ¿Saben en dónde estoy?

La puerta se abre bruscamente y él entra. Muevo más rápido mis antebrazos para intentar liberarme. Me mira lleno de odio y camina hacia mí. Me va a matar.

—Yo asesiné a tu hermana y tú mataste a mi hija. Estamos a mano, y hoy moriremos juntos.

La hija de Sam despierta y, asustada, empieza a gritar con todas sus fuerzas. Hawk se le acerca y simplemente le rompe el cuello, sin siquiera esforzarse o pensarlo. He visto muchas cosas, pero eso me deja impactada.

Cuando se me viene encima, lo pateo en la rótula una vez y otra vez, haciendo que pierda el balance. Milagrosamente, logro liberarme de las ataduras de mis muñecas y girar muy rápido por el suelo para que no me caiga encima. Me levanto rápido y casi me voy de lado debido a un fuerte mareo. Mi cuerpo está débil. Se pone de pie. Me ataca con furia y lo esquivo varias veces. Aunque lo golpeo con fuerzas, no le causo casi efecto, es muy grande y fuerte.

En uno de mis ataques me toma por la muñeca, me jala y me agarra por el cuello. Comienza a estrangularme con una fuerza impresionante y yo voy a perder el conocimiento mientras forcejeo en vano.

—Tantos años buscándome para terminar muriendo en mis manos. Te asesinaré como lo hice con Rachel.

La rabia al escuchar el nombre de mi hermana y el odio a ese desgraciado me reaniman. Le pateo en los genitales hasta que me suelta. Se inclina por el dolor y yo no me detengo. Le golpeo el tabique y solo paro cuando siento los huesos romperse. Cae al piso en el acto. Me le monto encima y continúo golpeándolo en la cara con todas mis fuerzas, con los años de frustración acumulados.

—¡Muere, maldito infeliz! ¡Ella era todo para mí y me la quitaste!

Intenta tomarme por el cuello. Yo cojo un pedazo de vidrio y se lo entierro en el brazo, cojo otro y se lo hundo en el rostro, cojo otro y se lo clavo en los genitales. Me levanto para agarrar el tubo de acero que usé para liberarme mientras él se revuelca del dolor. Lo golpeo por todo el cuerpo, buscando romper sus huesos e inmovilizarlo totalmente, pero la rabia me ciega.

Me detengo cuando pienso ir por su cabeza. Mi respiración está descontrolada, al igual que yo. Lo miro fijamente, quiero matarlo, deseo que deje de respirar. Su existencia es negativa para el mundo, para mí. Dicen que cuando uno se encuentra en un verdadero peligro de muerte, una fuerza inusual se apodera de nosotros, algo como un último aliento; así me siento yo.

—Hazlo, ¡hazlo, cobarde! —grita con dificultad—. ¿Quieres saber cómo la asesiné?

—¡Cállate, maldito Hawk!

—¡La violé durante días! ¡No hubo uno en el que ella no pensara en ti! ¡Sabía que fue tu culpa que cayera en mis manos! ¡Murió odiándote!

—¡Cállate!

Las manos me tiemblan y veo todo rojo.

Abren la puerta con brusquedad.

—¡FBI…! ¡Ainara! —grita Peter Bennett—. Baja ese tubo, no es necesario. Ya lo tenemos, no podrá escapar.

—¡La violé hasta que me aburrí y le partí el cuello! —grita el malnacido de Hawk.

—¿Me dispararás si no lo bajo?

—Diré que lo hiciste en defensa propia, estoy de tu lado. Aunque… —Bennett se comunica por radio—. «Tengo a Ainara, está viva, pero necesito paramédicos para que la revisen. Tráiler morado, cerca de la colina».

—Deseo hacerlo, necesito hacerlo…

Siento repulsión al verlo respirar y saber todo el daño que ha hecho.

—No te sentirás mejor al hacerlo, sé lo que te digo. Eres la mejor agente del FBI que existe, eres inquebrantable, honrada, honesta y la heroína de millones. Eres la mejor persona que conozco. Por favor, no arruines tu vida. Él no lo vale —dice Bennett.

Danny entra corriendo, tarda un segundo en analizar la situación.

—Princesa, él no lo vale. Antes no tenías opción, ahora sí. Te conozco —dice y comienza a acercárseme.

—Danny, no te acerques —le pido.

—Danny, detente —dice Peter.

No lo hace y llega hasta mí. Delicadamente, me toma por las manos y ya no tengo fuerzas para resistirme; estoy exhausta, adolorida, mareada. Me quita el tubo y me carga en sus brazos, en donde me quedo dormida.

EPÍLOGO

CENTRAL PARK
Varias semanas después

Junior y Bob juegan con una pelota mientras los observo sentada en el césped. Son el uno para el otro.

El muchacho logró escapar aquella madrugada, pedir ayuda y encontrarse con Bob, quien fue levemente herido en una pata. Junior vigiló desde lejos el instituto psiquiátrico y vio cuando Hawk me llevó a su guarida en el tráiler morado, lo que sirvió para guiar la búsqueda de mis colegas.

Por desgracia, Mary fue asesinada, encontraron su ropa e identificación cerca de un horno crematorio en el «inframundo». Junto a algunas otras personas desaparecidas. Mis muchachos del FBI arrestaron a Sam Dean y a todo el personal que sobrevivió en ese maldito lugar, a excepción de Jonathan, por quien abogué. Jeffrey podrá descansar en paz.

Arrestaron a casi todos los narcotraficantes porque los

demás murieron al resistirse. El *sheriff* y sus hombres se entregaron de forma voluntaria.

A mis viejos Arthur y Benjamin les envié un cheque por diez mil dólares para que se compraran ese bote que varias veces me mencionaron que soñaban, para ir a pescar a mar abierto. Prometieron venir a visitarme a la ciudad.

Días después de recuperarme en una clínica por las costillas rotas y los golpes, me entregaron la carta que Donald me había metido en el bolsillo del pantalón que se quedó en el instituto psiquiátrico. La escribió cuando Williams lo detuvo por varias horas. Me contó que su padre lo violó cuando era una niña, durante años hasta que su madre se separó de él. Cuando se fue a Nueva York en busca de una mejor vida, su tía fue su guía y soporte. Quien la ayudó pagándole la costosa cirugía de cambio de sexo. Hawk los encontró, mató a su tía y, al reconocerlo, lo manipuló psicológicamente y con amenazas para que lo ayudase a mantenerme vigilada; sabía que si yo lo veía a él, lo identificaría de inmediato. El psicópata me tenía cierto respeto. No le guardo rencor a Donald y me gusta recordar lo bueno. Quisiera haberlo ayudado.

Hawk fue condenado a dos cadenas perpetuas, por el asesinato de Rachel, el de la hija de Sam Dean y por intentar matar a una agente federal. Pasará el resto de su miserable existencia en una cárcel de máxima seguridad. Los demás casos en los que se sospechó su participación fueron reabiertos.

A Junior me lo traje a vivir conmigo, no lo pude dejar allá, solo. Luego de algunos trámites engorrosos logré convertirme en su tutora oficial. Todavía nos estamos acostumbrando a convivir, pero nos va bien.

Después de mi paso por Eureka, mi convicción de ser una agente del FBI es más fuerte. En cualquier rincón del país suceden cosas indescriptibles que pienso ayudar a detener.

Nunca más cambiaré de nombre, soy Ainara Pons y ya no huyo de mi pasado.

Mi teléfono suena. Es un mensaje de Phillip, hay un nuevo caso que investigar y me requieren en la oficina. Le digo que estaré allí en una hora. Tengo algo más importante que hacer. Me levanto.

—¡Junior, tírame la pelota! —grito para unirme a ellos.

Él la lanza y, por detrás, la bestia negra corre en mi dirección, a mis brazos.

JURO COMBATIRTE

AGENTE ESPECIAL AINARA PONS Nº 3

PRÓLOGO

Upper East Side, Nueva York
28 de diciembre
4:00 p. m.

TENÍA que ser aquí en donde terminaría todo, Nueva York. ¿En dónde más?

Se filtran pocos rayos de sol entre las nubes grises, mi preciosa ciudad luce opaca y triste. Es como si el día estuviera preparándonos de manera velada para todas las calamidades que podrían ocurrir, como un telón gris a punto de subir para la presentación de una obra sangrienta.

Siento el teléfono desechable vibrar en mi bolsillo. Me hace tragar saliva, espero que sean buenas noticias, necesito que Junior y Amy estén seguros, por si todo sale mal. Mason, el jefe del Servicio Secreto, me observa de soslayo al notar mi reacción. Está en alerta máxima. Le sonrío por los nervios y bajo de la tarima.

pallet

Gracias a todos por haber dejado sus importantes deberes a un lado para venir a honrarme con su presencia. Hoy es un día…

Dejo de prestarle atención al discurso del presidente. Me alejo un poco más para que los altavoces me permitan escuchar y poder atender el celular. Los agentes que protegen al presidente se mantienen alertas, observándonos a todos sin importar que seamos del mismo bando. Es impresionante el nivel de seguridad, el problema es que nadie se imagina de dónde saldrán los enemigos, ni siquiera yo.

Respiro profundo y al fin contesto.

—Ainara. Ya… lugar…

—¡Junior!

—Estamos…

—¡No te escucho, Junior! Hay interferencia de señales. ¿¡Lo lograron!? —pregunto, impacientándome.

Sé que no falta mucho para que suceda y necesito más ventaja o quedaré sin opciones.

Este país está bendecido por su gente. Los americanos somos la razón de que esta sea la mejor y más poderosa nación del mundo.

—Sí, esto… con Amy y su espo… —dice Junior por fin.

—Apaguen todos los aparatos electrónicos. No se comuniquen con nadie, si no me comunico en cinco días, acuden al plan B, ¿¡entendido!? —ordeno.

Les prometo que este año que comienza dentro de pocos días los Estados Unidos de América avanza…

Los ensordecedores estruendos de ráfagas de disparos paralizan el acto por una fracción de segundo, hasta que todos reaccionamos. La piel se me pone de gallina, el corazón me brinca dentro del pecho y la respiración se me agita. Comenzó el momento de la verdad, vivir o morir. La multitud que escuchaba el discurso del presidente Nathaniel Morgan se dispersa a toda velocidad, en medio de gritos y empujones, mientras los agentes del servicio secreto hacen su trabajo, cubriendo al número uno del país.

—¿¡Ainara, qué pasa!? —escucho a Junior preguntar por el auricular antes de dejar caer el teléfono.

Los disparos comienzan a aumentar y provienen desde todos lados, atinándoles a uniformados e inocentes. Me cubro, debo ubicar a mi verdadero equipo entre la multitud. Localizo a Danny y a Jonas fácilmente, son los únicos que corren hacia mí junto con otros colegas de Seguridad Nacional.

—¡Vienen desde diferentes direcciones! —grita Bennett al llegar desde otro lado y colocarse a mi costado—. ¡Equipo Beta, repliéguense!

—¡Disparan desde las ventanas! —suelta Danny.

Caen de uno en uno los hombres que rodean al presidente y los que repelen el ataque. «Los hombres del Anillo están en todos lados», recuerdo, entretanto intento encontrar desesperadamente un objetivo al cual darle antes que no quede ninguno de nosotros.

—¡Muévanse, no estorben! ¡Abran paso! ¡Manden a la Delta Force ya ya ya! —grita Mason, el jefe del Servicio Secreto, quien guía la retirada del presidente.

—¡Fuego de cobertura! —ordeno a los dos hombres de Seguridad Nacional que quedan bajo mi mando.

—¡Derecho, derecho! ¡Tumben la puerta! Necesitamos entrar en el edificio y poner al presidente a…

Un disparo derriba a Mason, pero se arrastra para ponerse a cubierto. Al mismo tiempo, otro hombre de su equipo sale de formación y comienza a dispararles a los demás miembros.

—¡Mierda! —suelto.

Antes que yo le apunte, Bennett le dispara en la cabeza. El presidente cae al piso preso del pánico, tiene los ojos muy abiertos, está entrando en *shock*.

—¿¡Qué está pasando!? —grita desesperado.

—¡Vienen más, se acercan! —grita Jonas—. ¡Entremos!

Hay agentes disparándose y disparándonos por todos lados. No puedo distinguir cuáles son buenos y cuáles son malos hasta que las miras se posan en nosotros. No sé bien qué hacer. Tenía un plan, pero esto nos sobrepasa.

—¿¡Dónde está nuestra gente!? ¿¡Por qué aún no llegan las fuerzas especiales!? —suelta Danny, desesperado—. ¡Ayuden a cargar al presidente, necesitamos salir de aquí! ¡Somos carne de cañón!

—¡Ainara! ¿¡Hacia dónde!? —pregunta Bennett.

Los disparos caen más cerca. Lucas, otro miembro del equipo de la seguridad presidencial, se coloca sobre el presidente para protegerlo y en menos de tres segundos es alcanzado por varias balas; muere al instante. Me quedo paralizada y todo se empieza a ver en cámara lenta.

—¡Ainara!

—¡Ainara!

—¡Ainara!

Repiten mi nombre, hasta que el fuerte golpe de la palma de Bennett en mi rostro me hace volver.

—¡Entren! ¡Mason, Danny y yo los cubrimos! —grita Bennett—. ¡Ahora ahora ahora! ¡Ya!

Tomo al presidente por los hombros, levanto su torso y lo empujo hasta el interior de la entrada trasera del edificio con ayuda de Jonas. Entramos en un pasillo. Volteo apenas entro para verificar que Bennett y Danny vengan detrás, pero lo último que veo antes de que se cierre la puerta es a mi Danny caer al suelo por varios impactos de bala. El corazón se me comprime. Quiero volver por él, sin embargo, no puedo salir, debo continuar con el plan o nada habrá valido la pena.

Varios fuertes estruendos a mi espalda me hacen dar un respingo. Al girarme, veo al presidente caer y el arma apuntando a mi pecho.

—No tengo elección…

El sonido me aturde y la bala me tumba. Todo se vuelve oscuro.

UN GRAN CUMPLEAÑOS

Vivienda Pons-Reed, Washington D. C.
Un mes atrás
Jueves 28 de noviembre
7:00 a. m.

EL DOLOR de cabeza ya se me está pasando y decido levantarme de la cama. Danny lo hizo temprano, seguramente para hacer ejercicios y mantenerse en forma.

Me tomo una pastilla para la resaca y me cepillo los dientes. Mientras lo hago, me cuesta trabajo reconocerme en el espejo. Ya casi no conozco a esa mujer, no sé qué hace en Washington ni qué espera del futuro. Si un ridículo psicólogo me hiciera la típica pregunta de «¿en dónde te ves en cinco años?», no tendría la más mínima idea de qué responderle.

Ya ni siquiera pierdo tiempo prometiéndome que dejaré de beber, creo que no hay vuelta atrás. No me mataron en cientos de oportunidades, quizá termine haciéndolo la bebida.

Salgo de la habitación para intentar comer algo antes de irme al trabajo. //

—¡Buenos días! ¿Lista para desayunar, princesa? —pregunta Danny cuando entro en la cocina, tan enérgico y alegre como siempre.

No me siento de humor hoy, al igual que casi todos los días. Por lo que no puedo evitar contestar de mala forma.

—Te he dicho que no me gusta que me llamen princesa, bebé o algo parecido. Tengo treinta y dos años ya…

—Treinta y tres. Feliz cumpleaños, amor.

¿Hoy es mi cumpleaños? Al ver que saca de atrás de la espalda un pastel que debió hornear él mismo —se nota casero— desde muy temprano se me pasa el mal humor. Lo abrazo y lo lleno de besos mientras le digo cuánto lo quiero y le agradezco el bonito gesto, uno que no tuve con él en su cumpleaños.

Bob, mi fiel bestia negra, no tarda en acercárseme para saludarme moviéndome la cola. Me arrodillo en el suelo para también abrazarlo y darle amor.

Mi teléfono suena, es Junior.

—¡Feliz cumpleaños, Ainara!

—¡Te acordaste, Junior!

—¿Tú sí?

—La verdad es que no.

—¡Pagarás los pasajes de regreso! —grita Junior.

—¡Tramposo! —dice una voz femenina y familiar.

—¿Amy?

Sigo escuchando la discusión, pero ya no por el auricular. Mi corazón se acelera de la emoción. Camino rápido hacia la entrada de la casa, de donde proviene la bulla. Abro la puerta y ahí está, la familia que me queda. Me devuelven la sonrisa al verme.

—¡Amy, Junior! ¡Vinieron por mí! No puedo creerlo.

—¿Por quién más vendríamos a esta ciudad? Apesta a

políticos «besa traseros» —dice el muchacho y luego me abraza.

—Te ves bien, Junior, y tú, Amy, el matrimonio te ha asentado de maravilla.

Me devuelven los cumplidos y los invito a pasar. Al entrar llamo a Danny para que salga a saludar, sin embargo, él ya nos esperaba a los tres con el desayuno servido en la mesa. Sabía que ellos llegarían.

Les reclamo por haber tramado la reunión a mis espaldas.

—Según ella es experta en patrones y no pudo darse cuenta de que teníamos un mes planeándolo —dice mi querida amiga en tono de burla.

—¿En manos de ella es que está la seguridad del país? —cuestiona Junior entre carcajadas.

Danny intenta defenderme en vano, pues no paran de hacer bromas con mis habilidades de deducción. Las que en realidad no he utilizado en mucho tiempo y deben de estar oxidadas. Mientras ellos comen, me levanto con mi taza de café, no tengo apetito.

—Voy al baño un momento y me vestiré. Debo llegar temprano a la oficina. La secretaria Leonore avisó de que habrá una reunión a primera hora —informo.

Intentan hacer que me quede más tiempo para conversar, algo que no estoy segura de querer hacer. Que hayan venido me alegró el día, pero quiero estar sola. No sé qué me está pasando últimamente, todo me irrita.

Primero recargo mi bebida con unos dedos de *whisky* y, mientras lo hago, escucho que hablan de mí preocupados, sobre que no luzco muy bien. Los ignoro y continúo en lo mío. Bob me encuentra y se me queda mirando fijamente, como si supiera que no debería estar tocando una botella tan temprano y él no aprobase mi comportamiento. ¿Cómo no amarlo? Le doy cariño y subo a prepararme para ir a la oficina.

$$\sim$$

7:30 p. m.

Leonore se ha estado comportando muy extraño en la oficina y estoy segura de que no soy la única que lo nota. La reunión de la mañana no se trató de algo oficial de trabajo, conversó con el personal, nos felicitó por nuestro desempeño, pidió almuerzo para todos y ahora compartimos unos tragos en una especie de celebración. Dos cosas son realmente extrañas; una es que ella luce muy alegre, hasta simpática, y nadie, ninguno de los que llevan años trabajando con ella la habían visto así, ni yo en mis dos años como agente de Seguridad Nacional; lo segundo es que el subsecretario Bruno Powell no está y ha sido su mano derecha durante años, tengo entendido.

Quedé con los muchachos en que iríamos a cenar apenas saliera de aquí. Danny y Amy tienen rato llamándome y enviándome mensajes, pero aún no puedo irme porque Leonore me pidió que la esperase, ya que tiene un gran anuncio que hacer y, según ella, me necesita presente.

—¡De acuerdo, muchachos! ¡Es hora de darles el anuncio que les prometí! —exclama Leonore mientras camina con una copa en la mano hacia el centro de la oficina—. Mi gran amigo Bruno Powell, por razones personales, ha decidido abandonar su cargo como subsecretario. Algo que me entristece, pero que debo respetar. Sin embargo, la historia continúa y alguien debe ocupar ese puesto inmediatamente. Agente Pons, acérquese.

Todos voltean a mirarme y yo tardo un momento en entender que es a mí a quien llama, lo que puede significar que el puesto es mío. Camino hacia ella, con la total certeza de que nada de lo que diga me hará la vida más fácil.

—Cuando pensaba en quién podría ocupar el cargo que dejó vacío Bruno, me venían muchos nombres a la cabeza, la mayoría eran de ustedes. Agentes capaces que han dejado años de sus vidas en estas oficinas y en el campo con un solo y único objetivo: ¡proteger a este grandioso país! Miré muchas hojas de vida y a los protagonistas de nuestros grandes aciertos, pero solo el historial de una persona me cautivó lo suficiente y me hizo recordar por qué se la robé al FBI...

Leonore continúa halagando mi trabajo hasta que, por fin, anuncia que seré la nueva subsecretaria de Seguridad Nacional. Aunque, sinceramente, mi tiempo trabajando para esta agencia ha sido de lo peor de mi carrera, por lo que nunca me imaginé esto.

Intento hablar con ella, pero se coloca su teléfono al oído y se encierra en su oficina a hablar. Mis compañeros no paran de felicitarme por el ascenso y porque también se enteraron de que es mi cumpleaños, gracias a mi jefa. Si bien se supone que debería sentirme feliz, el no entender por completo la situación me lo impide.

Veinte minutos después, Leonore sale. Ya no luce tan alegre, su mirada es fría. Al acercármele, me ordena que vaya a mi celebración privada y que esté pendiente de mi teléfono; me llamará.

—Ainara, ve y disfruta el tiempo que puedas.

—Señora Leonore, por favor...

—Ve y disfruta estas horas. ¡Es una orden!

Me pone la mano en el hombro y con un gesto me insiste en que me vaya. Se da la media vuelta y vuelve a ponerse el teléfono al oído.

∿

Le Diplomate
10:05 p. m.

Danny, Junior y Amy me trajeron a un bonito restaurante en el centro de la ciudad. Mientras compartimos unas cervezas, hablamos y esperamos unos nachos; para mi grata sorpresa, Jonas y mi exjefe Phillip aparecen junto con sus esposas. También vinieron desde Nueva York para estar conmigo en la celebración. Aunque no ver a Peter con ellos me desilusionó un poco.

Jonas pide una botella de tequila y Phillip una de champán mientras las rondas de cervezas no paran de llegar. Recordamos los buenos tiempos, los pocos, y pasamos un rato increíble. Tenía tiempo que no me sentía así de satisfecha, a pesar de que no me puedo sacar de la cabeza a Leonore, su atípico comportamiento y mi nombramiento; no tiene sentido.

—Ainara, ¿cómo te trata Seguridad Nacional? ¿Volverás algún día a casa? —pregunta Phillip—. El FBI no es el mismo desde que te fuiste.

—Espero que sí, señor. Extraño estar en mi casa —respondo.

—Hace mucho tiempo que nadie me pide que le pinche los teléfonos a un exsenador o que espíe a alcaldes, empresarios... Todo se ha vuelto muy aburrido sin la temeraria Ainara Pons —agrega Jonas sonriente.

La esposa de Jonas, en tono de broma, me pide que no vuelva, para evitar que lo meta en problemas. Entonces reímos y brindamos por los buenos tiempos.

—Yo no recuerdo cuándo tuve otra buena primicia para el periódico desde que Ainara se vino para Washington —añade Amy.

—¿Y a mí? —dice Junior— A mí me dejó solo a merced de esos neoyorquinos dementes...

—Junior, te graduaste hace tiempo y Ainara te ha dicho que vengas a vivir con nosotros.

—¿Y ser el hijo adoptivo de ustedes? Apenas me llevas, ¿cuánto, Danny, cuatro años?

Mi celular suena. Lo saco, esperando que sea mi jefa, pero creo que son mejores noticias. Pido disculpas, los dejo discutiendo por niñerías y salgo del restaurante para atenderle a Peter, tenemos más de dos años sin hablarnos.

El tráfico casi ha desaparecido por la hora, es tarde y solo pasan algunos escasos transeúntes. La brisa es fría, aunque afortunadamente no está nevando hoy. Tomo la llamada, hay silencio en la línea durante varios segundos.

—Disculpa por llamar tan tarde, Ainara —dice y se queda callado un breve instante—. Sí... feliz cumpleaños. Oye...

—Gracias, y también por llamarme, Peter —respondo y tardo en continuar—. ¿Por qué no viniste con Phillip y Jonas? ¿Cómo has estado? Ha pasado...

—Dos años. Después que hablamos aquella noche y decidiste irte...

Dejo de escucharlo al levantar la mirada y divisarla observándome fijamente desde el otro lado de la calle. La piel se me eriza. Leonore está dentro de una camioneta con los vidrios abajo, en el puesto de piloto. Su mirada es inexpresiva pero intensa al mismo tiempo. No es su auto, o no uno que yo conozca. Algo no está bien.

Mi corazón empieza a acelerarse.

—¿Ainara, sigues ahí? No fue mi intención...

Corto la llamada y, mientras camino hacia el auto de mi jefa, doy una última mirada a uno de los ventanales del restaurante para ver a mis amigos. Sonríen, beben y comen. Gran parte de mí quiere volver con ellos, a lo cálido, pero primero necesito saber qué le ocurre a Leonore.

Me subo y cierro la puerta. Luce peor de lo esperaba y

huele muy fuerte a alcohol, debió seguir bebiendo mucho. Ahora tiene la mirada hacia el horizonte y las manos le tiemblan un poco. ¿Qué puede asustar tanto a la secretaria de Seguridad Nacional?

—Leonore, ¿qué está pasando? Me estás poniendo nerviosa. ¡Nunca te había visto así, háblame!

Respira lento y profundo para recomponerse, aunque de sus ojos comienzan a descender lágrimas. Sube los oscuros vidrios delanteros e intenta hablar, tartamudeando al principio.

—Perdóname por meterte en esto, Ainara. De verdad que no quería…

Empieza a llorar y saca un arma de la puerta, la coloca en sus piernas.

—Leonore, podemos resolver cualquier problema. Guarda esa arma, por favor. ¿Qué haces? ¿Qué pasa?

—No tengo, no tenemos opción. Traté de resolverlo durante meses, pero no pude. Tuve que elegirte mi sucesora porque ellos me lo ordenaron.

—¿De qué estás hablando? ¿Quién te lo ordenó?

Ella mira su reloj y luego a mí.

—Estás a punto de conocerlos, Ainara.

Mi corazón se acelera más al oírla decir eso. Saco mi arma y velozmente miro los alrededores. Quienes sean capaces de asustarla así deben ser realmente poderosos.

—No veo a…

Mi teléfono empieza a repicar y Leonore a llorar con desesperación, a pesar de que lucha por controlarse. Veo la pantalla y dice número desconocido. ¿Son «ellos»? Leonore se me acerca al oído, me susurra unas palabras y me entrega algo en la mano. Vuelve a su asiento.

—Suerte, Ainara. No permitas que te controlen sin pelear.

Eres la única que puede detener esto, no conozco a alguien más capaz. Atiende la llamada, no les gusta esperar.

—No…

Veo sus movimientos en cámara lenta, pero por toda la confusión tardo en reaccionar. Lleva la pistola a su boca. Doy un brinco por el poderoso sonido del disparo mientras restos de su cabeza se esparcen por el auto y me salpican el rostro.

2

‹MISSAINARAPONS@EMAIL.COM›

ME CUESTA DARLE órdenes a mi cuerpo para que se mueva, mi cerebro se quedó congelado. Jamás habría podido imaginarme que estaría en semejante situación, es irreal. No sé qué se supone que deba hacer ahora.

Lo que me dijo Leonore es casi tan grave como que ella se haya suicidado frente a mí, la mismísima secretaria de Seguridad Nacional. Tengo un *pendrive* que me entregó en la mano, harán una investigación extremadamente profunda hasta que se esclarezca todo, ¿debo ocultarlo?, supongo que debo verlo primero y luego decidir.

Mi teléfono no para de sonar y vibrar, siento que la bulla va a hacer que la cabeza me explote.

—¡Maldita sea! —suelto con furia.

Debí quedarme en el restaurante, siento que crucé una línea sin retorno.

Cuando al fin logro que mis temblorosas manos obedezcan, agarro el teléfono y, luego de respirar varias veces para tratar de calmarme, atiendo.

—¿Señorita Pons, Leonore no le dijo que no nos gusta esperar? —pregunta una voz sintetizada.

—¡Al diablo lo que les guste o no, desgraciado!

—Señorita Pons, le agradezco que termine con la hostilidad para que pueda volver al restaurante y hablar con Danny Reed, Amy Adams, Phillip Laurie y el resto de sus pocos seres queridos que se han tomado la molestia de organizarle una cele…

—¡Vete al infierno, maldito desquiciado! ¿¡Qué demonios les voy a decir!? ¿¡Qué le hicieron a Leonore!?

Estoy al borde de la locura, ver el cadáver de Leonore es escalofriante. No puedo pensar con claridad.

—Nada, señorita Pons. Usted fue testigo de que ella decidió quitarse la vida…

—¿¡Quién eres!?

—¿Puedo tutearla? —pregunta, pero no le respondo—. De acuerdo, lo tomaré como un sí. Ainara, normalmente, damos charlas de iniciación con más calma y en escenarios más «cómodos», y aunque no puedes desperdiciar el tiempo, dadas tus circunstancias actuales, te daré una breve introducción. Yo solo no tengo ningún valor. Los hombres poderosos que represento y yo somos una organización que busca el equilibrio en el país.

—¿Asesinando personas?

—¡Ainara, escúchame y cállate! —Eleva la voz—. Un transeúnte ya reportó un disparo en la zona, en breve estarán las patrullas ahí. Si fallas en la misión que te encomendaremos será el fin de todos tus seres queridos y sus familiares. ¡Así que presta atención!

—No eres el primero que me amenaza, infeliz…

—¡Pero seré el último! Solo debo dar una señal y todos los que están en ese restaurante volarán por los cielos al explotar el C-4 que instalamos después de que tu novio hiciera la reservación, hace dos semanas. Entonces te quedarás completamente sola en este mundo, sin amigos, sin familia, sin novio, y si en contra de toda probabilidad no terminas matándote y empiezas a recuperarte, nosotros estaremos siempre cerca para darte el final más doloroso que exista.

—No es posible… es mentira.

—Y si por alguna tonta razón piensas que puedes ganar, pregúntate, ¿cómo la gran Leonore O'Sullivan terminó pegándose un tiro en la cabeza por orden nuestra? Nosotros no somos asesinos seriales con enfermedades mentales que se dejan atrapar ni narcotraficantes ignorantes, tampoco nos agarrarás por sorpresa, porque nosotros te elegimos y conocemos hasta el más mínimo detalle de ti; qué comes, con qué frecuencia tomas *whisky* barato y te quedas dormida en la oficina, sabemos cuánto dinero te queda de la herencia de tu madre y en qué gastas cada centavo; conocemos al esposo de Amy mejor que ella, deberías decirle que se acuesta con su asistente; Junior consiguió un nuevo trabajo en un bufete de abogados decente, felicítalo; tu querido Danny, un buen muchacho, pero últimamente no lo tratas muy bien y lo puedes perder; Peter Bennett no debería morir sin que antes arreglen sus asuntos; y a tu amado Bob se le está acabando el alimento… Aunque podría seguir todo el día, no tenemos tiempo y la lasaña que te pidieron se va a enfriar.

Siento un inminente ataque de pánico, me cuesta mantener la calma. Toda esa información que tiene sobre mí es demasiado, además, el cadáver de Leonore, las amenazas a mis amigos y las sirenas policiales que empiezan a escucharse a la distancia. Maldita sea, maldita sea.

—¡Maldita sea! ¿¡Qué quieren de mí!? —grito sin poder disimular mi desesperación.

—Que seas parte de nuestra organización, como lo hizo tu predecesora durante unos cuantos años.

Cierro los ojos y respiro profundo. Necesito tiempo para poder pensar, debo seguirle el juego.

Danny salió del restaurante, no tardará mucho en encontrarme.

—No mataré a nadie. Veo a las patrullas acercarse y Danny…

—Ya te está buscando, lo sé. No matarás a nadie, no por ahora. ¿Tienes dónde anotar?

—No necesito anotar.

—<*missainarapons@email.com*>; contraseña: del cero al cinco más las tres primeras letras del abecedario. Allí estará toda la información sobre tu misión. Tienes siete días para cumplirla o… ya sabes qué ocurrirá. Algo que debes saber es que no damos segundas oportunidades, no aceptamos la mediocridad y los errores se pagan con la muerte. Nunca apagues ese celular y no intentes hablar de esto con nadie porque lo sabremos y entonces…

—Matarán a todos mis seres queridos. ¿Qué se supone que haga con Leonore?

Uno de los oficiales de la patrulla habla con Danny y luego señalan en mi dirección. Empiezan a acercarse.

—Eres astuta, Ainara. Sabrás qué hacer.

La comunicación se corta y mi instinto de supervivencia toma el control. Borro la llamada del registro y guardo mi teléfono. El *pendrive* lo escondo dentro de mi ropa íntima, no creo que algún agente se atreva a revisarme. En cuestión de segundos me invento una historia con lo poco que sabía de Leonore, se había divorciado hacía poco y no hablaba casi con sus dos hijos, se podría decir que no la querían mucho porque el trabajo abrió una brecha muy grande entre ella y su familia; estaba muy sola.

—¡Abran la puerta lentamente y salgan del auto! —grita el oficial de Policía con su arma desenfundada.

301

Danny logra reconocerme a pesar de la oscuridad y el vidrio, le ordena al uniformado quedarse atrás.

Abro la puerta y desciendo. Cuando él ve mi rostro, entiende que algo realmente grave ocurrió y corre hacia mí.

—Ainara, ¿qué pasa? ¿Qué hacías allí adentro? ¿Y esa sangre en tu rostro? ¿Quién está ahí? ¿Estás bien? El oficial me dijo que denunciaron un disparo.

—Yo… yo… no pude hacer nada para evitarlo. ¡No sé qué pasa! ¡No sé por qué lo hizo! —suelto con la voz quebrada desde adentro.

Mis emociones afloran más cuando Danny me toma en brazos y me besa en la frente.

—¿Qué pasó, Ainara? ¿Quién está allí? —pregunta él y al entender que no puedo hablar—. Está bien, ya pasó. Estoy contigo.

—¡Dígale a esa persona que baje ya mismo! —grita otro oficial que se une a la escena.

Phillip y los demás terminan de salir del restaurante. Al vernos, no dudan en acercarse e intentar entender qué ocurre. Danny le pide a uno de los oficiales que mire dentro de la camioneta. Mi corazón está por estallar, como si yo la hubiera asesinado y me fueran a descubrir.

—Hay una mujer muerta, disparo en la cabeza —suelta el oficial.

No los puedo ver, pero el silencio por el asombro y la confusión que deben tener me permite sentir cómo todos intercambian miradas temerosas y luego las posan en mí.

—Jonas, anda y ve de quién se trata —ordena Phillip.

Quisiera que fuera una maldita pesadilla, despertar en casa en brazos de Danny y quedarme allí para siempre, pero no lo es, y la vida de ellos ahora depende de mí. Debo mentirles a las personas que más quiero por su propio bien.

—¡Dios mío, Dios mío! ¡Es la secretaria de Seguridad

Nacional, Leonore O'Sullivan! —grita Jonas alarmado, nervioso.

Phillip y Danny se apresuran a acercarse al auto para confirmarlo. Amy se me aproxima sin decir nada y me abriga con su suéter. Junior me toma por el rostro.

—¿Estás bien, Ainara?

Lo niego con mi cabeza y él me abraza.

Lo peor de todo es que no tengo idea de quién o quiénes son mis enemigos, y que no soy la misma Ainara de hace unos años: soy un desastre con problemas de bebida.

⁓

Seis horas después de la muerte de la secretaria del Departamento de Seguridad Nacional
Viernes, 4:40 a. m.

—¿Puede repetirme qué pasó exactamente, agente Pons? Desde el momento en que la señora Leonore llegó al lugar — pregunta otro agente de Asuntos Internos de mayor rango que acaba de entrar.

La mejor mentira es la que se basa en la verdad y es a lo que me he apegado las tres horas que llevo en la sala de interrogatorios de una comisaría de la ciudad.

—Hablaba por teléfono con el agente Bennett del FBI cuando la divisé al otro lado de la calle. Su aspecto me llamó mucho la atención, de inmediato supe que algo no andaba bien. Ni siquiera terminé de hablar con Bennett y fui directo a ver qué ocurría...

—Leonore le había dicho que la llamaría, ¿la esperaba ahí?

—Sí, después que me nombró subsecretaria, me dijo que me llamaría. Pero en ningún momento imaginé que se presentaría. Al entrar en el auto, noté que había estado llorando y seguía un poco ebria; el auto olía muy fuerte a licor. Comenzó a hablarme de su familia, que la extrañaba y que seguía deprimida por el divorcio, sentía que estaba sola en el mundo.

—Usted, ¿qué le decía?

—Le daba ánimos, claro. Pero su estado solo parecía empeorar…

—¿Ya lo tenía decidido? —pregunta interrumpiéndome, mirándome a los ojos.

—¿Quién? ¿Qué cosa?

—No sé, dígamelo usted.

Por los nervios y el cansancio, casi se me dibuja una pequeña sonrisa cuando él me hace recordar de pronto a un tonto policía de Eureka que una vez intentó culparme de un homicidio.

—¿Qué motivos tendría de asesinar a quien me acababa de promover?

—Porque querías su puesto. Si la quitabas del medio, serías la nueva secretaria de Seguridad Nacional, pero no contabas con que…

Abren la puerta de la sala y otro agente entra.

—Doug, ¿no ves que estoy interrogando a la sospechosa? —pregunta de mala manera mi interrogador.

—Señor, todas las pruebas dieron negativo. La forma en que se esparció la pólvora sobre la camisa de la subsecretaria la aleja al menos treinta centímetros del arma en el momento en que se disparó. Ya todos los demás agentes y conocidos han dado testimonio a favor de ella. Por las circunstancias del hecho, no hay una sola prueba que la señale, ni siquiera hay un móvil. Todo indica que fue un lamentable suicidio.

—¡Aún no he terminado de interrogarla!

—Están llamando desde arriba, señor. Ordenan que se libere de inmediato a la secretaria de Seguridad Nacional provisional. No quieren que se generen noticias que creen pánico ni muestren debilidad a nuestros enemigos.

«Dejarán que me vaya sin hacerme más preguntas», pienso y me calmo un poco.

Solo otro hombre de Asuntos Internos me hace aclaraciones sobre el cargo que ocuparé temporalmente y me avisa de que muy pronto la Casa Blanca enviará a alguien que me servirá de apoyo; lo que significa que tendré un niñero al cual rendirle cuentas.

Al salir de la sala de interrogatorios me encuentro con Junior y Danny, ambos dormidos en unos bancos metálicos. Los despierto con mucho cariño y les suplico que me lleven a casa, estoy muerta de cansancio, aunque más por el mental que por el físico. Necesito dormir para recomponerme un poco y poder pensar.

~

Vivienda Pons-Reed
7:10 a. m.

No logré pegar el ojo ni un solo minuto porque no puedo hacer otra cosa que imaginarme a todos los que quiero siendo asesinados. Por lo que tampoco puedo perder más tiempo y debo empezar a trabajar. Necesito con urgencia un hilo por el cual tirar antes de que sea demasiado tarde.

Me duele la cabeza y siento una notable debilidad física. Sin embargo, me levanto para irme a la oficina. Lo hago con delicadeza para no despertar a Danny, también está agotado y no quiero hablar ahora.

—No dormiste, ¿cierto? ¿Y piensas irte sin que hablemos? —pregunta Danny—. Necesito saber qué pasa por tu cabeza, Ainara. Si no… ¿para qué estamos juntos? Tenemos tiempo así, desconectados, pero lo que pasó fue grave. Háblame, por favor. Desahógate conmigo.

Me volteo y lo tomo por el rostro.

—En la noche hablaremos bien. Ahora necesito enfrentarme a todo lo que se me viene encima, soy la nueva secretaria de Seguridad Nacional. Debo demostrar fortaleza en la oficina. Te adoro, y eso es lo único que sé en este momento.

—También te amo.

Se levanta, me besa y me abraza. Aunque deseo quedarme entre sus brazos, mi teléfono suena, y al atender la voz sintetizada me recuerda que se me hace tarde para llegar a la oficina.

UN VELORIO DE TERROR

***Oficinas centrales de Seguridad Nacional,
Washington D. C.
Viernes 29 de noviembre
3:20 p. m.***

«Nos HACEMOS LLAMAR el Anillo porque no tenemos principio ni final, somos un todo y sin nosotros reinaría el caos», recuerdo de mi conversación mañanera con la voz sintetizada. Me retó a que intentase hacer algo a sus espaldas, que diera incluso mi mejor esfuerzo, y así entendería la grandeza de su organización. Algo que pienso hacer a la primera oportunidad.

La noticia del suicidio de la secretaria de Seguridad Nacional le dio la vuelta al mundo. Ha salido en todos los canales de televisión, en los periódicos impresos y digitales. En pequeñas partes me nombran a mí como su sucesora, algunos asegurando que no había alguien más capacitado y que yo podría cambiar el sistema autoritario, muchas veces acusado de violar los derechos humanos; otros pronostican un gran fracaso al recordar la oscuridad que tiñe mi pasado, creen que no estoy lo suficientemente equilibrada, además de mi corta edad, y que nunca fui militar condecorada, algo que por lo general es imprescindible para los puestos más altos en la defensa de la nación. Lo cierto es que no me importa lo que digan.

Desde que llegué a la oficina el ambiente ha estado bastante pesado. Puedo sentir que la mayoría de mis compañeros me juzga, piensa mal de mí o me guarda cierto recelo. Ayer me nombraban subsecretaria sin merecerlo, sin ganarlo, y hoy entré como la secretaria de Seguridad Nacional. Sinceramente, no pinta nada bien y no hay manera de cambiar esa percepción de los hechos. Si pudiera, renunciaría a este cargo que nunca quise, pero no puedo.

Hoy y mañana trabajaremos a media jornada, el personal que no sea imprescindible para el funcionamiento de la agencia puede tomarse los días libres. Sin embargo, es prácticamente obligatoria nuestra asistencia al velorio y al entierro de Leonore, eventos que se harán con los máximos honores. Luego de eso tendré que elegir a un subsecretario y dar lo mejor de mí para mantener a salvo el país mientras cumplo las órdenes de un grupo de psicópatas a los que debo atrapar antes de que maten a mis seres queridos, al mismo tiempo, no puedo dejar que descubran que soy una «doble agente» ni pedirle ayuda a nadie, ya que me tienen vigilada y no tengo idea de quién o quiénes trabajan para el Anillo dentro del Departamento de Seguridad Nacional, la NSA, el FBI, la CIA, o funcionarios de alto nivel. En pocas palabras, estoy jodida.

No haber dormido nada, la falta de práctica que me tiene fuera de forma y el nivel de presión que cargo sobre mis hombros no me han permitido concentrarme lo suficiente para enfocarme. Tampoco sé por dónde empezar, ya que no he querido abrir el correo electrónico que me dieron ni el *pendrive* de Leonore, pues por todo lo que ha pasado olvidé traer mi *laptop* y, pensándolo bien, revisar el correo que me dio el Anillo o introducir la memoria *USB* en una computadora conectada a la red interna de uno de los edificios más seguros del mundo, sin saber qué contienen, es un suicidio. Se lo oculté a Asuntos Internos, y si alguien lo descubre, estaré en serios problemas.

La que era asistente de Leonore, Janice, que ahora trabaja para mí, y John Carnegie, un colega, han sido las dos únicas personas realmente amables entre todos los que antes me llamaban compañera y ahora refunfuñan por tener que decirme jefa. Es todo el equipo con el que creo poder contar.

No puedo todavía y tampoco quiero instalarme en la oficina que pertenece al cargo que ocupo, prefiero mi pequeño espacio privado en el que llevo dos años trabajando. Sin mucha tela que cortar, me he dedicado a intentar ponerme al día con los asuntos pendientes que dejó Leonore. Son muchos asuntos prioritarios por información delicada de personas de interés por sus vínculos con el terrorismo. Junto con la NSA tenemos cientos de miles de personas sospechosas de mantener dichos vínculos, y entre los mil millones de personas a las que investigamos en todo el mundo —algo que negamos continua y rotundamente hacer—, hay demasiado material y tengo muchos informes que revisar. Aparte de eso, tengo que reunirme de manera regular con los directores de las demás agencias para coordinar las estrategias de defensa.

Mientras reviso los perfiles de una docena de hombres en suelo americano que podrían ser una amenaza, Janice toca mi puerta. Le hago una seña para que entre.

—Señora secretaria.

—Dime Ainara —pido.

Un delicioso aroma pasa con ella y me hace rugir el estómago, recuerdo que no he comido nada desde los nachos en el restaurante.

—No me sale llamarla por su nombre, señora secretaria. Todos vamos saliendo al velorio. ¿Quiere que la espere?

—Date un tiempo y verás que te saldrá —aseguro y le guiño el ojo—. Termino de revisar unos documentos y salgo para allá. No esperen por mí.

Ella vacila en salir, se queda adentro y cierra la puerta.

—Señora… Ainara. ¿Has comido algo? No te ves muy bien, estás pálida… y esas ojeras.

—No tengo apetito, Janice, por todo lo que ha pasado. Y tampoco he logrado dormir, pero me repondré. Gracias por preocuparte —digo honestamente, lo valoro.

Saca de su cartera un par de burritos envueltos en papel y los coloca en mi escritorio.

—Los pedí para mí, pero saldré y puedo comprarme algo por el camino. Cómelos, por favor, son de pollo. Enseguida te traigo una soda.

—No es nece…

Se va de la oficina a buscar lo prometido.

Por un breve instante me quedo contemplando los burritos, parecen calientes y huelen increíble, hasta que no puedo contenerme y abro uno. Cuando voy a morderlo, me llegan dos mensajes, uno al celular y, varios segundos después, otro a mi computadora. El primero es de Danny, preguntándome a qué hora llegaré al velorio; y el segundo dice: «El tiempo sigue corriendo y no vemos resultados. Respóndale a Reed y dígale que ira apenas termine de comer. Buen provecho, agente Pons».

Las computadoras de este edificio están aisladas del mundo exterior por un desconocido número de cortafuegos, lo que significa que el mensaje tuvo que ser enviado desde adentro y que tienen ojos sobre mí y Danny en casi todo momento. Quizá hay cámaras y micrófonos en mi casa.

No tengo la más mínima idea de cómo escapar de esta situación.

∽

Iglesia Católica de San Patricio
4:00 p. m.

Al salir del edificio de Seguridad Nacional pude evitar a los periodistas, pero si quiero entrar a la iglesia no podré eludirlos. Me estaciono lo más cerca que puedo, lamentablemente, fuera del cordón de seguridad que rodea a todo el lugar.

—¡Es la secretaria! —grita un periodista al verme bajar.

—¡Maldita sea! —musito mientras acelero el paso.

En menos de cinco segundos estoy en medio de decenas de frenéticos reporteros que sueltan preguntas a cada instante.

—¿Es cierto que fue sospechosa de la muerte de Leonore O'Sullivan?

—¿Tiene los méritos para el cargo? ¿Quién la colocó ahí?

—¿Se acuesta con algún funcionario?

—¿A cuántos sospechosos ha matado? ¿Es cierto que estuvo recluida en un instituto mental?

Cuando no puedo soportar una sola pregunta más, de manera instintiva busco mi arma para soltar unos tiros al aire y despejar mi camino; la palpo. Pero con un enorme esfuerzo me contengo porque soy la representante de una jodida agencia de seguridad. Entonces empiezo a dar empujones. No callan y tampoco me ceden mucho espacio.

—¡No pienso dar declaraciones! ¡Háganse a un jodido lado o haré que lo lamenten! —grito con fuerzas.

311

De inmediato muchos oficiales vestidos de civil o uniformados aparecen con armas en mano, algo alarmados y reportando la situación. Me presento y me escoltan al interior de la iglesia.

El recinto está lleno y la seguridad es mayor. Conozco a algunos de vista, ministros, diplomáticos, senadores, el alcalde y el gobernador de Washington, militares de alto rango, jefes de las distintas agencias gubernamentales, casi todo el personal de Seguridad Nacional y algunos civiles, entre los que deben estar miembros de la familia de Leonore; son los únicos que lucen algo tristes o ¿aburridos?

Todos y cada uno de los funcionarios del Gobierno se me presentan cordialmente, dándome la mano y palmadas en los hombros, o tocándome por la cintura, mientras trato de avanzar hacia donde se encuentra mi gente de Seguridad Nacional. Es asfixiante tener que devolver tantas sonrisas falsas y creo no poder disimular por mucho tiempo que quiero que me dejen en paz.

—Señora secretaria, tenemos un asunto importante del que hablar —dice Danny al acercarse para rescatarme.

El ministro de Defensa se queda con la mano extendida, mirándolo fijamente por su interrupción, y el gobernador, que me hablaba de alguna estupidez, se detiene.

—Asuntos de la seguridad del país, señores. Lamento interrumpir.

El ministro asiente, Danny y yo nos alejamos. Hablamos para ponernos al día, y apenas él intenta hacerme preguntas que no puedo responder le pido que me acompañe para acercarme y dar mis condolencias a los familiares de Leonore.

—Señora secretaria, agente Reed, necesito sus armas —pide un hombre vestido con traje negro.

Antes de entregarla noto que lo mismo ocurre con los demás asistentes, están siendo desarmados por sujetos con la misma vestimenta. Son del Servicio Secreto, lo que solo puede significar que el presidente o el vicepresidente está por entrar. Me palpo los bolsillos para revisar que no tenga ningún tipo de objeto que pueda considerarse peligroso.

—¿Qué demonios? —pregunto en voz baja al escuchar pequeños sonidos metálicos dentro de mis bolsillos, como si fueran llaves, pero son objetos más ligeros.

—¿Ocurre algo, señora secretaria? —indaga el mismo hombre, analizando mis reacciones.

—No, todo en orden. Son mis llaves —respondo y las muestro.

—¿Eres del Servicio Secreto? ¿Viene el presidente? ¿No estaba en Europa? —pregunta Danny antes de entregar su pistola.

—Luke Carter, subjefe del Servicio Secreto. Se las devolveremos al salir —responde serio y se retira.

De inmediato me reviso y del fondo de los bolsillos laterales de mi chaqueta extraigo cinco anillos negros y encuentro otro que por poco se salía de un bolsillo de mi pantalón. Trago saliva y empiezo a sentirme aterrada al ver sospechosos en todos estos sujetos con grandes cargos, con poder, quienes dirigen este país. Descaradamente me plantaron los anillos para darme un claro mensaje, no puedo ganar. Se me dificulta respirar, las manos me sudan y la debilidad en mi cuerpo por el cansancio gana terreno, atentando contra mis piernas.

Me siento en uno de los bancos de la iglesia para no terminar cayendo al piso, entretanto lucho por no reflejar en mi rostro lo que siento por dentro. Danny nota enseguida que no estoy bien y se me sienta al lado. Escondo los anillos.

—Amor, ¿qué ocurre? Háblame, por favor —pide y toma mi mano.

—Es solo cansancio, no he podido dormir, Danny —respondo y alejo mi mano—. No podemos dar demostraciones de afecto en público, menos aquí con to...

Antes de empezar con el acto velatorio de la gran Leonore O'Sullivan, démosle la bienvenida al vicepresidente de los Estados Unidos, Tim Campbell.

Volteamos y el vicepresidente entra al lugar. Sonríe en todo momento mientras saluda, como si estuviera en medio de una campaña y no entrando en un velorio. Es un hombre de estatura promedio, de piel blanca y cabello dorado, luce impecable. Lo único que me pregunto al verlo es si será parte del Anillo; pensarlo me produce más escalofríos.

El acto da inicio y dura poco más de una hora. Tiempo en el que no pude hacer otra cosa que examinar a cada uno de los presentes, y al final llegué a la conclusión de que solo podría confiar en mi Danny.

Apenas doy mis condolencias a los familiares que pudieron asistir, le aviso a mi hombre que nos veríamos en casa y salgo disparada hacia la salida para escapar o terminaría haciendo algo muy imprudente. Estoy sobrecargada.

—Señora secretaria, ¿se va a ir sin que nos conozcamos? —preguntan a mi espalda cuando me entregan mi arma y estoy por largarme.

Me volteo y me le acerco a Tim Campbell.

—Señor vicepresidente. Ainara Pons —digo y le doy la mano.

—Tengo que decir que es un honor conocerte en persona. Eres una heroína para este país. ¿A cuántas personas salvaste cuando estabas en el FBI?, ¿cien, doscientas?

—No tengo idea, señor. Nadie lleva la cuenta.

—Alguien debería llevar la tuya, porque ahora que eres la secretaria de Seguridad Nacional no puedo imaginarme cuánto bien podrás hacerle a este país. Llámame Tim. ¿Podemos hablar unos minutos?

—Se lo agradezco, señor vicepresidente, pero necesito irme a casa.

—Solo serán cinco minutos —dice, sin embargo, cambia de parecer al entender mi renuencia y sonríe—. Es cierto, la seguridad del país nunca descansa, has pasado por mucho y debes querer ponerte al día y descansar. Ya tendremos oportunidad.

—Gracias por entender, Tim.

Me da la mano y repite mi nombre varias veces mientras me alejo para huir de la cueva de los lobos.

4

¿ESTARÁ RUIDOSO?

Oficinas centrales, Seguridad Nacional
10:40 p. m.

LLEVO CASI dos días sin dormir y no sé si podré volver a hacerlo. Desde que salí de la iglesia he empezado a sentir una paranoia que solo aumenta con las horas, no sé quiénes son los buenos y quiénes son los malos.

Me quedó más que claro que no puedo ir y hablar con alguien de más jerarquía acerca de una supuesta organización secreta debido a que no me van a creer o, peor, puede que esta persona sea parte de ella. Si se lo cuento a Danny o a alguien de mi círculo íntimo, comenzará a notarse su cambio de conducta por la paranoia y estaría en riesgo de ser eliminado. Estoy sola en algo mucho más grande que yo, a pesar de que tengo a mi disposición todos los recursos del poderoso Departamento de Seguridad Nacional, soy cercana del jefe del FBI en Nueva York y tengo más amigos que nunca, cuya mayoría son agentes muy hábiles y experimentados en diferentes áreas.

Fui a casa, pero no tenía ánimos de quedarme a esperar a que llegase Danny y quisiera hablar de sentimientos, sobre mí, sobre que todo es un caos en nuestra relación y que casi no me comunico con él. Tampoco podía revisar con libertad la información que tengo en el correo y en el *pendrive*.

Por lo que me vine a mi refugio, la oficina y el trabajo, esta vez con mi *laptop*. Me encuentro sola en el piso o quizá en el edificio completo, obviando a unos cuantos hombres de seguridad.

Cuando abrí el correo electrónico que me dio la voz sintetizada, conocí en qué consiste la misión que me están obligando a cumplir; rastrear, localizar y atrapar a un grupo de *hackers*, para lo que me quedan seis días o de lo contrario acabarán conmigo y con todos los que quiero. Por el momento sigo intentando encontrar algo útil dentro del montón de información que me dieron en el correo electrónico. Están los sitios webs en los que estos piratas informáticos escriben y crean conciencia acerca del peligro de una organización que apodan el Círculo, una que mueve los hilos del Gobierno y cambia el rumbo de la historia. Tienen datos y algunos nombres de varios de los hombres y mujeres que tuve que saludar en el velorio de Leonore. En el correo también hay un informe sobre varios robos a cuentas empresariales, algunas nacionales y la mayoría en paraísos fiscales —no temen que siga las pistas de esas cuentas que deben pertenecer a miembros del Anillo, están seguros de que me tienen neutralizada—. Hay demasiados datos, el noventa por ciento en código informático. Sin ayuda no puedo organizarlos porque no soy informática y no sé cuáles son relevantes. No puedo encontrar patrones si no sé qué demonios busco. Tampoco puedo pedir ayuda al Departamento Informático que tengo bajo mi mando, no sé en quién puedo confiar. En este preciso instante siento desconfianza hasta de Janice y de sus deliciosos burritos; podría querer ganarse mi confianza mientras informa de mis movimientos.

Cierro los archivos y reviso una vez más el *pendrive* que me dio Leonore. Seguro ya he visto más de veinte veces el video. Ella sale en un cuarto oscuro, nerviosa y desesperada. Se grabó porque sabía que iba a morir y quería ayudarme, o darme ánimos, ya que no soltó información útil. Con más tiempo y mejor explicado, repite lo que me dijo al oído antes de quitarse la vida, que ella fue una de las que ayudó a iniciar el Anillo. La idea que le vendieron consistía en que permitiera que las principales organizaciones criminales tomaran el dominio de las más pequeñas y crearan un equilibrio que erradicase las guerras entre bandas. Leonore pensó que sería positivo tener fichados a los grupos criminales más relevantes para algún día empezar a eliminarlos uno a uno, pero todo se le salió de control. El Anillo creció demasiado y se infiltró en todos los niveles del Gobierno, por medio de sobornos, extorsiones y amenazas. Cuando ella quiso salirse para hacerles la guerra, ya la tenían acorralada.

Me pide perdón, debido a que cuando me fue a buscar hace dos años a Nueva York para ofrecerme el trabajo en Seguridad Nacional, lo hizo porque se lo pidieron los del Anillo y, aunque pudo negarse, prefirió tenerme cerca y dejarme a cargo si las cosas se complicaban.

Cuando todo se empezó a complicar demasiado y ellos me propusieron que te trajera, no lo dudé. Eres la persona más capaz que conozco, y si existe una persona que puede hacerles frente, eres tú, Ainara. No te puedo dar consejos sobre cómo ganar, pero sí te puedo decir por qué fallé. Fue por dos razones; la primera, no confié en nadie y traté de descubrir quién era el líder por mi cuenta; la segunda, aprendí tarde que con ellos nada es lo que parece, si encuentras un camino fácil significa que vas en la dirección que ellos quieren, la equivocada...

—¡Al diablo, Leonore! ¡Yo no quería esto! —grito con frustración.

Me había prometido bajarle a la bebida luego de mis treinta y tres primaveras, pero supongo que tengo permitido todo ahora, ya que si no tengo éxito, solo me quedan seis días. Llevo más de una hora contemplando una de las botellas de *whisky* que siempre tengo guardadas en mi oficina, quiero abrirla y bebérmela para olvidarme de todo, quizá así logre dormir.

Agarro la botella, la destapo y cierro los ojos mientras la olfateo, huele a paz, a tranquilidad.

Acepté este trabajo para dejar atrás los malos recuerdos de Nueva York y todo lo que perdí allí, para dejar a un lado a los malnacidos asesinos en serie y todas las matanzas. Supongo que después de atrapar a Jerry Hawk perdí ese fuego interno que me impulsaba a enfrentarme a lo que sea y terminé convirtiéndome nuevamente en una agente de oficina; supongo que me perdí.

Tengo miedo de fallarles a todos los que quiero.

Me sirvo un vaso, casi desbordándolo de *whisky*, y me lo bebo completo. Me quema la garganta y el estómago, pero repito el proceso hasta que pierdo el conocimiento.

Vivienda Pons-Reed
Sábado 30 de noviembre
12:00 p. m.

Danny me despierta. Estoy en casa y tengo un dolor de cabeza que me taladra el cerebro.

—¿Cómo te sientes? —me pregunta, sentado a mi lado.

—Creo que esta vez sí moriré. ¿Qué hora es? Tenemos que ir al funeral…

—Tenemos una hora para llegar. No te muevas, ya vengo.

Cuando regresa a la habitación, lo hace con un plato lleno de caldo de pollo que él mismo debió preparar para mí. Me cuenta que fue a buscarme a la oficina al preocuparse porque se había hecho muy tarde y ya no le atendía las llamadas.

Danny se sienta en la cama. Con calma y paciencia comienza a darme la sopa en la boca. Habla y bromea de cualquier cosa para hacerme sentir mejor. Sus ojos me miran de una manera indescriptible y me transmiten un amor que desconocía antes de que él apareciera en mi vida. Ni siquiera intenta regañarme por lo que sea que habré hecho estando ebria, solo me cuida y me hace sentir bien; me ama.

Bob entra en el cuarto moviendo la colita, siempre me alegra verlo. Hemos pasado por tanto juntos que no me imagino la vida sin él, es mi familia. Monta medio cuerpo sobre la cama y posa su hocico sobre mi pecho. Danny y yo lo saludamos con cariño. Le suelto una pequeña presa de pollo.

Mientras mis dos amores me dan cariño, reviso mi celular. Tengo muchas llamadas perdidas y cientos de mensajes. Amy preguntándome reiteradas veces cómo estoy; Junior insistiéndome en que quiere venir a pasar una temporada conmigo; los demás son de la oficina e imagino que también de la voz sintetizada.

Libero un fuerte suspiro al recordar que la seguridad de Amy, Junior, Danny y los demás depende de mí, no puedo fallarles, pero tampoco sé cómo ganar.

—Amor…

—¿Sí? —pregunto.

—No puedo imaginar toda la presión que tienes encima, la tristeza… Sabes que cuentas conmigo para lo que sea, ¿no? Puedes contarme cualquier cosa que esté pasando por tu cabeza, tus problemas, lo que sea. Estoy contigo hasta el final, sin importar qué. Eres tú y yo contra el mundo —asegura mientras me acaricia el rostro.

Si bien por un segundo pienso en contarle lo que está ocurriendo, recuerdo lo que me dijo la maldita voz sintetizada acerca de que nos tienen vigilados. Debe de haber cámaras o micrófonos en esta habitación. También recuerdo que me quedan poco más de cinco días para atrapar a los *hackers*.

Danny me besa en la boca y siento el cosquilleo en la nuca, ese que no sentía hace más de cinco años. Es hora de inclinar la balanza un poco a mi favor.

—Vamos a la ducha, amor —pido.

Él sonríe con picardía. Deja el plato a un lado y me ayuda a ponerme de pie. Caminamos hacia el cuarto de baño.

—Pon algo de música —ordeno mientras toscamente dejo que toda mi ropa caiga al suelo.

—¿Estará ruidoso? —pregunta con una gran sonrisa.

—Depende de ti…

Después de colocar una melosa canción de Bruno Mars, me toma en brazos y comenzamos a hacer el amor con pasión y ternura, como teníamos mucho tiempo sin hacer. Disfruto como nunca de sus besos, de su respiración, de su piel y de la forma en que me hace suya. Supongo que nos sentimos más vivos cuando sabemos que la muerte nos ronda muy de cerca.

—Te amo —dice al rato de quedarnos abrazados debajo de la ducha—. Sé que no usas esa palabra. Tampoco espero que me la devuelvas. Solo quería recordártelo.

Es una rara sensación querer decir algo y no poder hacerlo, esas dos cortas palabras se traban en mi garganta, a pesar de que deseo gritárselo con todas mis fuerzas. Y para rematar, mi instinto va por lo que cree más importante.

—Una vez me dijiste que tenías un amigo que es experto en informática, un *hacker*, que entró en los sistemas del Pentágono y la NSA, vive bajo arresto domiciliario o algo así recuerdo.

A Danny se le desdibuja la sonrisa. Noto decepción.

—Andrew... ¿por qué me hablas de él en este preciso momento? No entiendo nada, Ainara.

—Lo siento, perdóname, Danny. Es que tengo mucha presión en la oficina y creo que me pueden estar vigilando. Incluso aquí en la casa. No sé en quién confiar y qué es lo que se trama a mis espaldas. Hay muchas personas poderosas descontentas porque estoy al mando de Seguridad Nacional.

—¿Quién podría vigilarte? Eres la secretaria de Seguridad Nacional.

—No lo sé, pero es una sensación que no me deja en paz.

—Por eso lo conversamos aquí, por eso la música, por eso me invitaste a hacer el amor…

—¡Danny, calla! —ordeno y lo beso—. Hacer el amor así contigo fue lo mejor que ha pasado en meses. Pero necesito a tu amigo de mi lado, necesito tener una ventaja.

—¿Esto es por lo de Leonore? ¿Crees que hay algo más detrás?

—Danny, Danny. ¡No lo sé! Por favor, deja de hacerme preguntas y ayúdame. Cuando tenga algo más claro, serás el primero en saberlo.

—Júramelo.

—Te lo juro. Ahora necesito que al salir de la habitación actuemos con normalidad, debemos ser convincentes. Hablaremos de cualquier tema y luego me comentarás que tienes semanas queriendo visitar a tu madre en Kansas. Y eso harás, después del funeral te irás en avión, volverás el lunes en auto, a primera hora.

—Tengo trabajo…

—Ahora soy tu jefa. Dormirás en casa de tu madre. En la madrugada del domingo dejarás tu celular en el cuarto para que no dejes rastro e irás por tu amigo. No me importa si lo tienes que secuestrar y arrancarle la tobillera, pero lo traerás. Lo ocultarás en un lugar que te indicaré y le explicarás la situación, de ahí me encargaré yo porque tú seguirás con tu vida normal.

—A tu lado, ¿no?

Me hace soltar una carcajada. Le hablo de romper leyes secuestrando a un convicto y lo único que le importa es estar a mi lado.

—Sí, amor. Por supuesto. Juntos hasta el final.

Definimos un par de detalles más y hacemos lo planeado al salir de la ducha.

Actuamos como si fuera un día normal, haciendo planes. Nos vestimos y salimos al cementerio.

5

DEXTER

Cementerio Nacional de Arlington, Virginia
Sábado 30 de noviembre
2:20 p. m.

En el lugar está casi la misma cantidad de miembros del Gobierno que acudió al velorio. Pero ahora hay muchos agentes y militares de rangos medios. También hay un sinfín de periodistas cubriendo el último adiós de Leonore O'Sullivan, la primera secretaria de Seguridad Nacional, quien supo dirigir con eficacia a la agencia más joven del país.

Mientras hacen los honores militares, miro detenidamente la enorme foto de Leonore al lado del hoyo en donde la enterrarán. Recuerdo la gran impresión que me dio cuando la conocí en el FBI. Cuando iban detrás de un terrorista que explosionaba bombas en edificios, ella lucía imponente, como la mujer poderosa que era; tan diferente a la persona que se quitó la vida delante de mí, destruida, vencida y vulnerable.

Luego que un sacerdote recitara las oraciones y palabras de reflexión, pide que algún miembro de la familia diga algo sobre Leonore, lo usual en cualquier entierro. Sin embargo, ni sus dos hijos o el exesposo muestran interés en hacerlo.

—Estoy seguro de que alguien quiere decir algunas palabras en honor de Leonore —insiste el sacerdote.

Los presentes intercambian miradas, pero nadie se mueve y un silencio incómodo domina el momento. Aunque ella no era moneda de oro y trataba mal a casi todos, no es posible que ni siquiera su familia quiera decir unas palabras.

—¿Nadie hablará? ¡Qué horror! La señora Leonore no se merece este desprecio —susurra Janice a mi lado.

Observándolos a todos, noto al vicepresidente mirándome fijamente, quien esperaba que lo encontrara.

—Hazlo. —Leo en sus labios y con sus ojos me señala al sacerdote.

¿Es una orden? ¿Puedo negarme?, no lo creo. Aguardo diez segundos y, como nadie dice nada, levanto con timidez la mano.

—¡Muy bien! —exclama el sacerdote.

—¿Qué haces? —suelta Danny.

—Gracias —susurra Janice.

Camino muy lentamente y, entretanto, pienso qué demonios decir, es casi absurda la situación en la que estoy involucrándome. Llego al centro, respiro profundo. Debo de tener más de doscientos ojos encima de mí.

—Buenas tardes a todos, soy Ainara... —digo y me quedo en blanco por unos segundos, soy pésima para dar discursos —. Leonore fue una inspiración para mí...

—¡Suficiente, no sigas! —grita un hombre.

El sujeto se abre espacio entre la multitud y camina hacia donde estoy. Tiene vestimenta militar con numerosas condecoraciones. Se para frente a mí. Es alto, fornido y su rostro serio transmite rabia.

—Puedes irte.

—¿Quién eres? —pregunto.

—Ya lo sabrá, señora secretaria —dice, pronunciando las dos últimas palabras con ira.

Vuelvo junto a Danny, no porque me lo pidiera de esa forma, sino porque nunca quise estar allí.

—¿Quién es ese? —pregunta mi amado.

—Ya lo sabremos...

—Ninguno de ustedes me conoce, a menos que haya servido conmigo en el Ejército, pero no creo que sea el caso, solo veo cobardes o retirados. Mi nombre es Dexter O'Sullivan, soy hijo adoptivo de Leonore O'Sullivan —dice y guarda silencio.

Todos los presentes comienzan a murmurar e intercambiar miradas. El exesposo de Leonore se muestra asombrado, al igual que sus hijos. Dexter continúa.

—Leonore me mantuvo oculto porque creía que sería más seguro para mí. Pero siempre estuvo pendiente de mí. Me crio como pudo, se encargó de mi educación y me hizo encontrar un propósito de vida en el Ejército. Era mi única familia —dice y se detiene para respirar hondo—. ¡Ustedes me la quitaron! ¡Este maldito país corrupto me la quitó! ¡Lo sé todo y me las van a pagar, todos y cada uno...!

—Hijo, entiendo tu dolor. Pero si amas a tu madre, respeta este acto que es en su honor. Por favor —pide el sacerdote.

—Lo siento, padre.

Dexter se da media vuelta y coloca una de sus medallas sobre el ataúd de Leonore. Luego se mezcla entre la multitud para irse. Sin dudarlo, salgo detrás de él. Lo que dijo, «lo sé todo», me preocupa. Puede ponernos en riesgo o quizá podría ser un aliado. Necesito saber qué significa su aparición.

—Dexter, Dexter, ¡Dexter! —grito por fin, me ignoraba.

Aprieta los puños y se gira. Mientras me mira con frialdad, aprieta su mandíbula repetidas veces; está lleno de odio y a punto de explotar.

—Necesito hablar contigo, por favor.

—No tengo nada que hablar con nadie. Déjame en paz.

—Es importante, Dexter. Es sobre tu madre.

Se me acerca y me señala a la cara con su dedo índice.

—¡No te atrevas a nombrarla, malnacida! ¡Sé que eres cómplice de todo!

—¡Oye, imbécil! —grita Danny—. Baja esa mano o te partiré el brazo. Respeta a la secretaria de Seguridad Nacional.

—Quiero ver cómo haces eso —reta Dexter.

—¿Cómplice de qué, Dexter? —pregunto.

Danny intenta tomarlo por el brazo, pero en cuestión de un segundo es reducido y termina siendo apuntado con su propia pistola. Agentes de seguridad que merodean la zona sacan sus armas y apuntan en dirección a Dexter. Comienzan a gritar y a ordenarle que baje la pistola. Él no muestra ninguna señal de sentir nervios, solo mantiene en su mira a Danny.

Aunque les pido a todos que se calmen, que bajen las armas, nadie cede y a cada instante siguen apareciendo más agentes para «controlar» la situación.

—¡Baja el arma y acuéstate en el piso con las manos arriba! —ordena Luke Carter.

Ni Danny ni Dexter mueven un solo músculo, ninguno tiene miedo de morir. Los periodistas tratan frenéticamente de capturar el momento. El vicepresidente se abre paso e interviene.

—Hijo, ¿qué estás haciendo? ¿Por qué atacas a un compatriota?

—¡No soy su hijo! —responde Dexter sin quitar la mira de Danny.

—Dexter, entiendo tu pérdida, pero de esta manera no cambiarás lo que ya pasó —digo.

No creo que dispare en este momento a Danny. Dexter no parece un tipo tonto y sabe que no duraría más de un segundo si jala el gatillo. Estoy extrañamente calmada.

—¡Cállate, traidora! —responde en voz alta—. ¡Todo esto es culpa de ustedes! ¡La traicionaron y tuvo que quitarse la vida, la dejaron sola! ¿¡Por qué no dices la verdad sobre lo que le ocurrió a mi madre, Ainara!?

—No sabes de qué estás hablando, hi… todavía no ha pasado nada grave, solo es un malentendido, Dexter. Has sufrido una terrible pérdida. Pero eres un soldado, ¿¡o no!? —pregunta el vicepresidente.

—No soy un soldado, ¡soy un *Navy Seal*!

Campbell da un paso hacia adelante. Dexter lo enfoca de soslayo y todo el círculo de hombres armados que lo rodea también se le aproxima un poco más. Sin embargo, sigue frío e inexpresivo, sin importarle la tensión y el absurdo número de armas que lo apuntan.

—Si bajas esa arma en los próximos veinte segundos, te dejaré ir sin repercusiones. Así lo querría Leonore.

—¡No te atre…!

—¡No se atreva usted, soldado! ¡Le quedan dieciocho segundos! Luke, sabes qué hacer si no se rinde.

—Afirmativo, señor.

—Ainara, vuélale la cabeza —pide Danny y luego le grita —: ¡Infeliz!

—No hará falta. Dexter solo está molesto y confundido, no tiene intenciones de dañar a nadie —afirmo.

—Diez segundos —suelta Luke. Al mismo tiempo verifica tenerlo bien apuntado, mirándolo a través de la mirilla de su arma.

Todos los presentes se mantienen a la expectativa. Los

periodistas les hablan a las cámaras, excitados, fueron a cubrir un funeral y ahora saldrán con una primicia.

—Cinco segundos.

Dexter deja de apuntar a mi amado, bajando la guardia también. Deja salir el cargador de la pistola, le saca la bala de la recámara y se la tira a Danny. Más de una docena de hombres se le iban a ir encima, pero el vicepresidente Campbell les ordena que no lo toquen y se le acerca. Da un breve discurso sobre el respeto a los militares que van a las guerras a dar la vida por nosotros y trata de entregarle una tarjeta a Dexter, pidiéndole que lo llame si necesita algo, lo que fuera. Obviamente, el *Seal* no la toma y emprende la retirada. Sin embargo, eso no importa porque Campbell solo quería sacarle provecho a la situación para atraer a más votantes.

Danny está tenso, molesto. Se fue sin decirme nada. Debe de sentirse completamente humillado al haber sido reducido de esa manera, y que se haya transmitido por diferentes canales no lo hacía más fácil. Lo que él no toma en cuenta es que debería estar agradecido, los *Seal* son máquinas letales y pudo resultar mucho peor para todos. Dexter se habría llevado a más de una docena de nosotros si de verdad hubiera querido golpearnos.

—Señora secretaria —llama Campbell. Me acerco—. Lo dejamos ir, pero es claro que no está muy equilibrado. Ponga a un par de hombres a seguirlo y que lo investiguen a fondo. No quiero a un loco con entrenamiento de élite, que de seguro tiene acceso a armamento de grado militar, suelto por la ciudad. Mantenme informado personalmente.

—Sí, señor.

Le pido a John Carnegie, el subsecretario de Seguridad Nacional, que tome a dos agentes para que sigan a Dexter día y noche, revisen su casa y me entreguen un informe.

Me marcho. Tengo todo en contra y poca libertad de

movimiento, ahora la aparición de Dexter tal vez complicará más la situación. Espero que para los del Anillo. Quizá un agente del caos que nadie pueda controlar me quite del centro de atención o, al menos, algunos ojos de encima.

~

Oficinas centrales de Seguridad Nacional
5:10 p. m.

Danny se disculpó por irse de aquella manera, sin despedirse, sabiendo que tomaría un vuelo y que no dormiremos juntos por las siguientes dos noches. Me avisó al despegar y al llegar a Kansas. Todo marcha bien por ese lado. Por el otro, Dexter logró perdérseles a mis hombres con facilidad. Investigándolo, nos hemos encontrado con la completa oscuridad que las operaciones encubiertas del Gobierno dejan en los registros. El hijo adoptivo de Leonore no es un simple soldado. En efecto, es un *Seal* condecorado con varias incursiones de guerra en Irak, en Afganistán y en otros países problemáticos. También perteneció a pelotones de los boinas verdes y estuvo un año en la Delta Force. Es un hombre entrenado en las fuerzas militares de combate más exigentes no solo en lo físico, también el grado intelectual es importante. Tiene un coeficiente intelectual por encima de la media y habla cuatro idiomas fluidamente. Es experto para sobrevivir en los ambientes más hostiles; para rastrear, seguir y matar a quien sea. Sin embargo, eso no es lo más inquietante, sino que trabajó durante seis años en el oscuro cuerpo de Operaciones Especiales de la CIA. Casi toda la información de su paso por allí es clasificada y ha sido eliminada, pero sabemos a qué se dedicaba la CIA en esos tiempos; derrocamiento de Gobiernos, contrainsurgencia militar, asesinatos extraoficiales de

objetivos de interés y hasta matanzas, a veces en suelo americano. Es el tipo de hombre que no sabe detenerse cuando
tiene o cree tener una misión.

Lo que me queda claro ahora es que debo encontrar a
Dexter para tratar de hablar con él. Contarle la verdad y con
suerte ponerlo de mi lado, aunque no tengo idea de lo que
pueda pasar. Con lo poco que he visto, sé que es una bomba
de tiempo por todo el resentimiento que guarda dentro y que
quiere salir; eso lo vuelve incontrolable.

6

¿ERES AMANDA, NO?

Oficinas centrales de Seguridad Nacional
Lunes 2 de diciembre
3:40 p. m.

—Ainara, ¡Ainara! —exclama Joseph Tylor—. Necesito que prestes atención para que podamos avanzar con los asuntos de máxima prioridad en la agenda de Seguridad Nacional. ¿Cómo van con el tema del hijo adoptivo de Leonore?

Joseph es el enviado de la Casa Blanca, el que me avisaron que enviarían para verificar que la agencia se mantenga a la altura, o sacarme si no es así. Es cierto que debo prestarle más atención, porque la seguridad del país es lo más importante, pero no tengo noticias de Danny desde que me avisó a media mañana que ya estaba llegando a la ciudad y estoy preocupada. Aunque no creo que lo hayan seguido sin que él se diera cuenta, es una posibilidad que tendría un desenlace fatal.

—Estoy anotando todo mentalmente, Joseph. Tengo una memoria de esponja. John Carnegie, mi subsecretario de

Seguridad Nacional, está tomando notas y Janice, mi asistente, también lo hace. Solo estoy un poco…

—Distraída, lo sé. Es fácil entender que has pasado por demasiado y la vida te ha dado un gran cambio. Conocí a Leonore y estoy seguro de que te eligió porque vio la capacidad en ti. Sin embargo, puedes dimitir. No estás obligada a ocupar un cargo en el que no te sientas cómoda.

Si renuncio, se acabará el juego para mí y para todos los que me importan.

—Hace no más de cinco horas me juramenté para el cargo. Y nunca he renunciado a nada en mi vida, siempre he ido hasta al final sin importar qué y esta…

—¡Esta vez no se trata de ti, sino de los Estados Unidos! Si no veo que eres capaz, haré que te devuelvan a tu antiguo cargo —asegura Joseph con frialdad.

Me siento estúpida al haber dicho eso. Entiendo su preocupación y sé que debo estar a la altura porque millones de vidas pueden depender de ello. Necesito enfocarme, distribuir mis actividades y mitigar mis emociones al mínimo.

—Señor Joseph, lo tenemos bajo control, solo estamos aceitando el engranaje de nuestra maquinaria. Yo personalmente estaré al lado de la secretaria Ainara para que esta gran agencia siga siendo la punta de la lanza con la que castigamos a nuestros enemigos —dice John Carnegie.

—Yo trabajé con la señora Leonore por más de cinco años. Sé cómo se maneja todo y colaboraré con la señora Ainara en todo lo que pueda —agrega Janice.

—Sé lo que está en juego y no le fallaré a mi país —digo con sinceridad.

Joseph se queda en silencio, toma su pelota antiestrés y la aprieta repetidas veces mientras nos mira a los tres, pensando, analizando y decidiendo qué hacer conmigo. Mi teléfono comienza a vibrar en el bolsillo de mi pantalón. Quiero revisarlo para confirmar que Danny llegó, pero no puedo sacarlo en este preciso momento. Joseph no está convencido, y sin importar lo que nos diga ahora para salir del paso o terminar la conversación, el resultado será mi renuncia obligatoria. Debo convencerlo.

—Yo no pedí el puesto, jamás lo había pensado para mí. Pero se lo debo a Leonore porque creyó en mí, y si me lo permiten, me quedaré aquí hasta que encuentren a la persona indicada. ¡Y te lo juro!, te juro que en el momento que sienta y entienda que no soy capaz, te llamaré para darte mi renuncia.

Su seria expresión facial se suaviza un poco al escucharme y asiente. Necesito ver mi celular, casi no puedo disimular mi desesperación. Que no es solo por el bienestar de mi Danny, también porque sin él y su amigo Andrew todo estará perdido.

—Sé que a nadie le gusta tener a un extraño husmeando, pero no soy tu enemigo ni tu niñero, Ainara. Mi única preocupación y deber son con el país. Vendré casi todos los días y estaré encima de cada uno de ustedes cada vez que algo no me parezca bien o crea que se puede hacer mejor. Si pueden tolerar eso mientras me dan su mayor esfuerzo, podremos trabajar en equipo. ¿Estarán a la altura?

Confirmamos, le damos la mano, agradecemos y lo vemos levantarse para salir de la oficina. Se detiene y gira. Vuelve a preguntar por la situación con Dexter O'Sullivan.

John intenta decirme algo, lo detengo.

—John fue personalmente junto con un equipo de especialistas. La casa estuvo habitada recientemente, pero no sabemos si por él, tampoco encontraron nada significativo, nada de armas ni información delicada. Seguimos monitoreando, utilizando reconocimiento facial con las cámaras de tráfico y estamos atentos —informo con seguridad a pesar de que todo sigue igual de incierto.

—Sean políticos con este asunto y que no se les escape de las manos. Manténganme informado sin importar la hora.

—Lo tenemos controlado —aseguro, aunque supongo que nunca hubo tanto descontrol. Hay un monstruo creciendo desde lo más profundo del Gobierno y nadie parece sospecharlo, o todos están implicados.

Él asiente y se marcha. John intenta decirme algo, lo detengo.

—John, Janice, les agradezco estar de mi lado y apoyarme, pero en este momento necesito resolver un asunto de extrema importancia. En la noche los llamaré a cada uno para definir detalles de agenda y a partir de mañana seré toda de ustedes. Ahora necesito que se encarguen de todo lo que no requiera de mi presencia, ¿cuento con ustedes?

A pesar de que no los veo muy convencidos, aceptan y me dejan sola. Reviso mi teléfono. Siento un alivio casi infinito al leer el mensaje de Danny, ya está aquí y con mi paquete. En el texto me dice que el teléfono se le descargó —le indiqué apagarlo, sacarle el chip y la batería, y envolverlo en aluminio para que no pudiera ser rastreado al llegar a la ciudad—, que llegó en la mañana directo al hospital porque no se sentía bien, que se hizo unos exámenes médicos y que le haga el favor de retirarlos al salir de la oficina; la confirmación de que todo va de acuerdo con el plan.

Por órdenes de Joseph me mudé a la oficina que era de Leonore, para empezar mi dirección de la manera correcta y para mandar un mensaje claro a todos en el edificio: la vida continúa y por ahora yo seré la jefa. No lo quería, pero me ayudó a salir del espacio que ocupaba y que de seguro tenía vigilancia. Y aunque aquí también debía de haber, fue completamente desocupada para mí, eliminando en gran parte cualquier dispositivo de espionaje.

Danny hizo su parte, ahora es mi turno. Cierro todas las

cortinas y aseguro la puerta. Sé que necesitaré dinero, pero no sé cuánto. Así que abro la pequeña caja fuerte que traje de mi oficina y saco todo el efectivo que guardaba para casos de emergencia, sesenta grandes. Me quito todas las prendas que puedan llevar micrófono o algún dispositivo de rastreo; saco, pantalón, reloj, correa, sostén, cartera, zapatos. Antes de venir al trabajo pasé por una tienda por departamentos, compré tenis deportivos y unas prendas de vestir muy parecidas a las que uso a diario. Pero no me medí nada en ese momento, por el apuro me dejé llevar únicamente por lo que decía la etiqueta. Ahora lucho para ponerme un pantalón demasiado pequeño. Empezando a desesperarme por la pérdida de tiempo, doy un salto con demasiada fuerza y al caer apoyo mal mi pie derecho, me voy de lado hacia el piso. Intento evitar la caída buscando apoyo en el escritorio, logrando tumbar casi todo lo que había sobre él.

—¡Mierda! —se me escapa al dar contra el suelo y no puedo evitar seguir—: ¡Maldita sea, maldita sea! ¡Me lleva!

Al liberarme un poco de la frustración, termino de vestirme en el piso. Verifico y me aseguro de que lo único con lo que podrán rastrearme será con mi teléfono.

Salgo de la oficina y la cierro con llave. Puedo sentir la mirada de todo el personal a mis espaldas. Janice se me acerca con una carpeta.

—Seño… Ainara. Todos empiezan a hacer comentarios…

—Que piensen lo que quieran, tengo problemas más grandes. ¿Qué me traes?

—Asuntos de interés, necesito que les des un vistazo.

Le prometo hacerlo.

Salgo hacia el hospital en donde Danny fue atendido. En el camino, y después de ignorar sus llamadas, recibo un par de mensajes de la voz sintetizada. Preguntándome por mi atrevimiento al ignorarla, por mi progreso y por mi comportamiento errático en la oficina. Solo le respondí que tenía mucho trabajo y presión encima, luego apagué el teléfono. Es un riesgo necesario, no puedo dejar que sientan que tienen el total control sobre mí.

Al llegar me estaciono fuera del campo de visión de las cámaras.

Me apego al guion que creé con Danny en la ducha. Busco al médico, converso brevemente con él demostrando preocupación, hasta que me entrega los resultados de los exámenes. De allí voy al ala de cuidados intensivos. Disimuladamente busco en la parte inferior de las máquinas dispensadoras de comida hasta que encuentro la nota que Danny me dejó. Hay una dirección, un número de habitación y un párrafo con una dedicatoria… de amor:

Al principio me parecía una idea tonta y sin sentido ir a mi ciudad para prácticamente secuestrar a Andrew y convertirlo en un prófugo, pero a medida que volvía a recordar, a sentir lo mismo que aquella primera vez cuando una alocada y famosa agente del FBI me llamó para pedirme que la ayudara en la más absurda de las misiones, entendí que ahora que soy tu hombre y te amo con locura no importa más nada que mantenerme a tu lado y ser tu apoyo. No sé muy bien qué hacemos, pero si estás involucrada, sé que es lo correcto y que me lo contarás todo cuando estés preparada.

Estoy contigo hasta el final Ainara Pons (Princesa).

Por siempre tuyo, Danny Reed.

P. D.: De verdad me quedé sin batería y también me distraje con Andrew poniéndonos al día, perdona por tardar en avisarte.

Danny es la única persona en el mundo capaz de sacarme una sonrisa real en una situación así. Guardo la nota y salgo del hospital. Voy a mi auto. Me coloco un abrigo con capucha, una gorra, dejo mi teléfono adentro y salgo. Camino dos cuadras y tomo un taxi hacia al motel, pero no le doy la dirección exacta, sino una calle más abajo. No puedo dejar rastros que guíen al Anillo hasta el hombre que espero me ayude.

~

Motel The Clock
4:40 p. m.

No me confío de nada en estos momentos y la sorpresa siempre es ventaja. Por lo que me escabullo sigilosamente por una de las ventanas de la habitación, donde Andrew debería de estar esperándome. Entro por el baño y avanzo. Desenfundo mi arma, una Heckler & Kock USP SD, un regalo de la agencia con silenciador incluido. Aún no la he disparado, espero no tener que hacerlo ahora.

Cuando lo encuentro dormido en la cama, con la boca abierta y la almohada babeada, me siento tonta al tener un arma en las manos. Andrew debe ser un poco menor que Danny, quizá de veinticinco años.

—Despierta, Andrew. Vamos, despierta —digo, perdiendo la paciencia. Lo tomo por la camisa y lo zarandeo bruscamente—. ¡Despierta!

Al reaccionar y verme, abre los ojos por completo, asustado. No dice nada, pero da vueltas ágilmente en la cama hasta caer fuera y golpearse. Levanta las manos con una alocada expresión en el rostro. Por poco no aguanto las ganas de reír.

—¡Yo no quería fugarme! ¡Me trajeron a la fuerza! —exclama. Cuando ve que lucho para mantenerme seria, lo entiende—. ¿Eres Amanda, no?

Amanda... Amanda Sacks se quedó en Eureka. Efímeros

338

recuerdos de mi vida siendo maestra logran dibujarme una pequeña sonrisa. Cómo quisiera regresar a esa tranquilidad.

—Ainara, Ainara Pons —digo y le doy la mano.

Se sienta y libera un suspiro.

—La vida es absurda, ¿sabes? Ayer llevaba más de dos años bajo prisión domiciliaria por haberme metido a husmear en los servidores del Gobierno y hoy estoy prófugo de la justicia, dándole la mano a la jodida secretaria de Seguridad Nacional. Te juro que escribiré un libro.

—Podrás hacer lo que quieras, pero solo si ganamos esta batalla; y para nuestra mala suerte, solo somos tú y yo contra un ejército grande, mejor armado, mejor financiado, influyente y muy superior en casi todos los aspectos…

—¿Casi todos?, ¿en cuáles no?

—Los descubriremos juntos, Andrew. Ahora siéntate que tengo que contarte una historia y no tengo todo el día.

—Estamos jodidos, Ainara. No podremos ganar, es imposible —dice después de oír todo lo que he estado viviendo y a lo que nos enfrentamos.

—Ahora tengo una ventaja, tú.

—Quién querría participar en esto, es absurdo. Una organización secreta, infiltrados en el Gobierno. ¡Si la que ocupaba tu cargo no pudo y tenía años en el trabajo, conocía a todos los poderosos! —dice y libera un resoplido—. Pero dijiste que puedo irme si no quiero participar, ¿no? En este momento, sí quisiera…

—Claro, puedes irte ahora mismo. Pero eres prófugo de la justicia, mínimo te darán cinco años más en una cárcel de verdad. Porque entenderás que ni Danny ni yo podremos mencionar que te buscamos y tampoco hay evidencias de ello. Así que…

—Debemos ganar o estoy jodido.

—Todos estamos jodidos. Pero te prometo que haré que el presidente te dé una medalla cuando todo esto termine y jamás volverás a usar una tobillera.

—Un par de millones tampoco estarían mal. Digo, lo estoy arriesgando todo —me responde Andrew con una sonrisa tímida.

—Seguro podremos hacer algo. Ahora dime qué necesitas para ponerte a trabajar.

—Equipos, muchos equipos —y mira alrededor como si los estuviera colocando en cada rincón de la habitación.

—¿Cuánto? —le apuro.

—Creo que con cien grandes podría hacer algo.

—¿Como escaparte a México? Solo tengo cincuenta.

—Me sirven —dice y extiende la mano—. Los equipos que necesito son costosos, de otra forma tarda…

Lo detengo con un gesto, ya no quiero perder más tiempo. Le entrego el dinero y toda la información que tengo de la misión que el Anillo me obliga a hacer. Le encargo que compre diez teléfonos desechables y le suplico que lo haga en distintos lugares, que no llame la atención.

Emprendo la retirada.

—Mañana en el motel al lado del McDonald's, ¿no? —pregunta mientras escucho que enciende la televisión.

—Sí, llegaré entre las once y dos de la tarde. No me falles, la vida de muchos depende de lo que logremos.

—Ainara…, hay un edificio en llamas, lo están pasando por todos los canales —dice él y yo suelto la manilla de la puerta para girarme—. Es el de Seguridad Nacional…

7

SÉ CÓMO ENCONTRARLO

VER SALIR fuego y humo del edificio que se supone dirijo, sin siquiera cargar mi teléfono encima para atender las cientos de llamadas que deben estar intentando entrar y tampoco poder dirigir una respuesta inmediatamente, es la peor situación que habría podido imaginarme.

—¿Estás bien, Ainara? —pregunta Andrew.

—Sí... ¿por qué lo preguntas? —respondo con dificultad, me falta un poco el aire.

—Estás temblando y te ves pálida.

Le digo que solo necesito un poco de agua y voy a buscarla en la pequeña nevera ejecutiva de la habitación. Sostener el vaso me cuesta, al beber me salpico el rostro y la camisa. Trato de pensar, pero no puedo. Quiero desaparecer y dejar todo atrás. Esto está fuera de control. ¿Habrá muertos? ¿Janice?, ¿John?

—Especulan que fue un misil disparado desde casi un kilómetro de distancia, desde otro edificio —comenta Andrew.

—Dexter...

—¿Cómo?

—¿Hay muertos?

—No han contado ninguno hasta ahora, pero el misil destrozó tu oficina. Iba para ti, Ainara —dice con voz temerosa—. El Anillo te necesita para atrapar a los *hackers*... ¿Quién más quiere asesinarte?

—Debo irme. El mundo entero debe estar buscándome —digo y recuerdo a Danny, debe estar preocupado.

Salgo corriendo del motel. Tomo el primer taxi que encuentro y me recuesto en los asientos traseros. En el trayecto hacia el hospital me dedico a pensar qué excusa dar, para justificar mi ausencia y que mi teléfono estuviera apagado en el peor momento de la agencia.

∽

Edificio de Seguridad Nacional
6:00 p. m.

Llegar al edificio fue complicado, por el tráfico, por el pánico en los ciudadanos que causó desorden en las calles y por las fuertes medidas de seguridad que se desplegaron en varias cuadras alrededor. Poder utilizar mi teléfono no fue distinto en cuanto a dificultad, a cada par de segundos una llamada entraba. Sin embargo, y mientras manejaba, pude comunicarme con John y Janice para que se encargaran de evaluar los daños materiales y verificar doblemente que no hubiera pérdidas humanas. También hablé con Danny, Junior y Amy. Todos estaban en verdad asustados por mí.

Lo peor es ahora, estar de pie ante la sede de Seguridad Nacional. Lo que solía ser un lugar pacífico y bien resguardado es un caos total. Bomberos terminan de inspeccionar los daños estructurales y que no haya posibilidades de más incendios; los militares que siempre custodian el exterior del edificio revisan que no quede nadie adentro; los paramédicos permanecen a la espera de algún herido, solo vi que le dieron oxígeno a una asistente algo mayor que trabaja en un piso diferente al mío; y los policías colaboran manteniendo un extenso perímetro que contiene a un centenar de reporteros y a miles de curiosos.

John es el primero con quien hablo al llegar. Su informe preliminar es bastante positivo en cuanto a los daños y las pérdidas, nada que lamentar. Acerca del o los responsables, habló de un solo sospechoso en el techo de un edificio a novecientos metros de distancia, que fue denunciado por un civil. Todo indica que fue Dexter, ¿quién más tendría la capacidad de acertar a semejante distancia?, solo un jodido experto o alguien con mucha tecnología. Se sabrá al conocer qué tipo de misil fue disparado.

Nunca he dirigido nada en mi vida, si acaso a un par de agentes. No tengo idea de qué hacer en una situación como esta, cuando hay cientos de personas bajo mi mando.

—Cuando estaba Joseph no me dejaste hablar y nunca estás en la oficina. Hay algo importante que no sé cómo tratar y necesito que lo veas —dice John.

Mientras pienso en sus enigmáticas palabras, mi teléfono comienza a sonar y, sin mirar, imagino quién es. Le digo a mi subsecretario que hablamos después y veo que se queda en silencio, frunce el ceño y se aleja. Aprovecho y atiendo.

—¿¡Qué demonios está ocurriendo!? ¿¡Por qué no has tomado mis llamadas y dónde estuviste las últimas horas!? ¡Es cierto que necesitabas un escarmiento! —suelta la voz sintetizada casi gritando.

—¡Tengo el edificio que debo administrar en llamas porque el hijo de la mujer que hicieron suicidarse quiere venganza! ¡Quieren que atrape a unos imbéciles detrás de una computadora en pocos días! ¡Tengo a un enviado de la Casa

343

Blanca respirándome en la nuca y debo aparentar que estoy apta para el maldito trabajo o me sacarán! —digo desahogándome, en voz alta pero sin gritar—. ¡Si quieren resultados, tienen que darme un respiro!

A pesar de que hay un largo silencio en la línea, escucho su respiración algo agitada. La aparición de Dexter también debe tenerlos alterados. Al igual que yo, no saben cuánto Leonore le habrá dicho ni qué tan peligroso pueda ser, aunque ya tenemos una idea. Hasta el más motivado de los terroristas se lo pensaría dos veces antes de atacar esta sede.

—Nos ayudarás a eliminar al hijo adoptivo de Leonore, es decir, nos ayudarás a ubicarlo y nosotros nos encargaremos. No vivirá mucho. Ainara, sigue las reglas que te dimos o todo terminará para ti. Ya entenderás que no andamos con juegos —dice y cuelga.

Su amenaza me pone más nerviosa de lo que ya estaba. Saco mi teléfono. Le mando un mensaje a Danny para que no me espere en casa y se reúna aquí conmigo. Tenerlo cerca me dará algo de tranquilidad. ¿Debo llamar a Junior y Amy?, Sí. Peter sabe cuidarse mejor que nadie y no creo que intenten darme un escarmiento con el más difícil de todos.

—¿Dónde estabas, Pons? Y no mientas, porque lo sabré —pregunta y afirma Joseph al colocarse a mi lado.

Guardo mi teléfono.

—Fui a retirar unos exámenes médicos en el hospital. Al salir apagué el teléfono para poder cerrar los ojos un rato dentro del auto... me quedé dormida. Lo sé, en el peor momento —miento con facilidad.

—Eres terrible mintiendo o eres la persona con la suerte más extraña que conozco. Espero comprobarlo pronto.

—Habilitamos todas las unidades de inteligencia móvil. Mi gente continúa revisando todas las grabaciones de las cámaras en un radio de un kilómetro, analizando posibles amenazas ignoradas…

—Sabemos que fue Dexter O'Sullivan —dice interrumpiéndome—. Lo comprobaremos cuando tengamos las grabaciones de un satélite climatológico que estuvo apuntando en el momento.

—Creemos lo mismo. ¿Qué sigue ahora? ¿Quién hablará a los medios? ¿Cuándo podremos regresar a trabajar?

Él se queda de pie, en silencio, mientras mira el hueco en donde antes estuvo mi oficina.

—¿Por qué crees que lo hizo?, los motivos nos ayudarán a anticipar su próximo golpe. ¿Es porque odia al sistema? ¿Por odio al país que, cree, traicionó a su madre? ¿O porque te odia a ti? ¿Sabes algo que yo no, Ainara?

Si es miembro del Anillo, me está probando; si no lo es, es una de las pocas personas con las que podría contar como aliado, es un tipo inteligente y perspicaz, pero no puedo poner en riesgo todo —aún más— porque él pondría en primer lugar los intereses del país, yo también, pero a mi manera.

—Imagino que me cree culpable por la muerte de su madre, o por el simple hecho de que aparentemente yo fui la más beneficiada.

—Ya… En breve te vendrán a buscar, no te muevas de aquí.

—¿Para?

—Nos vemos, Ainara.

La forma en que me lo dijo me puso algo tensa, ¿quiénes y por qué?

Trato de olvidarlo. Pido un vaso de café a uno de los policías y reviso mi teléfono, no hay respuesta de Danny. No es normal. Le marco tres veces y tampoco hay respuesta. La amenaza de la voz sintetizada me retumba en la cabeza.

El café sabe a tierra, lo tiro a la basura con frustración. Quiero un maldito trago para poder pensar.

—¿Quién lo puede localizar por mí? —pienso en voz alta—. ¡Jonas! No, está en Nueva York...

—Señora secretaria, debe venir con nosotros de inmediato —dice un hombre vestido de militar, acompañado de otros.

—¿Por qué? ¿Quiénes son?

—La esperan en el Pentágono. Debemos irnos ya, un helicóptero aguarda.

—¿Puedo...?

—No, lo que necesite se lo proporcionaremos. Andando.

—De acuerdo —digo sin estarlo.

Me montan en una de cinco camionetas y arrancamos en caravana.

—Tenemos a la secretaria de Seguridad Nacional. Vamos en camino, tengan el helicóptero listo para partir de inmediato —dice uno de los hombres sentado a mi lado.

El trayecto es silencioso en el exterior, por dentro mis pensamientos gritan y se convierten en miedos que amenazan con enloquecerme.

～

Pentágono. Arlington, Virginia
7:30 p. m.

Vomité antes de subirme y al bajarme del helicóptero. Amy y Junior respondieron mis mensajes. Amy toma un vuelo para venir a Washington D. C. y según Junior todo marcha con normalidad en Nueva York. Por el lado que más me preocupa, Danny sigue sin atender y empiezo a perder la calma. Él nunca tarda y siempre está pendiente del teléfono.

Pero estando aquí, en la sede del Departamento de

Defensa de los Estados Unidos, junto a los hombres y mujeres con los cargos más poderosos del país, no puedo dejar que mis emociones afloren y piensen que soy una niña intentando jugar a ser grande.

Por fin un militar se me acerca e indica que lo acompañe. Abre una puerta y me hace una seña para que pase.

El presidente de los Estados Unidos es el primero que me saluda desde lejos e invita a tomar asiento en una enorme mesa con forma de pentágono. Está el vicepresidente, el ministro de Defensa, la secretaria de Estado, el secretario de Defensa, el director de la CIA, el jefe del FBI, Joseph y otros que no conozco, imagino que consejeros.

—De acuerdo, prosigamos. Escuche con atención, señora secretaria. Si no entiende algo o quiere dar un aporte, siéntase libre de hacerlo, por favor —dice el presidente—. Después, si queda tiempo, hablaremos en privado. Quiero conocerla.

La reunión se trató más de cómo afrontar políticamente el hecho de que un militar activo se haya volteado en contra y lograse atacar uno de los edificios más seguros del país que de cómo atraparlo. Para la última parte se mostraron más confiados, aunque temían que otro ataque sí causara pérdidas humanas.

Solo me dediqué a escuchar y noté decepción en la mirada de Joseph, quien supongo esperaba más de mí. Por unanimidad, me dieron la tarea de ser quien diera la cara a los medios de comunicación esta misma noche en una rueda de prensa que ya estaba programada, para hablar en nombre del Gobierno y dar la versión que acordaron.

Mientras lucho para poder memorizar más de dos oraciones de lo que debo decir, me quedo observando a un militar sentado del lado opuesto de la mesa. Llena un crucigrama. Con una mano escribe y con la otra da constantes toquecitos a la tabla. Es una especie de tic que me recuerda algo.

—¡Maldición, lo tengo! —suelto por la adrenalina—. Sé cómo encontrarlo.

Mi compañero de mesa me mira extrañado por unos segundos y luego continúa, veo que con sus labios deletrea una palabra.

Con una idea clara en mente y algo de energías renovadas, logro que mi memoria adsorba mi discurso.

8

PREGUNTA POR EDISON SILVER

Sala de conferencias 1, Pentágono
9:02 p. m.

—SEÑORA SECRETARIA, están esperándola —indica la secretaria de Estado.

Levanto la mano para que espere mientras mantengo la mayor parte de mi atención en la voz del médico que me habla por teléfono.

—Llegó consciente y aparentemente solo tiene un brazo lastimado, pero...

—¡Pero ¿qué?!

—El choque fue muy fuerte y tenemos que revisar sus órganos internos para descartar...

—Háganlo y avísenme enseguida.

—Lo más probable es que no tenga...

Corto la llamada. Respiro profundo para controlarme mientras siento la mirada de la secretaria de Estado, que espera por mí —al igual que decenas de reporteros—, mientras repaso mi discurso, mientras ensayo las señales que le mandaré a Dexter.

—Maldito Anillo, maldito sean. Se atrevieron a lastimar a mi Danny. Me las pagarán —musito con ira al recordar y desconcentrarme.

Me ordeno calmarme. Cuento hasta diez y me meto en el papel, debo actuar. Me levanto, al principio con las piernas temblorosas. Mi última comida fue una rebanada de pan en la mañana, estoy algo débil.

—¿Lista? —pregunta la secretaria y yo asiento—. Después de hablar, solo debes responder cinco preguntas y terminará todo.

—Salgamos de esto. ¿Algún consejo?

—Responde corto y preciso. No afirmes ni niegues nada que nos comprometa, evade y cambia el tema.

—Lo tengo.

Me pide que aguarde y me coloca un prendedor de la bandera del país en la solapa del traje.

—Suerte, secretaria Pons.

Entro al salón sin ver a los lados para mantener la concentración, pero cientos de *flashes* destellando en mi dirección me dan la bienvenida, empezando a abrumarme. Me paro detrás del atril, coloco mis notas y luego levanto la mirada. Es exactamente como se ve en las noticias y en las películas, lo indescriptible es la sensación de saber que te estás dirigiendo a cientos de millones de personas y que cualquier error será juzgado por la misma cantidad. Es escalofriante.

—Buenas noches. Las preguntas, después que termine de hablar —digo y me tomo unos segundos para comenzar—. Sobre el atentado. Sabemos quién lo hizo y estamos utilizando todos nuestros recursos, no solo los de Seguridad Nacional, el FBI y hasta la Policía están involucrados. Su nombre es Dexter O'Sullivan. Es un exmiembro de nuestras fuerzas militares de élite. Dexter, ¡presta atención a este mensaje!, entrégate. No queremos dañarte. —En una pantalla de fondo hago aparecer su fotografía y la atención de todos se desvía allí. Entonces comienzo a mandarle un mensaje a Dexter en código morse, con mi dedo índice tocando disimuladamente el atril—. Afortunadamente, tras el ataque no hubo pérdidas humanas y los daños al edificio fueron mínimos. Ahora, tengo dos solicitudes: primero, el apoyo de la ciudadanía para que esté atenta e informe a las autoridades si llegan a encontrarse con el sospechoso; segundo, tengo que ser insistente y recalcar, que nadie, absolutamente nadie, debe intentar detenerlo por su cuenta. Dexter O'Sullivan se considera extremadamente peligroso y, si se ve acorralado, podría causar muchos daños. Para aclarar y calmar los ánimos, no estamos bajo ataque de ninguna otra nación ni permitiremos que algo semejante vuelva a ocurrir dentro de nuestro país. Mañana todos deberíamos volver a nuestra vida cotidiana. Las preguntas, por favor.

Más de ochenta manos se levantan al mismo tiempo. Elijo cualquiera. Necesito terminar con esto e ir a ver a Danny.

—Kim Miller, The Washington Post. ¿El sospechoso es el hijo adoptivo de Leonore O'Sullivan?

—Sí. Siguiente —digo. Ella intenta continuar—. Una pregunta por reportero. Siguiente.

Las próximas tres preguntas son una más incómoda que la otra. Tuve que ignorarlas y cambiar de tema. Entonces me convertí en eso que siempre desprecié cuando veía a los políticos evadiendo dar las respuestas que los ciudadanos queríamos escuchar. Todos los reporteros gritan para que los elija y, al momento de escoger, noto a una sola mujer que no tiene la mano levantada.

—Amy Adams, adelante —digo alegre de verla allí. Ella sonríe.

—Amy Adams, New York Post. Señora secretaria, ¿conoce

los motivos por los que Dexter O'Sullivan atacó el edificio de Seguridad Nacional? Dicen que el objetivo era usted.

Pensé que me la haría más fácil, aunque es su trabajo.

—Lo sabremos cuando lo atrapemos e interroguemos —digo guiñándole el ojo. Recojo mis hojas—. Es todo por ahora, no más preguntas.

Ignoro los gritos pidiendo más respuestas.

Al salir de la sala hago llamar a Amy y le explico que no podré quedarme a conversar con ella por el momento porque debo ir a ver a Danny. Luego voy con la secretaria de Estado y le pido que me ayude a llegar rápido al centro de Washington. Me ofrece un helicóptero y cinco militares para que me escolten hasta que atrapemos a Dexter.

~

Howard University Hospital. Washington D. C. 10:10 p. m.

El helicóptero me dejó en el techo del hospital. Corrí a toda velocidad hasta la habitación de Danny y revisé los resultados de los exámenes, salieron bien. Se salvó por muy poco.

Él duerme por el sedante que le colocaron, le molestaba mucho la fisura que se hizo en el brazo. Sin embargo, antes de quedarse dormido me contó que el chofer del camión que lo embistió se dio a la fuga y que, afortunadamente, unas personas lograron sacarlo antes de que su auto se incendiara por completo. Sé quiénes ordenaron el ataque y ahora comprendo que debo moverme con más cuidado.

Por otro lado, debo esperar hasta las doce para irme a encontrar con Dexter. Si es que logró descifrar mi mensaje, le di unas coordenadas y la hora.

Ver a Danny respirar mientras duerme profundamente,

después de que pensé que pude perderlo, me da mucha paz y el cansancio se asoma. Pongo la alarma para dentro de una hora y cierro los ojos, necesito descansar.

~

Thomas Circle Park
Martes 3 de diciembre
Pasadas la medianoche

El frío que tengo es impresionante, a pesar de que me puse un abrigo grueso y de capucha encima de la ropa que he cargado todo el día.

Me quedé dormida más del tiempo que esperaba y llegué tarde. Tuve que pasar a recoger algo en casa y aproveché de darle tres bocados al almuerzo que dejó Danny. Estoy en una pequeña plaza de forma circular, en el medio está un monumento al general George Henry Thomas; él monta un caballo y mira al horizonte. No pensé muy bien al elegir este sitio y menos la hora. Soy la única persona aquí, las calles están desiertas y la nieve cayendo sobre mí agudiza mis temores al recordarme aquella cabaña que me cambió la vida en Somerset. Estoy totalmente expuesta, rodeada de edificios altos, soy un blanco fácil. Esperaré solo diez minutos más, si la ansiedad y los nervios me lo permiten.

Aprovecho para recapitular. Me quedan poco más de dos días para cumplir la misión que me encargaron, tengo a Andrew en la tarea; debo encargarme de Dexter, estoy en ello, o eso creo; tengo que mostrar mi valor como secretaria de Seguridad Nacional o me sacarán, atrapar a Dexter sería perfecto, pero el Anillo no me lo permitirá porque lo quieren muerto; y lo último, aunque al mismo tiempo parece lo más imposible, necesito detener al Anillo. Mientras eso no ocurra, seré un títere de ellos hasta que deje de serles útil. Y después de lo que le hicieron a Danny, sé que no dudarán en volver a intentarlo.

Salgo abruptamente de mis pensamientos al ver un circulito rojo moviéndose cerca de la estatua. Se me eriza la piel y la respiración se me agita al entender la situación; tengo a Dexter a mi espalda con un rifle. El láser se me acerca y luego se aleja en dirección al monumento varias veces. Intento voltearme, pero escucho una bala silbarme cerca del oído y la veo impactar contra la nieve. Ahora sé dos cosas, tiene silenciador y no me quiere muerta, no aún.

El láser comienza a parpadear en el suelo. Aunque tardo unos segundos, lo capto. Se está comunicando. Doy un paso hacia adelante y el punto rojo avanza unos centímetros. Dejo de dudar y lo sigo. Salto la pequeña cerca que bordea el monumento y llego a sus pies. Detrás de un pequeño muro está una radio, la tomo.

—¿Dónde espera la caballería? —pregunta Dexter.

—No vendrá nadie…

—Tienes un minuto para convencerme de que no te mate. Eres la prin…

—A Leonore la obligaron a suicidarse —suelto, interrumpiéndolo.

—¿Quién, cómo y por qué? Mantenme interesado o mi dedo puede resbalarse y tirar del gatillo.

—Hace mucho frío aquí afuera. Y debo parecer algo sospechosa, ¿no crees?

—Te quedan cuarenta segundos.

—Voy a entrar al edificio —digo y una bala impacta a mi lado. Respiro hondo—. Tengo algo que necesito enseñarte para que puedas creerme…

Me volteo y comienzo a avanzar. Es un hotel, no me será

difícil entrar. Vuelve a disparar, esta vez hacia mis pies. Subo la mirada y lo veo en una ventana del sexto piso.

—Si das un paso más, la próxima bala no fallará —advierte.

Saco de mi bolsillo el *pendrive*.

—En esta memoria *flash* hay un video que Leonore me dio antes de quitarse la vida. Tengo que mostrártelo para que comprendas lo que verdaderamente ocurre.

No responde por la radio, pero sí manda otro disparo.

—Si me vas a matar, hazlo de una vez. No soy tu enemiga y quizá pueda ser tu única aliada. Entraré.

—Morirás si lo intentas…

—Solo adelantarás el proceso. Quienes le hicieron eso a Leonore, también me tienen contra la pared. Así que, o conversamos cara a cara o me disparas de una vez, y así me ahorras varios días de estrés.

Mientras camino, el láser me alumbra en los ojos. Es una rara sensación saber que caminas hacia la muerte, pero al mismo tiempo no tener miedo. Cuando estoy cerca del hotel, habla por la radio.

—Piso seis, habitación ciento diez. Pregunta por Edison Silver.

Así hago en recepción y muy pronto estoy frente a la puerta. Tomo la manilla para girarla y la abro. Dexter está de frente, apuntándome con una Glock. Tiene el arma pegada al cuerpo, típico de los *Seal*.

—Conoces el proceso —dice para que levante las manos y me deje revisar.

Al terminar toma mi pistola y me da la espalda para ir a una mesa donde hay varios monitores que tienen la señal de las cámaras del hotel. Al verificar que todo está en orden se me queda mirando de una manera extraña y a mí me da tiempo de estudiarlo. Es rubio, aunque usa una peluca negra como camuflaje, es zurdo. Debe medir un metro noventa y pesar unos ochenta o noventa kilos.

Hay un hombre amarrado en el suelo con la cabeza cubierta por la funda de una almohada. Está vivo, lo veo respirar. Seguramente es el huésped de la habitación.

—¿Cómo lograste impactar en mi oficina con un misil desde tan lejos…?

—¿Sabes por qué no te disparé en la cara? —pregunta y no sé qué responder—. Porque solo los que dicen la verdad están dispuestos a morir por ella. Dame la memoria *flash*.

Se la entrego.

Él observa a su madre adoptiva en el monitor y yo lo observo a él. Su rostro muestra muchas emociones; dolor, tristeza, rabia, odio, y por un segundo sonríe, sin embargo, no está sorprendido. Al finalizar, se queda en silencio durante casi un minuto.

—Lo siento por volar tu oficina y por dispararte. Pensé que eras una de ellos —dice y me mira, esta vez sin odio, y por primera vez parece humano.

—Así que lo sabías… No hubo muertos ni heridos que lamentar, por suerte.

—Me dejó una memoria *flash* parecida. Aunque nunca te mencionó y supongo que grabó su mensaje para mí mucho antes, porque se veía mejor. La dejé sobre la cama de mi cuarto, en mi casa, para que la encontraran. ¿No la viste?

John se encargó de la revisión de la casa de Dexter y quiso decirme algo en varias ocasiones, espero que no haya revelado nada.

—No, maldita sea. Mi subsecretario tiene la memoria, estoy segura. Intentó hablar conmigo, pero como entenderás, mi vida se ha convertido en una completa locura y no he tenido tiempo.

—¿No te tienen vigilada todo el día?, ¿cómo hiciste para

escaparte sin que se dieran cuenta? No puedo creer…

Es como si Dios le hubiera puesto esa pregunta en la cabeza y lo hiciera ver el monitor. Más de una docena de hombres con chalecos antibalas y armas de asalto pasan por el vestíbulo del hotel. Dexter me mira con rabia.

—¿Me vendiste? —me pregunta furioso, entretanto, se levanta y abre una maleta llena de armas.

—Dejé mi teléfono y me cam…

No, no me cambié de ropa por estar somnolienta.

Me palpo bajo el abrigo y enseguida encuentro el prendedor que me puso la secretaria de Estado. Me lo quito y lo aplasto.

—¡Maldita sea! Lo siento, Dexter. No he dormido bien en días y con tu ataque todo se complicó demasiado…

—Toma.

Me lanza un chaleco antibalas mientras él se coloca dos sobre el pecho. Se guarda más de veinte cargadores, varias granadas, cuatro pistolas y toma explosivos plásticos.

¿Quiere combatir? Maldito lunático.

—Conté doce solo por el vestíbulo —digo algo nerviosa—. Deben ser más…

—Y no tienen identificación, vienen a exterminar. Puedes irte o puedes demostrarme quién eres realmente.

No es solo por tener miedo a la gran probabilidad de morir, es por lo contradictorio de mi situación. Si ataco a miembros del Anillo, vendrán con todo contra mis seres queridos. Dexter quiere asesinarlos y ellos a él.

—Tómame como rehén —digo—. Son del Anillo y debo parecer tu enemiga o asesinarán a mis seres queridos.

—Dispararán a matar en cuanto nos mostremos. No eres imprescindible, Ainara. Nadie lo es…

—No se trata de mi vida, si no de las personas que quiero. Si muero protegiéndolos, valdrá la pena…, por favor.

9

ANTES DE QUE CAIGA EL SOL

LA ÚLTIMA VEZ que disparé contra una persona fue en Eureka, hace más de cinco años.

—¡No disparen! —pido cuando salimos al pasillo—. ¡Me quiere matar!

Dexter se cubre con mi cuerpo, apuntándome a la cabeza mientras cinco sujetos armados nos apuntan a nosotros. Uno de ellos habla por su intercomunicador, sin dejar de vernos.

—Van a dispararnos, prepárate. Atente al plan —susurra Dexter.

Conozco la mirada de un hombre cuando duda antes de disparar y cuando está decidido. Los ojos es lo único que puedo ver en aquellos sujetos y lo comprendo. Presiono el botón que activa el C-4 que plantamos en la pared del pasillo, detrás de un extintor y de donde están ellos. Comienza el caos. Ellos salen volando y nosotros caemos hacia atrás por la onda expansiva. Dejo de oír, pero puedo ver que detrás de nosotros llegan más hombres desde las escaleras. Dexter les vacía un cargador y me ayuda a ponerme de pie. La alarma de incendios se activa por el fuego y el humo, comienza a llover dentro de todo el hotel. Los gritos de pánico de los huéspedes tampoco tardan en escucharse.

—Que no quede ninguno vivo —ordena mi compañero y me da un fusil.

—Hagámoslo —digo contagiada por su odio.

—Pueden controlar el mundo si quieren, pero no a mí.

Dexter es una máquina asesina y por un momento me aterroriza. Les lanza una granada a los cinco hombres que nos apuntaban y que ahora yacen inconscientes, matándolos. A los que logró repeler del lado contrario, les tira dos. A cada explosión que retumba en el edificio, y mientras la alarma sigue sonando, siento que se me acaba el juego.

—Avancemos. Yo cuido adelante, tú vigila la retaguardia —ordena.

—¿Cuál es el plan?

—Eliminarlos a todos y luego borraré las grabaciones de seguridad. Nadie puede saber que estuviste aquí. Al llegar abajo…

—¡Dos! —grito y disparo.

Le doy a uno y el otro intenta arrastrarlo.

—¡Cúbranme! —exclama el sujeto e intenta disparar.

Dexter voltea y los ejecuta a ambos. Entonces cambiamos de posiciones. De la dirección que ahora cubro sueltan dos granadas.

—¡Granada! —aviso mientras empujo a Dexter para ir en la dirección contraria.

Un huésped abre su puerta. Pretendía salir huyendo, pero al vernos, retrocede asustado y se encierra. Nos lanzamos al suelo.

—¡Cubre la entrada de las escaleras! —dice y levanta uno de los cadáveres para protegernos.

Las granadas explotan y los oídos me silban. Veo sombras en la puerta que da hacia las escaleras y suelto una ráfaga de tiros. Dexter lanza una granada en esa dirección, recarga con asombrosa rapidez y me pasa un cargador. Por los nervios y por no conocer el arma, tardo buscando el seguro. Él me intercambia el fusil y termina de cargar.

—La policía llegará en menos de cinco minutos. Debemos movernos ahora —susurra y camina sigilosamente hacia las escaleras, recostándose en la pared. Se cuelga el rifle hacia un lado. Se arma con la Glock en una mano y un cuchillo en la otra.

Dexter me hace una seña para que vigile la retaguardia y, al voltearme, escucho movimientos bruscos. Me giro otra vez. Él toma por el brazo a uno de los sujetos, desarmándolo, y le clava el cuchillo en el corazón. Lo utiliza como escudo y se asoma en el umbral de las escaleras. Dispara con la Glock mientras el cuerpo que sostiene recibe numerosas balas.

La bulla cesa. Dexter deja caer el cuerpo y el cargador vacío.

—Despejado. Andando —dice con serenidad y recarga.

Hay más de diez hombres tirados entre los escalones. Dexter les dispara a los que se mueven.

—No podemos dejar que digan que estabas de mi lado —suelta para justificarse.

—Del otro lado quedaron algunos vivos —digo con sarcasmo.

—Si quieres, puedes ir por ellos. Yo debo irme, no queda mucho tiempo.

Lo sigo de cerca. Al ya no escucharse disparos, desde los pisos superiores e inferiores, muchas personas empiezan a salir corriendo de sus habitaciones y a tomar las escaleras para huir. Dexter me mira y asiente.

—Aprovechemos —digo.

Aumentamos el ritmo hasta casi correr. Me indica que al llegar al nivel de la calle debemos separarnos y me quita el rifle. Las personas, aterradas, nos pasan al lado a cada momento. Un enemigo entra a las escaleras desde el piso dos y Dexter se le lanza encima con el cuchillo, neutralizándolo.

Continuamos bajando.

—Te dejaré algo en el patio de tu casa para que podamos comunicarnos. La guerra apenas comienza —informa cuando llegamos al primer piso—. Destruiré la central de vigilancia. Tú huye con los civiles.

—De acuerdo…

Él limpia nuestras huellas en los rifles y los tira a un lado. Revisa el vestíbulo y me hace una seña para que termine de desaparecer. Verifico si todavía tengo la capucha puesta, me desprendo del chaleco antibalas y salgo.

∾

Motel Sunset
11:10 a. m.

Del hotel me fui directo a la casa para ducharme, estaba mojada, apestaba a humo y pólvora. Quedé algo afectada por la masacre que Dexter dejó a su paso. Eran ellos o nosotros, pero fue demasiado brutal para mí. Luego volví al hospital para saber de Danny, tuve tiempo de revisar mi celular, para mi sorpresa, no había mensajes ni llamadas de la voz sintetizada, lo que me mantiene nerviosa.

Al llegar al edificio de Seguridad Nacional todo había vuelto a la normalidad, únicamente la zona donde estaba la oficina que me asignaron quedó sellada. Así que volví a mi vieja oficina. Lo primero que hice fue conversar con mi subsecretario. Por suerte no le mostró a nadie más lo que vio en el video de Leonore. Me hice la sorprendida y quedamos en guardar el secreto hasta recabar más información. Le pedí que no investigase por su cuenta, sin embargo, no creo haberlo convencido. Firmé unos documentos para iniciar actividades más extremas de vigilancia y organicé mi agenda con Janice.

～

Los canales de noticias han estado informando sobre el tiroteo dentro del hotel y un par de testigos aseguraron ver a Dexter y a una mujer encapuchada, aunque, por la confusión, nadie habló con seguridad. Había mucho humo, agua cayendo de los rociadores antiincendios, gente corriendo y muchos gritos. Unos agentes del FBI, del Anillo, supongo, se encargaron de regar información falsa acerca de que fue parte de una guerra entre el crimen organizado, por drogas y territorio.

Este motel al lado del McDonald's es más austero que el anterior, pero es necesario mantenernos en movimiento. Al llegar a la habitación que ocupa Andrew, toco la puerta cinco veces y Andrew me abre. Luce cambiado. Ropa nueva, se cortó el cabello y la barba.

—¿Cómo sigue Danny? —pregunta.

—¿Cómo lo sabes? Ya le dieron de alta, solo debe usar una férula de yeso por una semana.

Se mueve para que pase y con un gesto me señala sus nuevos equipos. Tiene un laboratorio informático montado. Varias computadoras, seis monitores, uno más grande que el otro, dos *laptops* y pequeños dispositivos con muchas luces. Me señala un estante y allí veo los teléfonos desechables. Él toma asiento frente a las computadoras, pero no empieza a teclear.

—Estuviste en ese tiroteo, ¿cierto? —pregunta luego de darle un mordisco a una hamburguesa, con la boca llena.

—Sí, pero no tenemos tiempo para contarnos la vida. Necesito buenas noticias, ¿qué me tienes, Andrew?

—No tengo los mejores equipos y son muchos datos,

362

además estoy un poco oxidado. Aún estoy analizando la información para enfocar mi búsqueda. Me tomará unas horas y luego será cuestión de tiempo para saber quiénes son y cómo encontrarlos.

—Dame una hora.

—No puedo. Solo te prometo que será mañana cuando sepamos con qué lidiamos —dice con tranquilidad.

Tomo su silla y la giro bruscamente hacia mí.

—¡No tenemos tiempo! ¡La vida de muchos depende de lo que estamos haciendo, Andrew!

—Puedes golpearme si quieres, pero eso no hará que este proceso acelere.

—¡Maldición, Andrew! ¡La maldita voz sintetizada que me amenazaba todos los días y me recordaba el poco tiempo que me quedaba, ya no lo hace!

—Es bueno, ¿no?

—No, para nada… me temo que después del tiroteo las cosas cambiaron. Creo que intentarán deshacerse de mí.

—Es posible —dice y muerde el pan—. ¿Y por qué no comenzamos por ahí?

—¿Cómo?

—Por la voz, claro.

—Está enmascarada por un programa de computa… —me callo al entender lo tonta que fui—. Puedes desenmascararla, ¿no?

Andrew me mira con compasión mientras se le dibuja una pequeña sonrisa. Me pide la grabación de alguna de las llamadas.

—No tengo… ¡Maldita sea!

Tomo una almohada y comienzo a golpearla con rabia. No entiendo cómo pude ser tan inepta de nunca haber guardado una de las conversaciones, aunque sea para evidencias en el futuro. Me pego la almohada contra la cara y grito con todas mis fuerzas hasta que mi teléfono empieza a sonar. Andrew se me queda viendo y yo miro la pantalla.

—Es él —informo sorprendida.

—Practicaré tu método cuando quiera que una de mis citas me regrese una llamada —dice en tono de broma y me extiende la mano para que le entregue el celular. Lo conecta a una de las computadoras—. Atiende y actúa como siempre.

Andrew abre un programa y yo tomo la llamada.

—Es una lástima, Ainara Pons. De verdad que pensé que tú llegarías más lejos que Leonore y que quizá algún día te unirías a nosotros.

—No fue mi culpa. Quería atrapar a Dexter…

—Y ponerlo en nuestra contra seguramente. Pero ya no más.

—¿Qué quieres decir?

—Quiero decir que se acabó nuestra relación y como favor personal te pediré que disfrutes mucho esta noche. Haz el amor con Reed nuevamente y sincérate con todos los que quieres.

—Pero…

Corta la llamada. Me quedo en blanco.

—Vaya… Bueno, lo tenemos —asegura el muchacho.

—¿Y qué? Estoy jodida, Andrew. Quizá debería buscar a todos y huir del país. Quizá debería…

—Escuchar su voz real —dice interrumpiéndome y reproduce la llamada.

La voz es de un hombre mayor, bastante, diría yo, tal vez entre sesenta y setenta años. Se siente bien saber que es solo un viejo decrépito.

—¿La reconoces? —pregunta.

—No.

—¿Podemos compararla con alguna base de datos? ¿Seguridad Nacional, FBI, NSA, CIA?

—No almacenamos registros de voz de personas que no sean de interés, no todavía —le respondo.

—Volvemos al principio. Qué mierda.

—Pero en Seguridad Nacional tenemos un sistema de vigilancia en directo.

Andrew suelta una carcajada.

—Ainara, ya deben de estar buscándome en todo el país, ¿y piensas meterme en uno de los lugares más seguros del mundo? Y si pudieras meterme, necesitaríamos tener la suerte de que el dueño de esa voz haga una llamada.

—Soy la jefa, puedo hacer lo que quiera. Entrarás y cruzarás los dedos conmigo.

—¿Y los *hackers*?

—¿No eres multitarea? —le pregunto dándole una palmada en el hombro.

Él sonríe. Tomo un par de teléfonos desechables, le entrego uno.

~

Oficinas centrales de Seguridad Nacional
12:30 p. m.

Ser una consumidora de alcohol en la oficina fuera de horas laborales me hizo socializar con los guardias de seguridad, haciéndome bastante cercana a algunos. Al llegar al edificio hablo con uno de ellos. Le pregunto cómo sigue su esposa y qué tal le está yendo a su hijo en la liga de béisbol escolar. Al terminar la cháchara, le pido que escolte a un hombre hasta la sala de servidores porque venía a hacer un trabajo de mantenimiento. No es común que personas extrañas entren al edificio y menos hacia los servidores, pero soy la jefa y su «amiga», ¿por qué dudaría en hacerme caso?

Desde el elevador observo cuando Andrew se presenta y es llevado al interior; espero que funcione.

En la oficina hay cierto apremio porque el presidente dará un discurso dentro de unas semanas en Nueva York y nos han asignado la tarea de dirigir desde aquí las tareas de limpieza de riesgos. Tenemos que evaluar a todas las personas de interés que hayan ingresado a la nación o tengan planes de hacerlo, y otra cantidad de medidas de seguridad casi impensables. Dexter es una de las mayores preocupaciones. Así que mientras Andrew hace su magia, yo me pongo a planear y a hacer mi trabajo.

4:20 p. m.

El móvil desechable suena en mi bolsillo cuando converso con Joseph en mi oficina. Mi indecisión entre atender ahí o salir para hacerlo afuera se refleja en mi rostro.

—¿No vas a atender? —pregunta con curiosidad.

No puedo dudar o ponerme misteriosa.

—Por supuesto, solo no quería interrumpir nuestro trabajo.

Atiendo con el corazón acelerado.

—¡Lo tengo, Ainara! Está hablando con una mujer por teléfono, tengo su maldita ubicación —dice Andrew excitado.

Bingo, voy por ti y veremos qué tan rudo eres de frente.

—Sí, todo está bien. Al salir de la oficina pasaré por allá —digo para actuar normal.

—¿No puedes hablar? Entiendo —afirma Andrew—. Te dejaré la dirección por mensaje y el número, se llama Thomas. Me largo de aquí, no soporto estar encerrado en un edificio lleno de… tú me entiendes.

—De acuerdo, estamos en contacto. Yo lo llamo.

Cuelgo.

Joseph me pregunta si todo está bien. Le confirmo que sí y luego le pido disculpas por tener que salir. Atraparé a ese maldito antes de que caiga el sol.

MALDITOS HACKERS

Great Falls, McLean, Virginia
5:00 p. m.

LLEGO A UNA IMPRESIONANTE PROPIEDAD, por el tamaño de sus jardines y la inmensa mansión, sin mencionar la envidiable vista del río Potomac. Se respira tranquilidad y hasta se escuchan diversos pájaros cantar.

Aunque está cercada completamente, no tiene mucha vigilancia. Es raro y ventajoso, más cuando no puedo fallar. Todo depende de lo que logre aquí, ahora.

Salto una de las cercas y avanzo por la propiedad ocultándome entre los arbustos. Mi corazón late con fuerza y la adrenalina me da más velocidad, agilidad. Vuelvo a ser Ainara Pons y, aunque parece enfermizo, sonrío al notarlo. Escalo por una de las paredes hacia el segundo piso e inicio mi búsqueda en el interior. Desenfundo mi arma.

Lo primero que enciende mis alarmas es la cantidad de cámaras que hay dentro; no vigilan que algún extraño entre sin permiso, vigilan que alguien no salga. No puedo arriesgarme a ser vista mientras reviso todo el lugar. Saco el móvil desechable y le marco al número que me dio Andrew. El sonido hace eco en toda la casa y mi corazón se acelera más. Me concentro y camino con sigilo al lugar de donde proviene, una habitación.

Me pongo detrás de la puerta. Respiro profundo, reviso el seguro de mi Heckler y entro.

—¡No te muevas o disparo! —advierto con euforia, sonriendo.

Un hombre estaba de pie y me mira absolutamente sorprendido, sin poder creérselo. No esperaba visitas y menos a mí.

—A... som... bro... so —suelta aún impresionado. Se le dibuja una sonrisa—. Creí que exageraban al decir que eras un peligro para el Anillo y que la orden de deshacernos de ti era muy apresurada. Pero es que eres de otro mundo. ¿Cómo? ¡¿Cómo!? Te tenían vigilada... ¡Maldita sea! Es que no lo puedo creer. Te miro y me parece una ilusión. ¡Ainara Pons!

—¡No hagas movimientos bruscos o dispararé, no lo dudes!

Voy hacia él y lo registro con rudeza, jalándolo por los pocos cabellos que le quedan, guardándome uno.

—Créeme que de ahora en adelante jamás dudaré de tus palabras o tu capacidad, Ainara Pons. —Se carcajea otra vez —. Ainara Pons, ese nombre me quedará grabado hasta el día de mi muerte, muchacha.

—Amén... ¡Ahora dime! ¡¿Quién demonios eres y qué es lo que está pasando realmente!?

—Primero déjame disculparme por lo ocurrido en el hotel. Nuestro líder quiere fuera de circulación a Dexter, no fue mi decisión, y tú debiste contarnos acerca de aquel encuentro. Debiste morir, pero O'Sullivan es una bestia.

—¡¿Quién eres!? ¡¿Quién es el líder!?

—Eres inteligente. Dime, ¿qué has notado? ¿Parezco una amenaza? ¿Qué me dices de las cámaras?

—Solo sé que eres un imbécil muy valiente por teléfono y quien provocó que Leonore se suicidara, ¡quien me amenazó hace unas horas!

—Nunca sabrás quién es el líder, ni yo lo sé. Solo soy un sirviente viviendo en un castillo. Suplicaré para que te den otra oportunidad. Y ya que lo pides, te contaré una historia. Siéntate —dice y él toma asiento—. Creo que lo primero que deberías saber es que el Anillo nació por tu culpa.

—¿De qué demonios hablas? ¿Perdiste el juicio?

—Como lo escuchaste. Tú hiciste algo impensable, improbable, algo para lo que nadie estaba preparado. Destruiste la operación de los Walker, la más grande del país. Grandes organizaciones criminales fueron salpicadas, y muchas pequeñas, acabadas. De ahí nació la necesidad de una mejor organización, una tan grande y poderosa que no pudiera caer sin que los poderosos de Washington también lo hicieran. No se trataba de solo tener pequeñas conexiones con agentes de bajos niveles en el Gobierno, sino de ir por lo grande para poder tener seguridad y control.

—¿Fue mi culpa por detener una operación criminal que acababa con las vidas de cientos de mujeres inocentes y las de sus familias?

—Es como dicen, Ainara, a veces el remedio es peor que la enfermedad.

—¿Y tú cómo encajas en todo esto?

—Pensé que me reconocerías, como cualquiera. Aunque admito que eres joven. Soy Thomas Turner, un pequeño «magnate» petrolero. Un día acudieron a mí con una invitación.

Baja la mano para abrir la gaveta de su escritorio. Lo apunto a la cabeza.

—Solo sacaré un papel —me avisa y lentamente lo saca para entregármelo—. Con esta tonta carta me invitaron a unirme. Me llamó la atención por estar escrita al revés, me recordó esas historias que hablaban de los Rothschild, de sus famosas invitaciones y alocadas fiestas. Así que fui y una vez que supe de qué se trataba, no pude salirme. Lo intenté, créeme. Pero así fue como asesinaron a mi hijo Sean. Si volvía a desafiarlos, entonces irían por mis nietas y por cualquiera al que le tuviera aprecio. Ahora mírame aquí.

Me cuesta creerlo, sin embargo, tiene un absurdo sentido. Necesito más información.

—¿Por qué te vigilan tanto?

—Porque soy el encargado de las relaciones públicas, por decirlo de alguna manera. He conocido en persona a muchos de los reclutas, los que aceptan para conseguir beneficios o los que se niegan, a esos siempre les va mal. Conocí en persona a Leonore, fue una lástima su final.

—No menciones su nombre. ¿Qué harás ahora que ellos deben saber que te encontré?

—¿Yo?, nada. Antes de todo el desorden que ha ocasionado el joven O'Sullivan, pensaban presentarnos en persona para mejorar nuestra relación. Claro, si lograbas capturar a esos… *hackers*. Por cierto, ¿cómo vas con eso? Te queda muy poco tiempo.

—Te encontré a ti. Podré con ellos.

Él sonríe mientras me mira con los ojos brillosos y asiente repetidas veces.

—Ahora estoy seguro de que lo lograrás. Me caes bien, Ainara. Nunca nadie había llegado tan lejos, a mi casa. Pero debes irte y apurarte, no te conviene quedarte más tiempo aquí.

—Sé lo que debo hacer. Solo dos preguntas más, ¿qué es lo que buscan? ¿Cuál es mi situación ahora?

—Pensé que preguntarías tontamente quién es nuestro misterioso líder, pero no, Ainara Pons no pierde saliva en vano. Ellos lo quieren todo, quieren controlar el país y no están muy lejos; nada cambiará, salvo que pelearé para que te den otra oportunidad y no tengas un triste final. Yo seguiré hablando por los de arriba, dándote las órdenes, y si no obedeces... No habrá más oportunidades.

—No necesito otra. Tendrás tus malditos *hackers*.

Un teléfono rojo sobre su escritorio comienza a sonar y él me mira fijamente, sonriendo.

—Ahora debe irse, señora secretaria. Debo abogar por usted. Nos vemos pronto.

⁓

Vivienda Pons-Reed
6:30 p. m.

Llamé a Andrew antes de venir y me dio buenas noticias. Está encaminado, pronto debería darme resultados para encontrar a los piratas informáticos.

Vine a casa para estar un rato con Danny e intentar dormir, comer, vivir. Compré *pizza* para los tres porque hasta a Bob tengo descuidado. Al introducir la llave en la cerradura, la puerta recibe toda la fuerza de mi bestia negra, quien ya sintió mi olor. Apenas abro, se me abalanza encima y por primera vez siento alegría mientras juego con él. Danny no tarda en aparecer con el brazo enyesado. Me quita la *pizza*, la coloca en una mesita y se sienta a nuestro lado, observándome, sonriente.

—Te esperaba con ansias —dice y me besa.

—También contaba los minutos para estar con ustedes. Son lo más importante que tengo… mi familia.

Me pide que me siente entre sus piernas y me rodea con los brazos.

—Lo siento si la férula…

—Está perfecto así, no cambiaría nada de este momento, Danny. Gracias por buscar…

—No me tienes que agradecer nada. Por ti haría lo que fuera —asegura y me besa el cuello y la cabeza—. Te amo.

Oírlo decir eso, cuando se ha arriesgado tanto para ayudarme sin pedir explicaciones y después de que casi lo matan por mi culpa, aunque no lo sabe, me hace sentir terrible. Soy tan injusta y él tan increíble. No puedo imaginarme sin él.

—¿Por qué lloras, amor? —pregunta y me abraza más fuerte.

—Porque soy una imbécil. Porque casi mueres ayer y ahora es que comprendo lo cerca que estuve de perderte, y no puedo perderte, Danny. No sé qué haría sin ti.

Se arrastra y coloca al frente de mí. Me toma por la quijada y delicadamente limpia mis lágrimas.

—No me vas a perder y no pienso dejarte sola, jamás. Vamos a volvernos viejos juntos. Te esconderé el bastón para que no vayas a comprar *whisky* —dice y me hace reír—. Te seguiré llamando princesa todos los días y me seguirás riñendo.

—¿Me lo prometes?

—Con mi vida, prin… ce… sa…

Se me escapa una carcajada y a él también. Me besa, me ayuda a levantarme, yo agarro la caja de *pizza* y nos vamos a la cama.

~

Centro, Washington D. C.

Miércoles 4 de diciembre
12:20 p. m.

Ayer le demostré mi capacidad al Anillo y gané algo de tiempo, o eso creo, cené bastante *pizza*, hice el amor y dormí más de doce horas. Me siento renovada y con mejor actitud para enfrentarme a todo. Lo que me ayudó en la oficina. Pude enfocarme en los asuntos de seguridad y, analizando patrones, logré descubrir a un grupo de sirios que motivados por el ataque de Dexter aceleraron su plan de empezar a hacer pequeños atentados dentro de la ciudad. Hombres de bajo perfil que hacían vida aparentemente normal, pero como monitoreamos a todas las empresas y tiendas que producen, importan y distribuyen cualquier material que podría utilizarse para armar bombas, noté que los pedidos recurrentes de los sirios, que ya estaban resaltados al igual que los de otros millones de personas, se triplicaron ayer. Formé un equipo y los envié a las direcciones de los diez sujetos. Encontraron tambores llenos de peróxido de acetona, mecanismos receptores, detonadores y armamento, pistolas, escopetas y mucha munición. También tenían planos de sitios turísticos a los que pensaban ir. Se detuvieron a más de treinta personas y caerán más a medida que suelten todo lo que saben en los interrogatorios.

No sé cómo lo hizo. Dexter me dejó amarrado al collar de Bob un teléfono desechable e indicaciones para comunicarnos. Él piensa cazar a los miembros del Anillo por su lado y quedamos en tener cooperación solo y cuando fuera realmente necesario.

Ahora estoy a punto de encontrar a los *hackers*. Aunque no estoy segura de qué haré con ellos.

—La señal sale del edificio que tienes al frente. Piso cuatro. De acuerdo con el plano que conseguí, debería ser el apartamento B. La rubia *sexy*, Joanna, está ahí dentro con varios hombres de distintas nacionalidades; un ruso, un checheno. Los veo por las cámaras de las *laptops* y de los teléfonos —informa Andrew por el auricular en mi oído.

—Voy por ellos. Estate pendiente de todo, eres mis ojos.

—De acuerdo, suerte.

Me apresuro al interior del edificio. Tomo las escaleras para no perder el tiempo. Busco velozmente y toco la puerta.

—¿Quién? —pregunta una voz femenina.

—Necesitamos hablar —respondo torpemente, no pensé qué diría.

—No sé quién demonios eres. No tenemos nada de que hablar —dice algo nerviosa.

—Yo sí sé quién eres tú, Joanna. Soy de Seguridad Nacional. No quiero…

Escucho movimientos y vidrios romperse. Dejo de perder tiempo y pateo la puerta hasta que la abro. Por un segundo me impresiona la gran cantidad de computadoras recién desempacadas en la sala. Me concentro y prosigo.

—¿¡Joanna!?

Corro hacia el pasillo y, esquivando los obstáculos, sigo hacia el cuarto que tiene la puerta abierta. La encuentro intentando escapar por la ventana. Logro tomarla por la camisa y la someto contra el suelo.

—Joanna, no soy tu enemiga. Quiero ayudarte. Todos están en peligro.

—¿Por qué querrías ayudarnos? ¿Quién demonios eres?

—El Anillo me tiene acorralada. Me mandaron a cazarlos.

—¿Qué?

Un hombre muy blanco se asoma en el cuarto con las manos arriba.

—Joanna, está bien. Es la secretaria de Seguridad Nacional, está en nuestro bando. Señora Pons, discúlpela. Es nueva en el grupo, muy joven y volátil. Mi nombre es Viktor. ¿Por qué nos busca usted en persona?

—El Anillo los quiere eliminar y me mandaron a cazarlos…

—Entiendo —dice con serenidad.

Es demasiado tranquilo, no me gusta.

—¿Qué hacen ustedes? ¿Cuál es la idea de todo esto?

Mientras el hombre de acento ruso me cuenta los motivos por los que empezaron su lucha —desenmascarar al Anillo y luchar por la libertad, bla, bla, bla—, salen cinco personas más de otras habitaciones. Los examino con la mirada. Intento determinar cuántos son, qué tanta verdad hay en sus palabras y dónde tienen las demás armas, solo veo un revólver en una mesa. Son extraños y siempre lucen nerviosos, no me inspiran nada de confianza. Joanna se ha fumado tres cigarros en menos de diez minutos. Nada tiene mucho sentido. ¿Los entregaré?, es lo lógico si quiero más tiempo, pero los asesinarán sin dudar.

—¿Cuál es el plan? Porque debo entregarlos en menos de cuarenta y ocho horas.

Todos a excepción de Viktor me miran con recelo y siento que la tensión aumenta. Malditos *hackers*.

—¡No nos entregaremos a nadie! ¡Somos libres y moriremos libres! —asegura Joanna.

«Quedan dos más en otra habitación, Ainara. Están preparando sus armas. Sal de allí», dice Andrew.

—Hay mucho silencio… algo no está bien —dice Viktor y se levanta.

Un checheno coloca su mano sobre el revólver.

—¡No la levantes! —grito y lo apunto.

«¡Van a salir de los cuartos con rifles en mano, Ainara!».

Tomo a Viktor como escudo y apunto hacia el pasillo. Apenas diviso a los hombres, la puerta principal a mi izquierda se viene abajo por una fuerte explosión, lanzándonos al suelo. Sujetos encapuchados entran disparándonos. Me dan en el cuello y, por reflejo, logro sacarme el dardo antes de que todo comience a oscurecerse.

«¡Ainara, Ainara…!».

EL CAMINO AL INFIERNO ESTÁ PAVIMENTADO DE BUENAS INTENCIONES

DESPIERTO MAREADA, desorientada y con un fuerte dolor de cabeza. Estoy sentada en una silla. Al contrario de todas las veces anteriores, no estoy amarrada y, para hacerlo más extraño, un arma posa sobre mis muslos. A pesar de la oscuridad puedo ver que al frente de mí están amarrados y amordazados Joanna, Viktor y los demás. Lloran y lucen aterrados.

Apenas intento ponerme en pie, se encienden muchos focos, encandilándonos, y el lugar se ilumina por completo. Estamos rodeados de varias docenas de hombres armados, en lo que parece una especie de galpón. Unos parlantes se encienden y una música *country* empieza a sonar. Me quedo inmóvil intentando comprender la situación, apretando la pistola.

—Buenas, señora secretaria —saluda Thomas por los parlantes con la voz disfrazada—. Espero que no hayan sido muy bruscos al traerla. Muchas gracias por haber llegado a este punto de la misión.

No ha terminado, porque falta que yo los asesine, comprendo finalmente.

—No los mataré.

—Siempre tan directa. Pero debes hacerlo, por tu bien y el de los tuyos.

Me niego con insistencia mientras Joanna me mira fijamente a los ojos, llorando e intentando gritar.

—¿Llegaste tan lejos para acabar aquí, Ainara? No me decepciones.

—Nunca he matado a alguien que no haya intentado asesinarme primero o a alguien inocente. No está en mi ADN, no puedo hacerlo y prefiero mo…

—*Okey*. Dispárate en la cabeza como Leonore y salva a tus seres queridos. Pero esos desconocidos que tienes al frente morirán igual.

Lentamente tomo el arma y la voy levantando hasta tenerla en mi sien. Estoy harta, quiero que acabe todo y no tengo más opción. Por lo menos les hice justicia a Rachel y a mi madre.

—Rachel… —musito con los ojos cerrados—. Perdóname, Danny.

—¡Hazlo! —grita.

Agarro todo el aire que puedo y grito con todas mis fuerzas, dejando salir la rabia, el dolor y la frustración. Siento los pálpitos del corazón en la garganta y aprieto más los ojos. Tiro del gatillo. No pasa nada. Exhalo el aire que comprimí en mis pulmones.

—¡Extraordinario! Eres la primera que lo intenta. Todos asesinan con tal de continuar con vida, algunos hasta agradecen la oportunidad. Leonore no dudó mucho y mató a una joven prostituta que quería mancillar el buen nombre de un miembro del Anillo. Eres especial, Ainara.

—¡Vete a la mierda, Thomas! —grito aún recuperándome de los nervios. Siento náuseas, me controlo.

Haberlo llamado por su nombre debió de molestarlo, porque se quedó callado.

—Alfa, asesínalos —ordena por fin—. Ainara, la cena estará pronto. Espero que tengas apetito.

Un enorme hombre camina hasta el centro, quedando en el medio de los *hackers* y yo. Levanta su arma y hace ocho disparos. Al suelo caen ocho casquillos y ocho cadáveres.

—¡Malnacido infeliz! ¿¡Cómo pudiste!? —grito mientras se me acerca y me golpea en la cabeza.

Pierdo el conocimiento otra vez.

～

Great Falls, McLean, Virginia
Atardecer

Despierto cuando estamos llegando a la mansión de Thomas. Voy en el puesto del copiloto. Un hombre muy anciano conduce con tranquilidad.

—Despertaste justo a tiempo —dice con una sonrisa—. ¿Eres la nieta del señor? Nunca había traído a alguien. Siempre traía provisiones, ¿sabe? Alimentos, bebidas y esas cosas.

—No soy la nieta de nadie —respondo y me acomodo.

—Bueno, espero que el viaje haya sido de su agrado —dice y detiene el auto—. Usted tiene muchas pesadillas. Gritó muchas veces el nombre de una tal Rachel. ¿Perdió a alguien?

—A muchas personas…

—Entiendo, ¿le puedo dar un consejo?

—Adelante.

—Despídase de todas esas personas y empiece a vivir para usted.

—¿Cómo se hace eso?

—Hay diferentes maneras, pero una me funcionó a mí. Llené un globo con helio, le puse la foto de mi hijo, escribí su nombre y después de decirle todo lo que tenía adentro, de llorar, de reír, de recordar y de maldecir mucho, lo dejé ir.

—¿Por qué funcionó?, no entiendo.

—Porque la primera vez fue el cáncer quien me lo quitó y sin dejarme despedir de él adecuadamente; esa vez con el globo, conversamos, me despedí y fui yo quien lo dejó ir. ¡Fue mi decisión!

—Entiendo, gracias —digo con sinceridad, aunque sin creer que algo así funcione.

Me apeo y entro en la mansión, por la puerta principal y sin esconderme. Thomas me esperaba e indica el camino hacia el salón donde está el comedor. Me invita a sentar mientras una mujer comienza a servir.

—No tengo apetito —miento. El pavo huele increíble—. ¿Por qué estoy aquí?

—Ainara, has tenido unos días muy duros. Degustemos esta deliciosa comida y después te responderé algunas preguntas —pide y toma asiento.

—Ne…

—Después de cenar.

—Al diablo…

Me siento al otro extremo de la mesa y comienzo a comer con hambre atrasada. Hace mucho que no probaba algo bien preparado. Me tomo mi tiempo y solo paro al estar realmente llena.

Thomas sonríe al verme satisfecha y luego de unos minutos termina.

—¿Fue de tu agrado? —pregunta.

—He comido mejor.

Estoy segura de que sí, pero no recuerdo cuándo.

Se me viene la imagen de los rostros de Joanna y Viktor siendo asesinados, termina mi poco buen humor.

—Asesinaron a esas personas por mi culpa. ¿Ahora qué?

—No fue culpa de nadie, ellos se lo buscaron. Gajes del oficio.

—Para ser un rehén del Anillo, pareces disfrutar lo que hacen.

—¿Tengo opción? Solo soy un viejo que hace lo que puede para vivir un poco más. Sé que no soy indispensable, y si no hago bien mi trabajo... Pero pregúntate, ¿en realidad el Anillo es el malo?

Me carcajeo unos segundos y me bebo la copa de vino que tengo al frente.

—Han matado a muchos y solo en la semana que llevo conociendo su existencia.

—Y faltan muchos más, la verdad. Queremos hacer un cambio en el mundo y los grandes cambios requieren sacrificios. Sin embargo, no se compara con las muertes que los Gobiernos propician. No solo con sus fuerzas de exterminio, también con la corrupción que empobrece a millones, condenándolos a vidas miserables, los costosos sistemas de salud... Podría seguir un par de horas.

—¿Y por qué demonios ustedes creen que son mejores o que harían mejor? —pregunto.

—No queremos ser mejores, queremos hacer un gran cambio, y lo lograremos muy pronto, cuando tengamos el control total de este país. Mira, comenzamos con el crimen. Lo redujimos drásticamente al eliminar a aquellas organizaciones que no querían unirse al cambio; traficantes de órganos, traficantes de personas, estafadores, ladrones, carteles de drogas y mafiosos. Ahora todas o casi todas coexistimos en paz. Claro, Leonore fue una gran cooperante al principio y se llevó muchos de los méritos. Somos un pequeño gobierno con leyes propias y no rendimos cuentas a nadie, los demás nos las rinden a nosotros.

—¿Cuáles leyes? ¿Obediencia absoluta o morir?

—Suena mal cuando lo dices así, aunque eso las resume un poco. El orden requiere mano dura.

—Nunca llegarán a la presidencia ni a controlar el país.

—Ya lo veremos —dice guiñándome el ojo.

—¿Cuál es el objetivo de todo? ¿Volverse más ricos y poderosos?

—Ya somos ricos, y los de arriba, muy poderosos. En nuestra próxima reunión te contaré más. Ahora hablemos de trabajo. Tu siguiente misión ha sido enviada al correo electrónico que te di. El archivo está encriptado, pero seguro no será un problema para Andrew Collins.

Me hace tragar saliva y continúa.

—¿Creías que no lo notaríamos? Aunque confieso que tardamos demasiado en atar los cabos; Danny Reed fue a Kansas y luego hubo reportes de que aquel genio de las computadoras escapó de su cómoda prisión domiciliaria. Fue gracias a él que me encontraron. Tengo esperanzas de que eventualmente abras los ojos y te conviertas en un verdadero miembro del Anillo, y quizá nos traigas también a Collins, sería un activo muy valioso.

—Jamás.

—Bueno, seguro lo encontraremos antes. De acuerdo, notarás que es muy sencilla tu nueva misión y quizá hasta te guste. Sacarás del medio a un mal hombre y a su terrible organización.

—¿A quién?

—Vete y averígualo. Ya tuviste una comida decente, te respondí algunas preguntas y ahora ambos debemos volver al trabajo. Por cierto, felicitaciones por atrapar a los sirios. No es conveniente para nuestros planes que haya más locos sueltos. Queremos orden, no caos.

Me levanto y camino hacia la salida.

—Ainara, haremos que esta nación vuelva a ser la más poderosa del planeta, nos temerán y crearemos un mejor mundo. Tenemos buenas intenciones detrás de todo lo que ahora te parece malo.

—El camino al infierno está pavimentado de buenas intenciones, Thomas. Hitler también aseguraba tener buenas intenciones y se convirtió en uno de los genocidas más grandes de la historia.

∼

El Paso, Texas
Domingo 8 de diciembre
5:20 a. m.

No le conté nada a Andrew acerca de que ya saben que él está ayudándome, no quiero que el pánico afecte los grandes resultados que logra. Mi repentino secuestro cuando estaba en la casa de los *hackers* ya lo había puesto muy nervioso. Solo aclaramos que restringiríamos el contacto físico. Ahora nos comunicamos solo por teléfonos desechables para casos urgentes y por medio de más de cien correos electrónicos que creó para lo demás. Tengo una lista en papel de los correos a utilizar, los rotaremos cada dos horas, cada día. Él con sus programas no puede ser rastreado, yo usaré diferentes computadoras; manejo un edificio lleno de ellas. Por ahora lo mantengo vigilando a la exesposa del fallecido hijo de Thomas y a la secretaria de Estado.

Tal y como dijo Thomas, no le fue difícil a Andrew abrir el archivo, y la misión es más aceptable que la anterior.

Acabaré con un cartel de drogas, aunque esta vez no seré yo sola, estoy con mi gente. El Anillo me proporcionó los planos detallados de la hacienda donde está la operación principal de recepción, empaquetado y distribución nacional del cartel.

—Señora secretaria, estamos listos para iniciar el procedimiento. Discúlpeme si insisto, pero debería quedarse. Tenemos todo en orden y el satélite nos ayuda con los puntos ciegos —dice el líder táctico de la operación, Rojo Uno.

—Ainara, quédate —pide Danny, quien sí se quedará por no estar aún al cien por ciento debido a la fisura en el brazo.

—Yo organicé esta operación y voy a entrar. Reed, estaré más tranquila si sé que vigilas mis espaldas desde aquí. Vamos —digo y me pongo el auricular para hablarles a todos.

«Aquí líder Obús. Entramos en treinta segundos. Prepárense para abrir la puerta».

«Rojo Uno. ¿Tipo de fuego?».

«Líder Obús. Ante el menor riesgo, disparen. No tendremos bajas hoy, Rojo Uno».

Avanzamos veinte agentes a pie, por el túnel que utilizan los miembros del cartel de Darío González para entrar a su finca con los cargamentos de droga. Mide casi un kilómetro y es bastante amplio, pasan autos pequeños con facilidad. Si bien apesta a carne en descomposición y hay ratas aquí adentro, está bien iluminado. _stinks of meat_

Iremos por González hasta su habitación del pánico y él nos abrirá la puerta, aunque no lo sabe.

«Azul Tres. ¿Puedo ponerme la máscara de oxígeno? Esto apesta a muerte».

«Verde Uno. Les dije que "Bebé Tres" no estaba preparado».

«Azul Uno. "Bebé Tres", deja de llorar o no volverás a estar en mi equipo».

«Líder Obús. Si no se callan ahora mismo, ninguno volverá a estar en ningún equipo».

«Halcón Uno. El establo está despejado. Los enemigos más cercanos juegan cartas a treinta metros del edificio».

«Rojo Uno. Llegamos en dos minutos».

Cuanto más nos acercamos, el putrefacto olor nos ataca sin piedad y pronto divisamos con horror el origen de este. Pasamos al lado de una pila con más de cincuenta cuerpos en diferentes estados de descomposición, la mayoría cercenados y todos con impactos de balas. Enormes ratas devoran cuanto pueden de aquellos que alguna vez tuvieron pulso. Es tan asqueroso que cuando Bebé Tres empieza a vomitar el estómago se me termina de revolver e inevitablemente también expulso todo lo que tengo adentro.

«Rojo Uno. No se asombren mucho. El satélite mostró tres fosas más en los alrededores de la finca. Apresuren el paso».

Llegamos a una escotilla que da hacia el interior del establo y entramos uno a uno hasta estar todos.

«Líder Obús. En posición».

«Halcón Dos. Algo no anda bien. Hay mucho movimiento. Veo hombres corriendo».

«Aquí Reed. Algo no anda bien, Obús. Retírense».

«Líder Obús. Seguimos con el plan. Envíen a la caballería y cerquemos el lugar».

SOY MALCOLM

Todo marcha de acuerdo con el plan. Thomas me dijo que tenía varios infiltrados en el cartel que crearían distracciones para que pudiera quedarme sola en el momento indicado. Ahora avanzo con Azul Tres, quien me rogó que lo dejara acompañarme, por el otro túnel dentro del establo que llega hasta la salida de la habitación del pánico. Mientras los demás se encargan de tomar el lugar y asegurar a los civiles, nosotros dos esperaremos a Darío cuando intente escapar. Apago mi micrófono y le indico a mi compañero que haga lo mismo.

Llegamos a la compuerta de acero y nos escondemos del lado que tapará al abrirse. Escuchamos los disparos por los auriculares sin movernos. Los segundos parecen eternos y el calor no hace más sencilla la espera. Tres minutos después la compuerta de acero se abre.

—¡Tenemos que irnos ya, señor! Son un chingo de polis. No podemos perder el tiempo.

—Esos putos se van a llevar a mi vieja, Emilio —responde el narco.

Escuchamos en silencio y con las armas listas. Al estar segura de que solo están Darío y su mano derecha, asiento para que Azul Tres sepa que vamos.

—¡Seguridad Nacional! ¡Arriba las manos! —grito con el arma apuntando sus rostros.

Aunque González hace caso, su acompañante no y lo reducimos con varios tiros cuando intenta dispararnos. Afortunadamente, diviso sin problemas la carpeta roja en un estante, solo me falta encontrar el *pendrive*. La información que hay allí debe ser muy valiosa, necesito verla antes de entregársela a Thomas. Ordeno a Azul Tres que revise a Darío y luego que espere afuera.

—Debo quedarme a su lado —dice serio.

—Es una orden, Azul Tres. Ve afuera.

—¿Salimos o entramos? ¿De qué se trata esto? ¿O es que quieres dinero, «mamacita»? Puedo darte todo el que quieran si me dejan esca…

Le pego en la cara a Darío con el rifle y cae al suelo. Azul Tres avanza por la habitación del pánico en contra de mis órdenes. Toma la carpeta roja. Sin dudar y sabiendo la contraseña, abre una caja fuerte. González se queda absorto y también lo entiende.

—Recibo órdenes del Anillo y debo quedarme con esto —dice luego de extraer la memoria *flash*.

—¡Malditos! ¡No tienen derecho ni son mejores que yo! —grita González.

Azul Tres se pone al frente de Darío y le extiende la mano para ayudarlo a levantarse. Este se sorprende y se calma un poco.

—Si solo era un escarmiento, lo acepto y prometo que…

Azul Tres le suelta dos disparos al pecho. Se agacha, le pone un arma en la mano y suelta varios tiros en dirección a la puerta.

—Nos atacó y no tuvimos alternativa. En marcha —dice y me da la espalda para irse.

Van dos pasos delante de mí. ¿Podré ganar? ¿Siquiera tengo alguna oportunidad?

~

Washington D. C.
Doce días después, 20 de diciembre
1:15 p. m.

—Ahí va —avisa Dexter y me saca de mis pensamientos—. ¿Estás bien?

—Sí, sí. Solo un poco despistada.

—Podemos cancelarlo. Igual no me complace ayudarte a hacer trabajos para esos malnacidos.

—No tenía a quien más recurrir, Dexter. Estoy entre la espada y la pared. Ya no sé qué hacer. ¿Cómo le dejaste el teléfono en el collar a Bob?

—Saca a tus seres queridos del país y únete a mí. Tu novio te apoyará. Me llevo bien con los animales —admite sonriendo.

Es muy extraño verlo sonreír, pensé que no lo hacía.

—Arranca —le pido—. ¿Qué has logrado? Volar en pedazos las casas y negocios de senadores y empresarios no ha sido de mucha ayuda.

—También he eliminado a unos cuantos —dice y pone la furgoneta en movimiento—. Menos basura en el mundo.

—Por cada uno que elimines, aparecerán cinco más, Dexter. No aceleres tanto o se darán cuenta. —Libero un suspiro y reviso mi armamento—. Si no atrapamos al líder, nunca ganaremos. Creo que ni siquiera estamos jugando a su

389

juego. No a voluntad, ellos nos mueven como fichas. Míranos en este momento.

Dexter maneja con una mano mientras que con la otra termina de armar un explosivo plástico, y conversa tranquilamente conmigo. No sé si está desquiciado o es demasiado bueno en lo que hace.

—Tengo un plan en mente. Te lo diré antes de que lleguemos a la intercepción, tenemos tiempo. Aunque no creo que te guste. Pero como veo la situación, no hay más alternativas. Estoy cansado de matar pájaros, quiero ir por el águila y para eso te necesito.

—¿Qué plan?

—Debes morir.

—¿Qué? —pregunto y se me escapa una carcajada.

—Debes pelear en las sombras. Necesitas quitarte la mira de encima, que dejen de seguirte y espiarte en todos lados. Nadie persigue a los muertos.

Aunque tiene bastante lógica, no podría hacerle eso a Danny. Lo destrozaría, y si le cuento la idea, podría estropearla. Ni siquiera sé cómo lo haría. Y podría resultar peor si me descubren. Sería el último y más absurdo de los recursos.

—Es imposible. Me iría a un extremo del que no creo que pueda salir, y menos victoriosa.

—Te dije que no te gustaría. Están por llegar a la intercepción. Activa el explosivo.

Le doy al botón y activo el pequeño explosivo en una de las ruedas de la camioneta de la prisión del condado. El vehículo pierde el control y se estrella contra un árbol. Dexter se detiene cerca y bajamos muy rápido. Él coloca la carga en la puerta trasera de la camioneta y la detona. Como esperábamos, todos están inconscientes. Dexter se monta el prisionero al hombro y yo compruebo el pulso en los guardias.

—¡Con un demonio, no hay tiempo de eso!

Para mí sí. Luego de terminar, corro a su lado. Amarramos al prisionero al puesto del copiloto. Dexter saca la motocicleta de la parte trasera de la furgoneta y se sube.

—Piensa en lo que te propuse y llámame cuando estés lista. Haríamos más desde las sombras —dice y arranca sin dejarme darle las gracias.

Sin Dexter, no habría podido robarle este desgraciado a la prisión del condado. Le marco al 911 y aviso del accidente para que asistan a los guardias.

Como tengo tiempo, conduzco hasta un lugar alejado antes de ir al punto de encuentro, en donde debo entregar a este hombre. Primero lo interrogaré.

—¿Dónde estoy y quién eres? —pregunta el prisionero cuando lo despierto.

—Soy tu hada madrina y te concederé un deseo después que me respondas unas preguntas.

Él empieza a reír a carcajadas, de una manera poco racional. Lo que me hace enfurecer demasiado. Le grito que se calle, pero no se detiene hasta que suelto un disparo al aire y le meto el arma en la boca.

—¿Ahora sí?

Intenta hablar, mi pistola Heckler no se lo permite y se la introduzco más.

—¿¡Ahora sí quieres hablar!?

Asiente pausadamente y le doy espacio.

—¿Quién eres?, ¿por qué el Anillo te quiso liberar?, ¿por qué estabas en prisión?

—Soy Malcolm, estoy preso por violación y no sé qué es eso del Anillo…

—¡No me mientas! —grito y lo golpeo en la cara—. ¡Dime algo de utilidad, malnacido!

Pasamos casi diez minutos así, yo gritándole y golpeándolo de vez en cuando; él sin decir nada y luciendo más confundido que yo. Me aseguró que no esperaba que alguien lo quisiera ayudar a escapar, que no tenía amigos fuera de la cárcel y su familia lo repudiaba. Tuve que aceptarlo y arrancar hacia el punto de encuentro.

Llego a un almacén enorme en las afueras de la ciudad. Hay varias camionetas y muchos hombres fuertemente armados. Al bajarme con Malcolm, me quitan mi pistola y me hacen caminar al centro junto con el prisionero. Solo reconozco a Alfa por su enorme tamaño. Me entregan un teléfono.

—Hola, Ainara —dice Thomas—. Lamento que esta llamada no sea para buenas noticias. Mira a Malcolm.

Subo la mirada y veo cuando Alfa le dispara en la cara una vez, con mi arma.

—Tenemos una grabación en la intercepción. Sales muy guapa al lado de Dexter O'Sullivan. Una pareja increíble para el crimen. Ahora tu arma y tus balas están en el cuerpo sin vida de Malcolm. Pero no te preocupes, solo es un seguro.

A cada segundo que pasa la idea de Dexter me parece más razonable.

—De acuerdo. ¿Ahora qué? —pregunto con frialdad.

—Ahora viene tu misión más importante, pero te la contaré en casa. Ven, prepararon algo exquisito.

—Tengo trabajo y debo ir a la oficina primero.

—Esperaré para que almorcemos juntos.

~

Great Falls, McLean, Virginia
3:00 p. m.

—¿Te gustó la langosta? —pregunta Thomas cuando termino de comer.

—No, siempre odié comer langosta. Detesto la idea de que las cocinen vivas. ¿Cuál es la siguiente misión? Sé franco, sin sorpresas ni misterios.

—Debes ganarte la confianza del presidente cuando te inviten a la Casa Blanca. Es necesario que él confíe en ti y estés como apoyo durante su discurso de Año Nuevo en Nueva York. Será dentro de ocho días.

—Así que él es el próximo en morir.

—Así es.

—Si tienen a tantos infiltrados, ¿por qué no asesinarlo otro día y de una manera más discreta y efectiva? —le cuestiono.

—Porque su caída debe ser por todo lo alto, debe crear conmoción en la población. Debe darnos el impulso para lograr el cambio que queremos en el país.

—¿Quieren ir a la guerra?

—No, bueno, no todavía —dice y luego posa su mirada en uno de los cuadros que adornan la sala—. ¿No es precioso? Es un…

—No sé nada de arte, nunca me gustó. Mi madre lo amaba e iba a muchas exposiciones. Gastaba cantidades absurdas de dinero para comprar cuadros de pintores famosos y lucírselos a las amigas. Las quería más que a mí, supongo que por eso el «arte» todavía me causa irritación. ¿También moriré en Nueva York?

Ahora posa su mirada en mí. Es seria e inexpresiva. Bebe de su copa y luego responde.

—Espero que no, deseo que no. Pero escapará de mis manos. Estaré lejos y, por lo que tengo entendido, se desatará un último caos ese día para que luego venga la calma.

—Voy a morir —aseguro y me levanto para servirme un trago de *whisky*.

—Llevabas semanas sin probar trago.

—¿Bebes uno conmigo y me cuentas una historia interesante?

—Será un placer —dice con cierta emoción—. Tengo cientos de buenas historias, es lo bueno de ser un viejo.

13

¿ARTHUR?

Casa Blanca, Washington D. C.
21 de diciembre
10:35 a. m.

THOMAS TENÍA RAZÓN. Fui invitada a la Casa Blanca al día siguiente.

Tuve suficiente tiempo para pensar y decidí que lo arriesgaría todo. Tengo un plan sorprendentemente alocado desde cualquier punto de vista y casi imposible de ejecutar, pero es la única manera.

Aguardo junto con Joseph para entrar en la oficina oval y reunirnos con el presidente. Es momento de comenzar.

—Joseph, ¿crees que tenga tiempo de ir al baño?

Ve el reloj y frunce el ceño.

—Sí, pero no tardes. La agenda del presidente es muy atareada, no se aceptan demoras.

Me levanto y apresuro. Un hombre del Servicio Secreto me escolta al de damas. Las revisiones para entrar a la Casa

Blanca y las medidas de seguridad en el interior son excesivas, no me arriesgué a traer nada que comprometiera el plan. Únicamente un marcador de tinta invisible.

Entro en un compartimiento privado y comienzo a escribirle una carta al presidente con papel higiénico, donde le planteo la extrema situación que se está armando y que él ignora. Le explico mi papel desde la muerte de Leonore y el alcance del Anillo. Le hago entender que no puede hablarlo ni confiar en nadie más que en su jefe de seguridad, a quien investigué junto con Andrew, no tiene familia, nunca mueve su ya millonaria cuenta de ahorros y fue un soldado honorable. Lo apuro para que me dé una respuesta esta noche, por el medio que prefiera que no incluya teléfonos ni ningún tipo de red porque estamos siendo vigilados. Hago énfasis en que estamos acorralados y que vamos a morir si no actuamos primero.

Después de que me tocan la puerta varias veces, al terminar, salgo. El hombre del Servicio Secreto me vuelve a revisar. Me pregunta por el papel higiénico dentro del bolsillo y le explico que ando en mis días.

—¿Preparada? —pregunta Joseph cuando vuelvo.

—Más que nunca.

—Excelente.

Entramos a la oficina oval. Saludo a varios miembros del gabinete del Gobierno, al ministro de Defensa, a la secretaria de Gobierno, al director general del FBI, a Phillip representando al FBI de Nueva York y quien me recibe con un abrazo. Por un instante me pregunto si será de los buenos o del Anillo. Lo olvido y me froto las manos. Meto una en mi bolsillo y compacto el papel dentro de mi palma. Camino hacia el presidente y nos damos la mano. Él siente algo más en medio de nuestras palmas y me mira a los ojos, dejando de sonreír. Acerco mis labios a su oído.

—Solo es papel higiénico. Dentro hay un mensaje de vida o muerte. Escóndalo y use luz ultravioleta para leerlo. Puede dudar, pero pregúntese, ¿qué gano mintiendo y arriesgándolo todo? Responda en voz baja.

—No es gracioso. ¿De qué se trata todo esto, señora secretaria?

—Suelte una carcajada… vamos, disimule.

Él lo hace y agrega un rápido chiste político que también me causa mucha «gracia».

—¿A qué está jugando?

—Acompáñenos cinco minutos mientras hablamos de las medidas de seguridad en su discurso y disimule normalidad. Luego conseguirá una lámpara de luz ultravioleta y se meterá en el baño a leer.

—¿Por qué crees que haría eso?

Este imbécil es más difícil de lo que pensaba.

—Si no lo hace, vamos a morir.

La secretaria de Estado se nos acerca para preguntarnos si nos uniremos. El presidente tarda mucho en reaccionar, pero lo hace magistralmente. Comienza a carcajearse a todo pulmón e inventa otro supuesto chiste que termina contándole al resto de los presentes.

—La señora secretaria tiene un gran talento para la comedia. Deberíamos darle un micrófono cuando aburra a los republicanos con mis discursos. Es una maravilla. Bueno, revisemos lo de Nueva York.

El presidente Nathaniel hace lo que le pido, luego de cinco minutos se retira excusándose con ir al baño mientras yo continúo prestando atención a la evaluación y supresión de riesgos para el evento que se celebrará en una semana.

Tras quince minutos, vuelve. Y aunque está serio y algo distraído, se involucra con nosotros hasta que se termina el asunto. Comenzamos a despedirnos de él e ir saliendo.

Cuando es mi turno, tengo el corazón palpitándome con fuerza. Todo depende de este momento.

—Gracias por venir, señora secretaria —dice y me da la mano para luego acercarse más—. Recibirá noticias de mí esta noche. Sabrás que es de mi parte: pez dorado.

~

Vivienda Pons-Reed
7:00 p. m.

Ceno y converso con Danny cuando suena el timbre. Él dice que irá, pero lo detengo. Debe de ser mi mensaje y no aguanto las ansias. Antes de abrir, deseo que no sea un equipo SWAT.

—¿Tiene algo caliente de comer? Se lo suplico —pide una mujer con apariencia de vagabunda.

Su rostro está limpio.

—Buscaré algo.

—De acuerdo.

Regreso con unos enlatados y al dárselos le palpo las mano, más suaves que las mías. No es de la calle. Se me queda viendo, como esperando algo más.

—El presidente quiere reunirse contigo a medianoche en el monumento de Lincoln, no faltes —dice e intenta irse.

—Dile a Thomas que no hacen falta estas tonterías. No iré a ningún lado y no le dije nada al presidente, ¿qué sentido tendría?

Voltea y me suelta una mirada penetrante mientras se aleja. Aunque intento seguirla, camina rápido y se monta en una moto. Cuando me quedo a mitad de la calle es que noto una camioneta con el rotulado de un enorme pez dorado. El conductor me ve y, al asegurarse de que también lo veo, arranca, dejando al descubierto un sobre que yacía bajo el vehículo. Miro a los lados y lo tomo.

—¿Todo bien, amor? —pregunta Danny al salir y verme acelerada.

—Sí, volvamos adentro que hace frío.

Le agarro la mano para guiarlo al interior de la casa. A medio camino lo detengo. Adentro no podré decirle la verdad y es momento de hacerlo. Lo necesito para que todos tengamos más oportunidad de ganar. Él se me queda viendo y luego nota el sobre, lo entiende.

—¿Me contarás qué es lo que pasa?

—Es momento, Danny, y solo te puedo advertir que no será fácil de comprender la verdadera magnitud de la situación. Pero si lo que hay en este sobre es positivo, quizá tengamos una oportunidad.

No entramos a casa y, con la nieve cayéndonos encima, damos un paseo por las cercanías. Primero le cuento todo lo que he vivido, cada detalle. Al principio él se siente molesto por no haberse dado cuenta, por no haberme apoyado más. Luego sorpresivamente me abraza, me besa y me repite hasta el cansancio que me ama.

—¿Cómo pudiste aguantar tanto, amor? El Anillo, esas misiones, las ejecuciones, la presión de dirigir Seguridad Nacional, estar pendiente de todos, hasta de mí, Dexter, y ahora te atreviste a involucrar al mismo presidente. —Se queda callado por un largo rato—. Abramos el sobre.

Asiento y lo hago:

Mason y yo, personalmente, investigamos y repasamos toda tu impresionante vida. Notamos que las malas circunstancias te persiguen, pero solo eso. No hay un solo indicio de que estés loca, quieras dinero o persigas obtener más poder. Tienes una sola oportunidad para convencernos a mi jefe de seguridad y a mí con tu plan, que solo sería ejecutado en nuestros términos. Un mensajero lo pasará a buscar a la misma hora que recogiste este.

Aunque ya no hay marcha atrás, piensa cada palabra que escribas.

Nathaniel Morgan.

—¿Tienes alguna idea? —pregunta Danny.

—Tengo todo planeado, Danny. Vamos a ganar —digo sintiéndome realmente animada—. Te lo resumo de camino a casa, el frío me está matando.

Le explico muy brevemente la idea principal de todo y al instante entiendo que necesitamos más ayuda para mantener al presidente seguro. Dos nombres se me vienen a la cabeza. Un par de amigos desconectados de la civilización y del sistema, son como fantasmas, pero tan leales como Bob.

Busco el contacto en mi celular y llamo con uno de los teléfonos desechables. Al séptimo repique atienden.

—¿Arthur?

—¡Querida Ainara!

—¿Cómo están mis viejos amigos? Hace tanto…

Ellos me sacaron de apuros más de una vez, sobre todo en el tiroteo de Eureka.

—Un par de años, princesa. Benjamin se alegrará de saber que llamaste. ¡Benjamin, Ainara está al teléfono! —grita y puedo escucharlo responder.

—Qué bien que estén juntos, porque los necesito.

—Esperaba que dijeras eso, ¿una última batalla?

—La más difícil…

—Estamos más viejos que la última vez, pero podremos apoyarte. ¿A dónde tenemos que ir?

—Nueva York…

—¡Benjamin, nos vamos a Nueva York!

Les explico a medias la situación, solo para que entiendan que hay mucho en juego, y quedamos en encontrarnos dentro de cinco días.

14

DE VUELTA A CASA

Central Park, Nueva York
27 de diciembre
5:14 p. m.

El presidente aceptó mi plan. Usará un doble para el discurso. Solo él y su jefe de seguridad sabrán dónde y cuándo se dará aquel intercambio, para absolutamente todos los demás nunca ocurrirá. Y el presidente se quedará en una locación segura y secreta. Luego que ocurra el ataque, él confirmará mi historia y se pondrá en contacto con Arthur, quien se encargará de llevarlo a una casa segura en donde Andrew y Dexter los esperarán a todos. Ahí comenzaremos nuestra operación, claro, si todo sale cómo debe en el discurso.

Desde que llegué a la ciudad hace cuatro días, y como preví, la vigilancia del Anillo sobre mí pasó a otro nivel. Me ordenaron aislamiento y que cortara comunicaciones con todos mis conocidos de Nueva York. Revisaron todas mis pertenencias y solo pude esconder un par de teléfonos desechables. Solo utilizo mi teléfono y voy a reuniones con mi gente de Seguridad Nacional. También lograron que a Danny lo enviaran a una misión al otro lado del país sin necesidad de mi aprobación como su jefa, aunque debería llegar mañana en la madrugada. Por si no fuera poco, tengo a un guardaespaldas del Anillo las veinticuatro horas, al malnacido de Alfa.

Cuando Junior se fue a vivir conmigo y luego de todo lo que vivimos en Eureka, ideamos varias formas de comunicarnos por si llegábamos a encontrarnos en problemas serios. Central Park es el último recurso para una situación como esta, extrema. Es mi tercer día trotando aquí. Alfa es bastante perezoso, ya no me sigue mientras corro para «ejercitarme» y se queda fumando en las cercanías, lo que me sirve para dejarle un mensaje a Junior en el lugar que elegimos hace más de tres años. Es necesario que él lo vea y logre ponerse a salvo junto con Amy.

Me aseguro de que nadie me esté mirando y escondo un pequeño paquete con las indicaciones dentro. Estamos a diez grados y tengo un frío casi insoportable, que solo aviva mis miedos y acrecienta mis dudas.

—¿Qué haces allí? —pregunta Alfa con su acento alemán que no soporto.

—Estaba descansando. Nos vamos.

—Al auto.

—Manejo yo —aviso.

Me monto y, como en los últimos días, conduzco hasta el lugar de trabajo de Junior justo a la hora de su salida. Me detengo en una plaza y pido un par de *hot dogs*. Todo depende de que nos logremos ver un instante.

—¿Están buenos? —pregunta Alfa al verme comer con placer.

—Llevo varios días viniendo por ellos, ¿qué crees, idiota?

—Deme cuatro grandes con todo —pide.

Excelente, así estará distraído. Mientras el gigante homicida empieza a comer, diviso a Junior salir junto con unos colegas. Luce increíble con su traje de abogado. Hago gestos para llamar su atención, pero está al otro lado de la calle. Pasan muchos autos por el asfalto y demasiadas personas por las aceras. Aunque por momentos parece que me ve y yo trato de decirle la clave por medio de mis labios, es en vano. No me nota. Se aleja y no tendré otra oportunidad. En medio de mi desesperación, empujo a una mujer que iba pasando. Ella se voltea confundida y molesta hacia mí.

—¿¡Qué le sucede!? —pregunta en voz alta.

—¿¡Qué te sucede a ti, eres ciega!? —grito.

—¿¡Eres loca!? —increpa la mujer que la acompañaba.

—¿Qué ocurre? ¡Largo de aquí, viejas locas! —exclama Alfa con la boca llena.

—¡Loca tu madre! —grita la mujer que empujé y le da un manotazo tumbándole el *hot dog*.

El esposo de una de ellas se acerca corriendo y embiste a Alfa contra el puesto de comida rápida, provocando un escándalo. Entonces Junior me divisa, confundido.

—Ayúdame —digo entre labios y él asiente serio.

Luego recibo el golpe de una cartera en la cabeza.

∼

Vivienda Pons, Queens, Nueva York
28 de diciembre
2:00 a. m.

Después de varios días dándole café y sin que nada extraño ocurriera, esta vez eché sedante en la bebida de Alfa y voy por mi último recurso, Peter Bennett. Necesito contarle la situación para que sea nuestro respaldo.

Salgo de la casa y le marco con el último teléfono

desechable que me queda, el otro se lo dejé a Junior. Luego de diez repiques, contesta.

—¿Qué demonios ocurre? ¿No ven la hora? —pregunta de mal humor.

—Hola, Peter. Es Ainara.

—¿Estás bien?

—Eso depende… ¿estás en tu casa?

La línea se queda en silencio por varios segundos.

—Sí, pero esto es un desastre…

—Voy para allá.

Conduzco velozmente por una ciudad desierta y, aunque no hay casi autos ni personas caminando, siento que me vigilan. Es una sensación amarga, angustiante, y más cuando hay tanto en juego. Tardo quince minutos en llegar al edificio. El portero me abre la puerta e indica que me están esperando. Tomo el ascensor y subo.

—No puede ser —susurro.

La música de espera mientras asciendo no ha cambiado y me trae momentáneos recuerdos. De aquella pequeña aventura que tuvimos Peter y yo antes de irme a Washington D. C. Apenas comienzan a abrirse las puertas, intento salir, pero él está parado ahí, a centímetros. Sin camisa, con el cabello despeinado y recién despierto. Nos quedamos mirando en silencio y siento que mi corazón acelera el ritmo.

—¿Estás bien?

—No, Peter. Hay mucho que tengo que contarte.

—Vamos al apartamento.

—No, cualquier otro lugar… a la azotea —digo, pues seguro hay micrófonos o alguna cámara ahí dentro.

—De acuerdo, pero primero iré por unas chaquetas.

Lo hace y vuelve mejor vestido contra el frío. Me da un abrigo y subimos por las escaleras en silencio. Es un momento extraño, sin embargo, así siempre fue nuestra relación, extraña. Incluso antes de comenzar a tratarnos y después de que me ayudara a escapar de la cárcel. Ambos tenemos escudos y muy poco los levantamos, por eso no funcionamos. Con Danny todo fue diferente, por su alegría, por como hace simple las cosas, porque me quiere incondicionalmente.

Llegamos a la azotea. Peter coloca un ladrillo para que no se cierre la puerta y me guía para sentarnos.

—Antes de que me cuentes una asombrosa historia que seguro nos meterá en problemas, feliz cumpleaños —dice y me entrega una caja de tamaño medio—. Sé lo mucho que te gustó.

La abro.

—¿¡Es la…!?

Es un enorme revólver Smith & Wesson Competitor tipo Magnum.

—Así es. Mejor que aquella que no pudimos comprarle al barbudo de la feria.

—Lo recordaste… ¿¡Cuánto te costó!?

—No lo recordé, es que nunca lo olvidé. Es un regalo, no importa el precio. Quise enviártela a D. C., pero pensé que Danny podría molestarse —dice y me mira a los ojos—. Nunca te he olvidado y me arrepiento por cada día que no te dije lo loco que estoy por ti. Por haber dejado que te fueras y no haber sido tan valiente como Danny.

—Peter…

—No pasa una noche que no te recuerde, Ainara.

—No fue tu culpa. No estaba lista para el compromiso —le digo.

—Yo tampoco. Lo arruinamos…

—Nos expresábamos físicamente en la cama, pero nunca tuvimos verdadera intimidad. Nunca me contabas tus preocupaciones ni yo a ti.

—¿Por qué éramos así? En este momento quisiera contártelo todo, cada detalle.

—No lo sé. —Me saca una sonrisa que me diga eso. Pensé que jamás escucharía algo así de él—. Me gustaría saber más de ti, fuiste un completo enigma.

—No sé qué nos pasó, pero me cuesta asimilarlo —dice y me toma por el rostro.

Pega su frente en la mía. Cierro los ojos y lucho por controlar mi respiración, al igual que él.

—¿Y si te dijera que quiero intentarlo? No, no... Qué muero por intentarlo contigo.

Me besa, se separa, repite la pregunta y vuelve a besarme.

—Quédate esta noche —pide y me toma por la cintura.

Nos besamos con pasión hasta que en un momento de lucidez recuerdo dos cosas; que el país está en juego y a Danny, mi Danny. Con delicadeza lo separo de mí.

—No puedo, no ahora, Peter.

—Lo entiendo, no debí...

—Quieren asesinar al presidente, a mí, a ti y a cualquiera de las personas que quiero.

Su rostro cambia.

—Explícamelo todo.

Recibo un mensaje de Danny, está llegando a la ciudad.

—Tenemos veinte minutos.

∽

Upper East Side, Nueva York
28 de diciembre
3:40 p. m.

El lugar donde se hará el discurso ya está llenándose de personas; altos funcionarios y personajes influyentes. El doble del presidente espera en un lugar resguardado junto con su poderosa seguridad. Equipos del FBI, Servicio Secreto y Seguridad Nacional cuidan el perímetro más pequeño; cerca y cubriendo más áreas están equipos de respuesta inmediata para los riesgos mayores.

Espero con Danny a Mason, quien tiene las dosis de un compuesto químico hecho por la CIA que reduce la actividad cardiaca hasta el mínimo, útiles para fingir muertes.

—¿Nerviosa? —pregunta Danny.

—¿Tú no?

—Bastante. Prométeme algo —pide y toma un dedo de mi mano.

—¿Qué cosa, amor?

—Que saldrás viva de esto.

—Saldremos vivos, Danny.

Phillip llega con Peter y Jonas. Mi exjefe vestido de traje es un invitado. Se acercan los tres y nos saludamos. Peter luce serio y observa el lugar con recelo. Con él cerca me siento más segura.

—Ainara, verte aquí como la secretaria de Seguridad Nacional me hace sentir tan orgulloso —dice Phillip—. Cuando te acepté en el FBI, tan solo eras una muchacha con demasiado talento. Y ahora…

—No sigas, Phillip. Me sonrojas —pido y le doy un abrazo.

Él me aparta hacia un lado y saca de su bolsillo algo que no veía desde hacía dos años.

—¿Cuántas veces te la quité y te la volví a dar? —pregunta sonriente.

—Perdí la cuenta —digo admirando mi antigua placa del FBI, aún con mi nombre.

—Nunca pude dársela a otro o botarla. Siempre será tuya —asegura y me la cuelga en el cuello.

Me la tapo con la chaqueta y le agradezco de corazón. Intento volver con Danny, pero Mason se me acerca. Deja caer en mis bolsillos un par de jeringuillas y varios frascos.

—Todo está listo. Solo queda aguardar a que todo dé inicio. Espero que no tengas razón.

—Desearía que no, Mason. ¿Tienes un buen plan de escape para el doble?

—Siempre lo tenemos. Aunque sería más fácil si pudiera poner a mis hombres en alerta. Si ocurre, nos apegamos al plan. ¿Tus hombres están preparados? —me pregunta Mason.

—Todos saben lo que tienen que hacer durante y después. La ambulancia tiene a nuestro hombre listo para el traslado.

—De acuerdo. Ya es la hora. Voy por el «presidente». Mantente cerca, Ainara —ordena Mason y se va.

Un par de minutos después el acto está por iniciar y hace más de una hora que Junior debió avisarme que está en un lugar seguro. Mi teléfono suena por un mensaje de Thomas: «Buena suerte, querida Ainara». Así será lo que nos espera. Al levantar la mirada de la pantalla, noto que Peter y Danny me observan fijamente. Lucen preocupados.

Danny sale de su posición y se me acerca con rapidez.

—Durante todos estos días lo pensé, lo pensé mucho. —Me toma de la mano y me lleva a un rincón—. Sé que es el peor momento, sé que aún no me dices que me amas…

—Amor, ¿qué te ocurre, te sientes bien? Debemos volver, atacarán en cualquier momento —digo y lanzo una mirada al lugar.

Danny está nervioso. Se queda pensativo, queriendo decir algo.

—Estoy bien, tienes razón —dice con algo de desaire en la voz e intenta irse.

Lo tomo por la mano y lo jalo hacia mí con fuerza. Quedamos de frente y muy cerca, me olvido de quienes puedan vernos. Él me mira con sus tiernos ojos, confundido y quizá con algo de miedo. Pero miedo por mí, de perderme. Es el único hombre que nunca me ha decepcionado, el único que realmente me ha amado. Le doy un beso y lo abrazo.

Mientras él me aprieta entre sus brazos, comienzo a sentir pánico de que todo salga mal y nunca volvamos a estar así.

—Danny, gracias por estar aquí y por estar a mi lado. Perdóname por no ser la más cariñosa, por no darte todo lo que te mereces. Eres el mejor hombre que conozco.

—No digas eso, amor. Me das más de lo que podría desear. Soy muy feliz…

—Danny, yo te… yo te a…

—Reed, Pons, a sus posiciones —comunica Mason—. Empezamos en segundos.

—Lo sé —dice y me besa a pesar de la mirada impaciente de Mason—, siempre lo he sabido. Yo también te amo.

15

CORAZÓN ROTO

Upper East Side, Nueva York
28 de diciembre
Presente

—Uno, dos, tres. ¡Ainara! ¡Vamos, despierta! —escucho a lo lejos mientras siento presiones en el pecho.

Voy recobrando la conciencia, pero tengo dificultad para respirar y el pecho me arde. Estoy en un pasillo. Peter está sobre mí, tiene sangre en el rostro. Presto más atención y escucho los disparos, que no cesan.

—Peter, ¿qué pasó?

—No hay tiempo de explicar mucho. Jonas mató al doble del presidente y tú te salvaste por la placa del FBI. Cuando te iba a rematar, tuve que dispararle en la cabeza. Afuera se está controlando la situación con la ayuda de SWAT y los Delta, pero aún quedan enemigos.

En un par de segundos recobro la lucidez por completo y siento que el corazón intenta salirse de mi pecho.

—¡Danny! Lo vi caer, ¿¡está vivo!? ¡Dime que sí, Peter, por favor!

—Pero grave. No sé si sobreviva. Debemos proceder con el plan ahora o nada habrá valido la pena. Al doble del presidente no hay que hacerle nada, está muerto. Pero debes darme las inyecciones, yo me encargaré de fingir y mantener tu muerte hasta después del velorio.

—Danny… mi amor…

—¡Ainara, es ahora o nunca! —exclama y atraviesa una barra de acero en la entrada del pasillo.

Todo el plan ha sido una mierda. Han muerto demasiados y mi Danny está entre la vida y la muerte. Pero no puedo rendirme ahora. Peter me ayuda a levantarme y ponerme el chaleco antibalas. Respiro profundo para recuperar fuerzas y me alejo para que el chaleco funcione.

—¿Mason sigue vivo?

—Sí, le dieron en una pierna. Solo un rasguño. Vivirá.

—Dame dos disparos, al pecho y abdomen —le pido.

—¿Preparada?

—Sí…

Me doy contra la pared por los impactos de bala. Peter me ayuda a sentarme mientras me pregunta si estoy bien y me revisa debajo del chaleco.

—Viviré… Peter, mi muerte debe parecer real y mi cuerpo, un verdadero cadáver. La inyección hará su parte en mi interior, tú encárgate del exterior. ¡Al despertar comenzará mi cacería y te juro que los atraparé a todos! Todo depende de ti ahora, Peter. Suerte y, por favor, no dejes solo a Danny.

—Nos vemos en un par de días —dice y yo siento que el líquido de color ámbar me quema las venas.

Él se queda hablándome y yo poco a poco dejo de escuchar, ver y sentir.

Casa segura, Nueva York
Tres días después

Abro los ojos con dificultad. Estoy empapada en sudor. La cabeza me está matando y tengo tanta sed que podría beberme una piscina. No reconozco el lugar ni recuerdo nada, comienzo a ponerme nerviosa. El cuerpo me pesa y pensar en levantarme de la cama es demasiado esfuerzo. Quiero gritar para pedir ayuda, pero necesito aclarar mi mente primero. El último recuerdo claro que tengo es en el hotel junto con Dexter y todos esos muertos. Aunque intento concentrar mi mente, no puedo.

Muchas imágenes me vienen a la cabeza, de forma rápida y desorganizada. Escucho disparos, gritos y una escena me hace reaccionar.

—¡Danny! —suelto en voz alta y me siento en la cama.

—¡Ainara despertó! ¡Despertó, vengan todos!

¿Benjamin? Mis dos viejos entran en la habitación corriendo. Uno con una jarra de agua y el otro con un vaso.

—Bienvenida de vuelta a la vida, princesa —dice Arthur y me da el vaso.

—No recuerdo casi nada, Benjamin. ¿Dónde está Danny?

—Son efectos temporales por el exceso de drogas en tu cuerpo. Recordarás todo muy pronto.

—No puedo esperar, ¿Danny está bien? —pregunto con miedo.

—Debes descansar —dice Dexter al entrar—. Aún no debes poder ponerte en pie. Bennett te administró varias dosis para mantenerte «muerta». Y realmente pudiste morir. Aún tienes muchos restos de esa droga, por eso te sientes así.

—¿Mantenerme muerta?

Andrew también entra. ¿Qué reunión es esta? Me cuenta que tuvieron que falsificar un montón de documentos y explicarle la situación a un médico forense para que los ayudara a mantener la farsa mía y del presidente.

—¿El presidente?

—No recuerda nada, *nerd*. Estos jóvenes no tienen tacto —suelta Arthur.

De repente una gran debilidad ataca mi cuerpo y me debo recostar. Vuelvo a preguntar por Danny.

—Ahora debes descansar —pide Andrew.

—¡Danny! ¿Dónde está?

— Ponle el sedante —dice Dexter.

—¡No se atrevan! —grito con furia.

Para mi asombro, entra el presidente a la habitación junto con su jefe de seguridad —el último tiene vendajes en la pierna—. Quedo enmudecida.

—Señor, ¿qué hace aquí? —pregunto y siento las lágrimas descender por mis mejillas.

Se sienta en la cama, a mi lado. Me toma de la mano.

—Todo está bien, hija. Nunca podré agradecértelo lo suficiente, seguimos vivos gracias a ti. Eres nuestra heroína. Pero ahora debes descansar para que luego podamos recuperar a nuestro país —dice y le asiente a Dexter. Aunque siento el pinchazo de la aguja, ya no tengo fuerzas para luchar—. Te necesitamos, Ainara. Recupera tus energías.

∾

Casa segura, Nueva York
Cinco días después
10:15 a. m.

Apenas desperté, hace un par de horas, lo recordé todo. Quise salir corriendo al hospital. Los amenacé a todos porque no me dejaban ir, pero al final pude calmarme y pensar con ellos cuál sería nuestro siguiente paso. O si no, como me repitieron varias veces, nada habrá valido la pena.

Si bien ahora intento tomar mi primera comida sólida en cinco días, no puedo. Tengo una y solo una preocupación en la cabeza: Danny. Me dijeron que está en coma, en la unidad de cuidados intensivos y que el pronóstico es reservado; lo que significa que es tan malo que no quieren decirlo.

Por otro lado, nos culparon a mí y a Dexter de ser los cómplices principales del atentado que cobró la vida del presidente, numerosos agentes y decenas de inocentes. Mostraron un video de nosotros cuando asaltamos la camioneta de la prisión del condado y yo secuestré a Malcolm, a quien luego mostraron muerto con balas disparadas por mi Heckler. Añadieron falsas pruebas e hicieron todo un montaje. Dexter es el hombre más buscado del planeta y mi memoria quedó resumida en una sola palabra, «traición». Sin embargo, es lo que menos me importa.

Estamos todos sentados en la espaciosa sala de la enorme cabaña que Benjamin alquiló a las afueras de la ciudad. Dexter junto con Mason se encargaron de asegurarla con numerosas cargas explosivas, trampas de guerra e instalando los sistemas de Andrew, cámaras térmicas, sensores de movimiento y drones domésticos para vigilar el perímetro.

—Debes comer algo —insiste Arthur.

—Estoy bien, mi viejo. No te preocupes. Andrew, infórmame.

—Por el lado de Thomas, las cosas andan extrañas. Aunque no puedo escuchar sus llamadas, sí sabemos que se han triplicado desde el atentado. Lo mismo ocurre con la secretaria de Estado, pero utiliza líneas muy seguras porque cambiaron todos los encriptados con el nuevo Gobierno; tampoco puedo oírla. Si me dejaran entrar de nuevo a los servidores de Seguridad Nacional o a la NSA, haría posible cualquier cosa.

—Necesitamos actuar. El vicepresidente Campbell está haciendo cambios que no me gustan y me hacen pensar que es del Anillo —suelta el presidente, preocupado.

Quizá por los bajos ánimos y la preocupación por Danny, no sé qué hacer ni por dónde empezar. Tampoco tengo motivación alguna. Solo quisiera que él se levantara de la cama y nos fuéramos para siempre.

— Solo planeé ponernos a salvo y suponía que pelearíamos mejor sin nadie detrás de nosotros —digo.

—Sé cuál es el siguiente paso —dice Dexter y todos volteamos a verlo—. Conocemos con certeza a uno de los miembros, uno que es quien se ha encargado de reclutar a los demás y debe conocer casi todos los detalles de la organización. —Se queda en silencio por unos segundos—. ¿Qué esperamos para ir por él?

—No me agrada el *Seal*, es muy cabeza dura. Sin embargo, tiene razón. Secuestremos a ese malnacido y torturémoslo hasta que diga todo. Es hora de que empiecen a sentir miedo y ya no tienen cómo o con qué amenazarnos —coincide Mason—. Lo haré yo. Iré a Arlington ahora mismo, serán cuatro horas.

—Es mi plan, marine. Lo haré yo —discute Dexter.

Arthur, que sacaba cervezas de una de las neveras, empieza a repartir una ronda con Benjamin.

—Tómense una para que se calmen —pide Benjamin—. Dexter, eres el hombre más buscado. No puedes salir por ahora o podrías ponernos en riesgo a todos.

—¿A mí por qué no me dan? Tengo más de veintiuno —pregunta Andrew.

—Mis disculpas —dice Arthur y le entrega una.

La experiencia es algo curiosa. Todos nos sentamos y nos relajamos un poco con la cerveza. El presidente temía quedarse sin su hombre de confianza, sin embargo, aceptó que fuera por Thomas y lo trajera a la fuerza.

∽

Hospital Bellevue, Nueva York
3:00 p. m.

El amor nos hace fuertes y a veces nos convierte en tontos. No pude resistir y me escapé para venir a verlo. Me disfracé de enfermera, logré evadir la poca seguridad que le han puesto por creerlo mi cómplice y ahora lo tengo frente a mí, inconsciente, entubado y al borde de la muerte. Estoy paralizada, no he podido tocarlo. Todo es mi culpa, si no lo hubiera buscado aquella vez, estaría bien y seguramente haciendo feliz a una mujer que lo supiera valorar.

Lloro en silencio con ganas de hacerlos pagar a todos. Detesto el sonido de la maldita máquina que lo mantiene vivo y al mismo tiempo agradezco que esté allí funcionando.

—Te amo, mi amor. Por favor, levántate para poder decírtelo todos los días y a cada instante. Te amo, te amo…

Tomo su mano, está helada.

Mi teléfono desechable, que tiene rato vibrando, no se detiene. Respiro profundo y atiendo.

—Sé dónde estás, pero no es lo importante —dice Andrew —. Mason llamó desde la casa de Thomas. La atacaron y destruyeron casi por completo. No tenemos idea del paradero de Thomas. Está pasando algo grave y evaluamos irnos de aquí, necesitamos otra estrategia.

—Voy enseguida —aseguro y corto la llamada.

Cuando voy a darle un beso en la frente a Danny, comienza a convulsionar y la máquina a chillar. Mis latidos se descontrolan y mis lágrimas escapan sin control ante la impotencia.

—¡Auxilio! —exclamo y luego me tapo la boca.

No pueden saber que sigo viva. Un par de enfermeras entran corriendo y yo salgo sin decir nada. Lloro sin poderme controlar y sin poder moverme de la puerta. Necesito saber si se recuperará, no importa que me reconozcan. Pero la vida nunca es como es, nunca como quiero.

—Se ha ido. Anota la hora —dice una de las enfermeras después de haber intentado salvarlo.

Caigo de rodillas con la sensación más poderosa de dolor y soledad que jamás haya sentido en mi vida. Con el corazón roto, destruido.

¡TERMINEMOS CON ESTO!

Alrededores, Casa segura, Nueva York
Noche

Apagué el teléfono desechable. No sé cuánto tiempo llevo dentro del auto. No he parado de llorar. Es como si me hubieran arrancado las ganas de vivir, como si todo lo que antes tenía importancia, la perdió. Solo la muerte de mi hermana Rachel se asemeja a este dolor tan asfixiante.

Siento que ya no tengo nada que hacer en esa cabaña. No hay misión o país que me interesen. Ya lo perdí todo y ellos tendrán que arreglárselas sin mí.

—¡Al diablo! —suelto e intento encender el auto para irme, pero no puedo—. ¡Maldita sea, maldita sea!

No puedo dejarlos solos y arriesgar el maldito plan. Golpeo el volante con todas mis fuerzas hasta que me canso. Grito, pateo y por último dejo mi cabeza reposar contra el timón. Cierro los ojos.

La puerta del copiloto se abre y alguien se sienta.

—¿Estás bien, Ainara? —pregunta Thomas.

—Dime que vienes a matarme —digo sin darle importancia.

—No, vengo como amigo. ¿Cómo sigue Danny? —pregunta, no respondo—. Un amigo mío te vio en el hospital y me avisó. Sin creerle, le pedí que te siguiera y aquí estoy. Lo lamento.

—No, no lo lamentas. ¿Por qué viniste, Thomas?

—Quieren deshacerse de mí… *get rid of*

—¿Y por qué eso me tiene que importar? —pregunto aún con los ojos cerrados.

—Sé quién es el líder y tengo una montaña de pruebas aquí encima. Podemos destruir al Anillo, si el presidente sigue vivo. Lo sigue, ¿verdad?

Abro los ojos. Le pregunto quién más sabe de nuestra ubicación y me señala a Alfa, solo ellos dos. Bajamos del auto. Aún no sé si es una trampa. Sin embargo, podría ayudar a que terminemos con esto y que yo consiga venganza.

—¿¡Quién es el maldito líder!?

—Tim Campbell.

—De acuerdo, vamos adentro, pero ese imbécil no puede venir con nosotros —digo y señalo a Alfa.

—Tu casa, tus órdenes. Alfa, ¿ves ese árbol de allá? —pregunta y el alemán voltea. Thomas saca un arma y le dispara en la cabeza—. Listo, no hay cabos sueltos.

En otro momento me habría exaltado, ahora no; hasta sentí alivio al verlo caer muerto. Reviso a Thomas, lo desarmo y lo guío a la cabaña.

～

Thomas sacó de un bolso una montaña de documentos con fotografías, discos duros y *pendrives*, con información de todos los miembros del Anillo. Explicó que era su seguro de vida y que ahora que lo quieren muerto, deseaba colaborar. Con la condición de que le dieran un indulto y lo metieran en el Programa de Protección al Testigo. Nathaniel, con tal de descubrir a sus enemigos y así poder regresar a su lugar, aceptó.

El primer video que Thomas les coloca al grupo es del vicepresidente. Según por lo que inevitablemente escucho de la computadora y los comentarios, sale asesinando a sangre fría a un sujeto y vocifera ser el líder que el Anillo necesita; o algo así entiendo.

Me vine a un cuarto para estar sola.

—¡Sabía que era ese malnacido! —grita el presidente—. Es el más beneficiado. Con razón lo primero que hizo fue eliminar las sanciones a Rusia, para él negociar el petróleo barato.

—¡Vamos por él! —dice Dexter.

—¡Campbell está dando una rueda de prensa en cadena nacional en el Madison Square Garden, aquí en Nueva York! —anuncia Andrew.

—¡Vamos, no puedo esperar a ver su rostro cuando me vea vivo…!

—¡Iremos, sí! ¡Pero, muchachos, ahora tenemos compañía! —informa Andrew.

Mi rabia se desata. Me levanto, voy a la sala.

—Tengo a más de veinte en las cámaras. Vienen por el frente a cincuenta metros y acercándose.

Todos miramos a Thomas.

—No fui yo, se los juro…

—¿¡Quién más!? Deme la orden, presidente, y lo elimino —pide Mason.

—¡Alfa! El hombre que me acompañó tenía un teléfono, debieron rastrearlo.

—No importa. Vamos a eliminarlos a todos —digo mientras tomo un rifle y comienzo a armarme.

Mis viejos y Dexter me imitan. Nos distribuimos las armas y cargadores. Mason se nos pone al frente.

—No podemos enfrentarlos con el presidente aquí…

Una de las minas que cubre el perímetro explota.

—Si muero, todo habrá sido en vano. Llévenme a donde está Campbell, llevaré las pruebas y hoy mismo caerán todos —ordena el presidente.

A pesar de que vienen por nosotros, discutimos por quién lo llevará y quiénes se quedarán.

—¡No pienso huir más! —digo con determinación.

—Ainara, ¿recuerdas el hotel? Será pan comido para mí, y además, tengo a Mason.

—Yo me quedaré como apoyo. Podré guiarlos desde los monitores —agrega Andrew.

—Nosotros dos ya estamos viejos para correr. Cuidaremos al *nerd* —suelta Arthur.

Otra bomba explota, entretanto, todos me miran a la expectativa. Nathaniel se me acerca.

—Lo siento por tu pérdida, hija. No puedo imaginarme tu dolor y créeme que si hubiera alguna manera de reponer todo lo que has perdido, haría lo que fuera. Pero solo podemos ganarles a esos malnacidos y cobrarles hasta el último de los daños. No les demos el gusto de habernos quitado todo y que sigan respirando la libertad. Aquí, en esta cabaña, solo hay una batalla más, ganemos la guerra allá.

Asiento al coincidir en que no los dejaré ganar, no después de todo. Voy hacia mis viejos, los abrazo y les ruego que no mueran. Mason me da la mano, Dexter me guiña el ojo y Andrew me desea suerte desde su computadora.

—Thomas, vienes con nosotros —ordeno y le lanzo un chaleco.

—Será un placer irme de aquí.

Los disparos comienzan a impactar en la cabaña cuando los tres escapamos por la parte trasera.

∼

Madison Square Garden
9:15 p. m.

—¿Cómo vamos a pasar con tanta seguridad? —pregunta Thomas.

El presidente voltea a verlo y se señala.

—Soy el verdadero presidente. Apenas me reconozcan, me dejarán pasar.

—¡Terminemos con esto! —pido y bajo del auto.

Los tres caminamos hacia una de las entradas. El vigilante se queda impactado e intenta llamar al equipo del Servicio Secreto, pero Thomas lo detiene.

—El hombre que cuida a Campbell o quizá todos deben estar implicados, si saben que estamos aquí, nos asesinarán. Nuestra única oportunidad de hacerlo en este momento es con la sorpresa.

—No, así no lo haremos —dice el presidente y le habla al vigilante—: ¿Sabes quién soy?

—Nathaniel Morgan, yo voté por usted.

—Entonces no hagas nada y quédate en silencio. ¿Llamamos a la policía?

—El Servicio Secreto y el Anillo deben monitorear las llamadas al 911, no es buena idea —dice Thomas.

—¡Carajo, soy el presidente!

Le pregunto a Thomas si Phillip es miembro del Anillo y, al recibir una respuesta negativa, lo llamo. Al principio Phillip no cree que sea yo, que sigo viva ni nada de lo que le cuento, supone que es una broma de muy mal gusto.

—La placa del FBI que me regalaste me salvó del disparo de Jonas, siempre me has cuidado, a veces sin saberlo. Te prometo que tomaré vacaciones largas esta vez… ya no me queda nada —digo con la voz quebrada.

—Querida Ainara… ¡Dios mío!

—Necesitamos ayuda…

El presidente me quita el teléfono y habla con Phillip. Le ordena que traiga a todos sus hombres de confianza de rangos más bajos —sugerencia de Thomas—, sin que sepan para qué.

En veinte minutos llegan más de cuarenta agentes del FBI, Peter y el mismo Phillip en persona. Después de recibir un abrazo de ambos y prepararnos, entramos.

Todos los agentes del Servicio Secreto mostraron sus respetos al presidente y se nos iban uniendo, pero respetando el anillo de seguridad del FBI.

Campbell está practicando unos lanzamientos para ganarse la simpatía del país cuando nos ve llegar. El balón se le cae de las manos, sus ojos se agrandan al máximo y su boca queda completamente abierta. En cuestión de segundos su rostro cambia a ira. El estadio se silencia por completo.

—¡Maldito viejo! ¡Me vendiste! —grita furioso.

—¡Tú nos utilizaste a todos! —replica Thomas.

Sin dudar, Campbell toma el arma de su jefe de seguridad. Todos cubrimos al presidente y cuando intenta dispararnos, Thomas lo hace primero, con mi arma. El líder del Anillo cae muerto.

~

Vivienda Pons-Reed. Washington D. C.

Un mes después

Llevo un par de semanas intentando recoger todas nuestras cosas, las mías y las de Danny, me ha sido imposible. Tan solo verlas me produce un dolor demasiado profundo. La compañía de Bob, que antes era más que suficiente para mí, no logra mitigar la sensación de vacío que tengo adentro. Hasta intenté dejar ir a Danny como me explicó aquel hombre en Great Falls, con un globo, su foto y diciéndole todo lo que llevo por dentro; no funcionó. Tampoco importa que hayamos ganado y que el Anillo y sus miembros estén presos o sean prófugos.

Thomas colaboró con el presidente para ello y fue incluido en el Programa de Protección al Testigo. Cayeron tantos cargos altos del Gobierno que hicieron una reestructuración casi completa. Empresarios y miles de personas fueron salpicados. Quienes no cometieron crímenes graves podrán pagar una fianza o condenas mínimas, los demás vivirán en la cárcel de por vida.

Mi viejo amigo Jonas dejó en su testamento una carta para su esposa. En esta él le explicó, y ella nos contó a sus cercanos del FBI, cómo fue forzado a ser un miembro del Anillo y a traicionar a su país. Al igual que a la mayoría, lo tenían amenazado con su esposa y sus dos hijos. No lo puedo culpar ni le guardo rencor, todo lo contrario, quisiera haberlo podido salvar. Era uno de los mejores agentes que he conocido y Peter quedó muy afectado tras haberle tenido que disparar, aunque tampoco tuvo opción ni tiempo para pensar.

Dexter y Andrew recibieron el indulto presidencial. Dexter, Danny, Arthur y Benjamin fueron condecorados con el reconocimiento más alto, recibieron la Medalla de Honor. El presidente quiso rendirme honores y me ofreció el cargo que yo quisiera en el Gobierno, yo le pedí tiempo. Aunque no pienso volver.

La medalla de mi amado la recibió su madre y ella a cambio me dio algo que Danny había comprado para mí.

Desde entonces miro la sortija de compromiso todos los días, siempre terminando deprimida. Recordando que él intentó pedirme matrimonio justo antes de que empezara el discurso del doble del presidente, pero fui tan idiota que no pude darme cuenta.

—Nada es lo que parece y nunca vi lo obvio, Danny. Nada es lo que parece… nada es lo que parece…

Sin razón, me viene a la cabeza las últimas palabras que me dejó Leonore en el video; «con ellos nada es lo que parece, si encuentras un camino fácil, significa que vas en la dirección que ellos quieren, la equivocada».

De repente, todo lo que parecía estar bien, deja de estarlo.

426

EPÍLOGO

Nicaragua
Un año después

—¿Cómo me encontraste, Ainara? —pregunta Thomas.

—Intento nunca dejar de sorprenderte —respondo.

—¿Por qué estás aquí? Aunque me alegra verte —dice con una falsa sonrisa.

—No deberías, porque lo descubrí todo. Algo nunca encajó, y cuando te desapareciste del Programa de Protección al Testigo, empecé a sospechar. Las cámaras en tu casa nunca estuvieron conectadas, eso encendió las alarmas y entendí que nadie te vigilaba, era lo que querías que pensaran todos. Entonces fui a conversar con tu nuera. Ella me contó una interesante historia sobre el asesinato de su esposo y me mostró las pruebas que tu hijo le había dado para que las utilizara si algo le pasaba, pero ella tuvo miedo y calló. Era información clave sobre el líder del Anillo, sobre ti. Grabaciones de audio, ¿quieres oír alguna?; transacciones bancarias con

427

fechas, montos y motivos; una foto tuya delante del cadáver de un senador en tu casa, del que se dijo que murió por un asalto.

—No puedo…

—Cállate. Eras el líder, ¿no? ¿Por qué te atacaron después de que pensaran que el presidente había muerto?

—Sí, lo era. No calculé que estar tanto tiempo encerrado en mi casa me desconectaría de los miembros. Solo continuaba amenazándolos, personalmente o con mis «jefes de división». Tenía al menos dos en cada estado. Ellos utilizaban el mismo programa para disfrazar la voz y siempre parecía que era yo el omnipresente. El idiota de Campbell y los engreídos de Washington creyeron que podían convertirse en los jefes e intentaron sacarme del medio y quitarme todas las pruebas que había recolectado en cinco años.

—¿De qué valió todo?

Se encoge de hombros, baja la mirada y responde.

—De verdad quería hacer del mundo un lugar mejor. Más orden, menos personas inútiles, más progreso…

—Las misiones, solo eran para hacerme perder tiempo, ¿no?

—Sí y no. Saqué a Leonore del medio porque ya se había revelado y necesitaba a alguien nuevo que, con tanta presión encima, solo hiciera caso mientras yo continuaba con mis planes. Jamás imaginé el nivel de tu capacidad.

—Solo responde dos preguntas más. ¿Mataste a tu propio hijo? ¿Por qué me elegiste a mí?

—Comenzaré por la más fácil. Te elegí porque gracias a ti nació la idea de todo esto y era poético. La segunda pregunta…

Intenta sacar un arma de su espalda y le vuelo la cabeza con la Magnum que me regalo Peter.

FIN

Obtén una copia digital GRATIS de mi novela *Miedo en los ojos*
y mantente informado sobre mis futuras publicaciones.
Suscríbete en este enlace:
https://raulgarbantes.com/miedogratis

NOTAS DEL AUTOR

Espero hayas disfrutado la lectura de esta novela.

Si te gustó mi obra, por favor déjame una opinión en Amazon. Las críticas amables son buenas para los autores y los lectores... y un estudio reciente (realizado por mi persona) también indica que escribir una opinión positiva es bueno para el alma ;)

¿Sabías que ahora también puedes disfrutar de mis historias en audiolibros? Te invito a gozar de esta experiencia con mi relato *Los desaparecidos*. Escúchalo **gratis** aquí: https://soundcloud.com/raulgarbantes/losdesaparecidos

Puedes encontrar todas mis novelas en mi página web: www.raulgarbantes.com

Finalmente, si deseas contactarte conmigo puedes escribirme directamente a raul@raulgarbantes.com.

Mis mejores deseos,
Raúl Garbantes

amazon.com/author/raulgarbantes

goodreads.com/raulgarbantes

instagram.com/raulgarbantes

facebook.com/autorraulgarbantes

twitter.com/rgarbantes